Cynnwys

Cynnwys

Uned 1 – Mae fy mrawd i'n byw ym Mhontypridd

Nod yr uned hon yw...
- **Iaith:** Adolygu
- **Ymarfer:** Cyfarch a Chyflwyno

Geirfa

- ● **enwau benywaidd** — *feminine nouns*
- ○ **enwau gwrywaidd** — *masculine nouns*
- ● **berfau** — *verbs*
- ● **ansoddeiriau** — *adjectives*
- ● **arall** — *other*

cymdeithas(au)	*society (societies)*
nant (nentydd)	*stream(s), creek(s)*
perthynas (perthnasau)	*relative(s), relations(s)*
ward(iau)	*ward(s)*

agoriad(au)	*opening(s)*
arweinydd (arweinyddion)	*conductor(s); leader(s)*
claf (cleifion)	*patient(s)*
digwyddiad(au)	*event(s)*
gwahaniaeth(au)	*difference(s)*
oedran(nau)	*age(s)*
partner(iaid)	*partner(s)*
sylw(adau)	*attention; remark(s)*

busneslyd	*meddlesome, nosy*
lwcus	*lucky*

cyfarch	*to greet*
cyflwyno	*to introduce, to present*
swnio	*to sound*
ymuno (â)	*to join*

ar hyn o bryd	*at the moment*
cyfnod clo	*lockdown*
gyda llaw	*by the way*
wrth fy modd	*in my element*

Geiriau pwysig i fi...

....

....

....

....

....

....

Siaradwch

Trafodwch unrhyw beth am y pynciau yma gyda phobl eraill o'r dosbarth.

byw

yn wreiddiol

gwaith

amser sbâr

y penwythnos diwetha

y penwythnos nesa

siopa

bwyta

yfed

eich ardal chi

Adolygu

Mae fy ffrind i'n mwynhau <u>chwarae drymiau</u>.

Mae fy <u>nhad</u> i'n dod o Dreorci.

Mae fy mrawd i'n gweithio <u>mewn garej</u>.

Dyw fy chwaer i ddim yn <u>gweithio</u> ar hyn o bryd.

Roedd fy nhad-cu i'n gweithio <u>ar fferm</u>.

Pwy sy'n byw ar y stryd?

1	2	3	4	5
Mari Meddyg Tudur Tiwtor Gwyn 1 Siôn 7 Nia 9	Branwen Wedi ymddeol Athrawes 87 oed	John Nyrs Dafydd Gyrru lori	Rob Gweithio gartre Siân Rheolwraig swyddfa Mari 12	Marc Cyfreithiwr Hoffi pêl-droed

Siaradwch – Trafod pwnc – Cymdogion

- Oes cymdogion da gyda chi?

- Dych **chi'n** gymydog da?

- Sut mae cymdogion yn gallu helpu ei gilydd?

- Dych chi wedi cael problem gyda chymydog? Rhywun rhy fusneslyd? Rhy swnllyd?

- Mae rhai pobl yn dweud bod pobl ddim yn nabod eu cymdogion nhw y dyddiau yma. Dych chi'n cytuno? Ddaeth pobl i adnabod ei gilydd yn well yn ystod cyfnod clo y coronafeirws?

Dros y penwythnos

Beth dych chi'n (ei) wneud
dros y penwythnos?

Dw i'n mwynhau cerdded yng
nghefn gwlad.

Beth o'ch chi'n hoffi (ei) wneud ar
benwythnos pan o'ch chi'n blentyn?

Pan o'n i'n blentyn, ro'n i'n
mwynhau chwarae yn y parc.

Beth fyddwch chi'n (ei) wneud
y penwythnos nesa?

Y penwythnos nesa, bydda
i'n gwneud llawer o waith tŷ.

Beth fasech chi'n (ei) wneud
ar benwythnos rhydd?

Ar benwythnos rhydd, baswn
i'n hoffi mynd ma's i fwyta.

Enw	dros y penwythnos	ar benwythnos pan o'ch chi'n blentyn	y penwythnos nesa	ar benwythnos rhydd

Ymarfer – Cyfarch a chyflwyno
Gwrando

Gwrandewch ar bobl yn cyfarch ac yn cyflwyno.
Ble basech chi'n clywed y rhain?

yn y swyddfa   mewn cyfarfod o'r gymdeithas Gymraeg leol
mewn parti   yn yr ysgol

1. ....

2. ....

3. ....

4. ....

Darllen

Ble basech chi'n clywed y cyflwyniadau yma?

mewn cymdeithas leol   yn y tŷ   mewn meddygfa
yn y theatr   mewn cyfarfod gwaith   yn y dosbarth
mewn agoriad neuadd   mewn sŵ   yn y dafarn
mewn agoriad siop   mewn ysbyty   mewn ysgol

Dyma Jac, hen ffrind coleg sy'n aros gyda fi heno.	
Gaf i eich sylw chi? Dyma fy nghydweithwyr i sy'n gweithio yn swyddfa Llandudno.	
Dyma Dyfan Jones, ein siaradwr ni heno.	
Dyma Dafydd Roberts, eich tiwtor newydd chi.	
Iawn blant, dyma Nia Roberts sy wedi dod i siarad â ni heddiw. Dwedwch 'Bore da'.	
Mam a Dad, dyma Sam, fy mhartner i.	
Croeso cynnes i bawb. Ac i agor y neuadd, 'dyn ni'n lwcus iawn i gael actor enwog gyda ni. Rhowch groeso i Ifan Williams.	
Bore da, Doctor Davies. Dyma Mari Jones. Daeth hi yma i Ward 5 ddoe ar ôl cwympo yn ei chartre hi.	

Yn Gymraeg...

Saesneg	Cymraeg
Here's Jac, an old college friend.	
Here are my colleagues.	
Here's Dyfan Jones, our speaker tonight.	
Here's Dafydd Roberts, your new tutor.	
OK children, here's Nia Roberts.	
Mam and Dad, here's Sam, my partner.	
A warm welcome to everyone. We're very lucky to have a famous actor with us.	
Good morning, Doctor Davies. Here's Mari Jones.	

Gwylio

Edrychwch ar y fideo a meddyliwch am ddau gwestiwn i'w gofyn i'r dosbarth. Ysgrifennwch y cwestiynau ar bapur a'u rhoi i'r tiwtor.

Sgwrs – ar ddechrau cwrs Cymraeg yn Nant Gwrtheyrn

Sam: Bore da. <u>Sam</u> dw i. Pwy dych chi?

Chris: Helo <u>Sam</u>, <u>Chris</u> dw i. Dych chi ar y cwrs Canolradd?

Sam: Ydw. Dw i wedi dod yma o <u>Bontypridd</u>. O ble dych chi wedi dod heddiw?

Chris: O <u>Gaerffili</u>. Dych chi wedi bod yn Nant Gwrtheyrn o'r blaen?

Sam: Nac ydw. Mae'n bert iawn yma, on'd yw hi?

Chris: Ydy, wir. Ond mae'n bell o <u>Gaerffili</u>!

Sam: Gyda phwy dych chi wedi dod yma?

Chris: Gyda <u>Gareth</u> o'r dosbarth. 'Dyn ni'n dilyn cwrs ar <u>fore Mercher</u> yn y <u>Ganolfan Hamdden</u>.

Sam: Wel, wel, dw i'n dysgu ar <u>fore Mercher</u> hefyd! Dw i wedi dod yma gyda <u>Gwen</u> o'r gwaith.

Chris: Ble dych chi'n gweithio?

Sam: Yn <u>y Cyngor Sir</u>. Dych chi'n gweithio?

Chris: Nac ydw, dw i wedi ymddeol.

Sam: Lwcus iawn! Gwela i chi yn y dosbarth ar ôl i ni gael paned o <u>goffi</u> a <u>bara brith</u>!

Chris: Ie, <u>bara brith</u> blasus iawn! Wel, pob hwyl ar y cwrs!

Sam: Cawn ni sgwrs eto. Hwyl!

Siaradwch

- Dych chi wedi bod ar gwrs yn Nant Gwrtheyrn neu ar gwrs preswyl arall neu ar gwrs haf/penwythnos neu mewn Sadwrn Siarad?
- Dych chi'n nabod rhywun sy wedi bod yn Nant Gwrtheyrn?
- Fasech chi'n hoffi mynd i Nant Gwrtheyrn?

Gwrando

Gwrandewch ar y paragraff a llenwch y bylchau wrth wrando:

Prynhawn da a .... i'r Awr Gerdd. Gyda ni .... mae Anwen Jones, arweinydd Côr y Bryniau. Mewn ...., bydd y côr yn mynd ar daith i ...., ac mae Anwen wedi dod i'r stiwdio i roi tipyn o'i hanes hi a'r côr cyn .... nhw adael.

Croeso, Anwen.

Ystyr **ar daith** yw *on tour*. Sut mae dweud...?

on holidays	....
on fire	....
available	....
for sale	....

Robin Radio

a) Atebwch:

Ble mae Anti Mair? ....

Pryd bydd Cari ar y rhaglen? ....

Sut mae Cari'n nabod Robin? ....

b) Gwrandewch am:

Diolch i chi am ofyn.	*Thank you for asking.*
dros dro	*temporarily*
Diolch i chi am y cyfle.	*Thank you for the opportunity.*

c) Cyfieithwch:

exciting news ....

Anti Mair has gone on holidays again. ....

....

Would you like to choose? ....

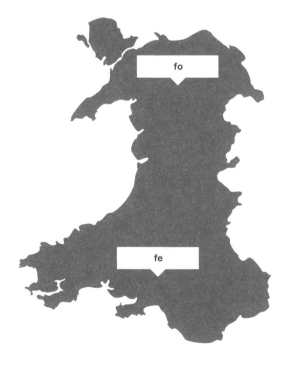

Family 2

Uned 2 – Byth ac Erioed

Nod yr uned hon yw...
• **Iaith:** Byth ac Erioed
• **Ymarfer:** Cwyno

Geirfa

bricsen (brics)	*brick(s)*
cangen (canghennau)	*branch(es)*
cerddorfa (cerddorfeydd)	*orchestra(s)*
cymwynas(au)	*favour(s)*
rheol(au)	*rule(s)*
siawns(iau)	*chance(s)*
trefn(iadau)	*order; arrangement(s)*

anhapus	*unhappy*
sicr	*certain*
sownd	*stuck*
swyddogol	*official*
talentog	*talented*

ar ddihun	*awake*		**creu**	*to create*
cadw sŵn	*to make a noise*		**croesi**	*to cross*
heblaw am	*apart from*		**cynhesu**	*to heat up*
i fod i	*supposed to*		**derbyn**	*to accept, to receive*
isod	*below*			
newid mân	*small change (arian)*		**gollwng**	*to drop*
			gorwedd	*to lie down*
o flaen	*in front of*		**mynnu**	*to insist*
oriau mân	*small hours*		**neidio**	*to jump*
yn ddiweddar	*lately, recently*		**tywyllu**	*to grow dark*

Geiriau pwysig i fi...

....

....

....

Siaradwch! Ffeindiwch berson...

...sy'n hoffi garddio.	...sy'n edrych ar S4C.	...sy wedi darllen llyfr Cymraeg.	...sy wedi bod yn yr Eidal.
...aeth i'r ysgol y tu fa's i Gymru.	...aeth ar wyliau mewn awyren dros yr haf.	...oedd yn gweithio y penwythnos diwetha.	...oedd yn hoffi darllen pan oedd e/hi'n blentyn.
...fydd yn mynd i'r theatr yn ystod y mis nesa.	...fydd yn mynd ar drên yn ystod y tri mis nesa.	...fasai'n hoffi mynd i Las Vegas.	...fasai'n gallu rhedeg marathon.

Byth

Dw i ddim yn gweithio ar ddydd Sul.	Dw i **byth** yn gweithio ar ddydd Sul.	*I never work on Sunday.*
Dw i ddim yn yfed te.	Dw i **byth** yn yfed te.	*I never drink tea.*
Dw i ddim yn mynd i'r sinema.	Dw i **byth** yn mynd i'r sinema.	*I never go to the cinema.*
Dw i ddim yn siopa ar-lein.	Dw i **byth** yn siopa ar-lein.	*I never shop online.*

Dw i byth yn bwyta cig coch.

Dw i byth yn prynu cacen hufen.

Dw i byth yn gyrru i siop y gornel.

Dw i byth yn bwyta ffrwythau.

Dw i byth yn prynu bara brown.

Dw i byth yn mynd i'r gampfa.

Faint o bobl sy'n...?

	Ydw, yn aml.	Ydw, weithiau.	Nac ydw, byth.
bwyta cig coch?			
prynu cacen hufen?			
gyrru i siop y gornel?			
bwyta ffrwythau?			
prynu bara brown?			
mynd i'r gampfa?			

Faswn i byth yn bwyta malwod.	*I would never eat snails.*
Faswn i byth yn dringo Mynydd Etna.	*I would never climb Mount Etna.*
Faswn i byth yn chwarae golff.	*I would never play golf.*
Faswn i byth yn mynd i Siberia.	*I would never go to Siberia.*

Holiadur

Gofynnwch y cwestiynau i bum person a rhowch ✔ yn y blwch cywir.

Faset ti'n...?

	Baswn.	Efallai.	Na faswn, byth.
dweud celwydd?			
copïo gwaith cartref rhywun?			
siarad Saesneg gyda'r tiwtor?			
rhoi cyflog mis i elusen?			
cerdded Clawdd Offa?			
rhedeg hanner marathon Caerdydd?			

Erioed

Wyt ti wedi bod yn <u>Barcelona</u> erioed?	*Have you ever been to Barcelona?*
Wyt ti wedi bwyta <u>malwod</u> erioed?	*Have you ever eaten snails?*
Dych chi wedi canu <u>carioci</u> erioed?	*Have you ever sung Karaoke?*
Dych chi wedi gweld <u>drama Gymraeg</u> erioed?	*Have you ever seen a Welsh play?*

Dw i ddim wedi bod yn Llydaw.	Dw i **erioed** wedi bod yn Llydaw.	*I have never been in Brittany.*
Dw i ddim wedi gweld opera.	Dw i **erioed** wedi gweld opera.	*I have never seen an opera.*
Dw i ddim wedi chwarae criced.	Dw i **erioed** wedi chwarae criced.	*I have never played cricket.*
Dw i ddim wedi bod mewn eisteddfod.	Dw i **erioed** wedi bod mewn eisteddfod.	*I have never been in an eisteddfod.*

Unwaith, dwywaith, tair gwaith

Dw i wedi bod yno unwaith.	*I have been there once.*
Dw i wedi bod yno dwywaith.	*I have been there twice.*
Dw i wedi bod yno tair gwaith.	*I have been there three times.*
Dw i wedi bod yno sawl gwaith.	*I have been there several times.*

Ymarfer – Cwyno

Cwyno mewn siop 1

A: Ga i'ch helpu chi?

B: Dw i eisiau dod â'r camera yma yn ôl.

A: Pam, beth sy'n bod?

B: Mae'r lens wedi torri.

A: Wnaethoch chi ollwng y camera?

B: Dw i ddim yn meddwl...

A: 'Dyn ni ddim yn rhoi arian yn ôl am lens wedi cracio.

Cwyno mewn siop 2

A: Ga i'ch helpu chi?

B: Ces i'r crys yma'n anrheg. Dyw e ddim yn ffitio.

A: Ydy'r dderbynneb gyda chi?

B: Nac ydy.

A: Mae'n flin gyda fi, dyw hi ddim yn bosib cael eich arian chi yn ôl ond cewch chi ddewis crys arall.

B: Ond dw i ddim yn hoffi'r dillad yn y siop yma. Maen nhw'n hen ffasiwn. Dw i eisiau arian yn ôl.

A: Wel, dw i ddim yn gallu eich helpu chi, felly.

Gwrando 1 – Cwyno

Pwy sy'n mynd i dderbyn y negeseuon ffôn yma? Trafodwch gyda'ch partner:

1. ....

2. ....

3. ....

4. ....

5. ....

Gwylio – Cwyno

Gwyliwch y fideo a chysylltwch ddau hanner y tabl:

bws	blasus
tîm rygbi	yn dathlu
traffyrdd Ffrainc	yn y cesys
cwch modur	yn yr Eidal
glaw	yn hwyr
lifft	hyfryd
pitsas	drwy'r wythnos
Giovanni	wedi torri
bagiau	diflas
caws Gorgonzola	rhy ddrud

Siaradwch

- Am beth dych chi'n cwyno: gyda ffrindiau/teulu/cydweithwyr?
- Fasech chi'n ffonio rhaglen radio i gwyno am rywbeth?
- Dych chi wedi cwyno'n swyddogol i'r Cyngor/i Aelod o'r Senedd/ i Aelod Seneddol?

Gwrando 2 – Cwyno

1. Pam roedd Mrs Jones yn hapus i adael i'r peintwyr ddod i mewn i'r tŷ?

....

2. Beth anghofiodd hi (ei) gael gan y peintwyr?

....

3. Beth oedd achos y tân?

....

4. Pam doedd hi na'i gŵr ddim eisiau gwneud y gwaith eu hunain?

....

***

5.   Beth oedd yn dda am sut gwnaeth y dynion y gwaith?

....

6.   Beth oedd yn bod ar y diwedd?

....

7.   Pam wnaeth y dynion **ddim** peintio'r gegin eto?

....

8.   Sut mae Mrs Jones yn mynd i ffeindio'r dynion?

....

***

9.   Dych chi'n clywed **cwmni peintio** yn y darn. Pa eiriau eraill sy'n gallu mynd ar ôl cwmni?

cwmni ....   cwmni ....

cwmni ....   cwmni ....

Trafod pwnc – Ffonau symudol

Siaradwch â'ch partner a llenwch y grid:

Pwy dych chi'n (ei) ffonio o'r ffôn symudol?	Pwy sy'n eich ffonio chi ar y ffôn symudol?	Beth arall dych chi'n (ei) wneud â'r ffôn?

Mae pobl yn treulio gormod o amser ar eu ffôn symudol neu ar y cyfryngau cymdeithasol.

- Oes ffôn symudol gyda chi? Dych chi'n dibynnu arno fe?
- Ble dylai pobl **beidio** â defnyddio eu ffôn nhw?
- Beth yw'ch profiad chi o ddefnyddio'r cyfryngau cymdeithasol?
- Ydy'r cyfryngau cymdeithasol yn gallu helpu cymdeithas?
- Dych chi'n cytuno bod pobl yn treulio gormod o amser ar eu ffôn symudol nhw neu ar y cyfryngau cymdeithasol?

Robin Radio

a) Atebwch:

Beth yw gwaith Nia Morgan?

....

Pam mae Dafydd Roberts wedi ffonio?

....

Sut mae Robin eisiau i'r gwrandawyr helpu hen bobl?

....

b) Gwrandewch am:

Bydd neges ar y wefan.	*There will be a message on the website.*
Ga i ofyn i'r gwrandawyr?	*May I ask the listeners?*
cymwynas i'r cymdogion	*a favour for the neighbours*

c) Cyfieithwch:

Pick up the phone if you want to ask a question.

....

I never look on the web.

....

Everyone should stay at home.

....

Help llaw

Byth

'Dyn ni'n defnyddio **byth** i gyffredinoli (*generalise*) yn y presennol ac yn yr amodol (*conditional*). Mae'r gair **byth** yn cymryd lle'r gair **ddim** mewn brawddeg negyddol a'r ystyr yma yw *never*.

Dw i ddim yn yfed te.	Dw i byth yn yfed te.
Faswn i ddim yn bwyta malwod.	Faswn i byth yn bwyta malwod.

Erioed

'Dyn ni'n defnyddio **erioed** yn y gorffennol gyda **wedi**. Eto, mae **erioed** yn cymryd lle **ddim** mewn brawddeg negyddol.

Dw i ddim wedi bod yn Sbaen.	Dw i erioed wedi bod yn Sbaen.

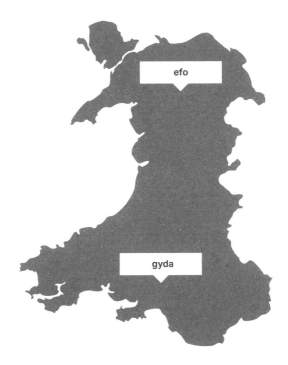

Places2

Uned 3 – Dw i'n meddwl bod...

Nod yr uned hon yw...
• **Iaith:** Dw i'n meddwl fy mod i, dy fod ti, ein bod ni, eich bod chi
• **Ymarfer:** Mynegi barn (*Expressing an opinion*)

Geirfa

cyfres(i)	*series*
erthygl(au)	*article(s)*
marwolaeth(au)	*death(s)*
sefyllfa(oedd)	*situation(s)*

amlwg	*obvious, evident*
annifyr	*nasty, unpleasant*
blinedig	*tired*
cyfforddus	*comfortable*
cymhleth	*complicated*
difyr	*entertaining*
digalon	*depressed, depressing*
llithrig	*slippery*
rhagorol	*excellent*
rhewllyd	*icy*
serth	*steep*
troellog	*twisty, windy*

ailgylchu	*to recycle*
arbed	*to save*
dadlau (â)	*to argue (with)*
lladd	*to kill*
llithro	*to slip*
synnu	*to surprise; to be surprised*

dweud eich dweud	*to have your say*
ffurflen gais	*application form*
oddi cartre	*away from home*
rhagor	mwy (*quantity*)

Geiriau pwysig i fi...

....

....

....

Siaradwch

- Tasech chi'n cael byw ar unrhyw ynys yn y byd am dri mis, ble basech chi'n mynd?
- Ble mae eich hoff draeth chi?
- Pa iaith arall fasech chi'n hoffi (ei) dysgu? Pam?
- Os dych chi oddi cartre, beth dych chi'n gweld eisiau?
- Pa olygfa fasech chi'n hoffi (ei) gweld o'ch tŷ chi?
- Pa fath o bethau dych chi'n (eu) prynu ar wyliau?
- Beth yw'r peth gorau dych chi wedi (ei) brynu ar wyliau?
- Pa fath o fwyd dych chi'n (ei) fwyta ar wyliau?

Adolygu – byth ac erioed

Ffeindiwch faint o bobl sy ...

byth yn mynd i ganolfannau garddio	byth yn bwyta pysgod	byth yn prynu bwyd ar y we	byth yn mynd i'r sinema
byth yn canu yn y gawod/bath	byth yn darllen papur newydd print	erioed wedi prynu tocyn loteri	erioed wedi yfed sudd mango
erioed wedi bod yn Llundain	erioed wedi nofio mewn llyn	erioed wedi gyrru tramor	erioed wedi bod mewn gêm griced

Dw i'n meddwl bod...

Dych chi'n cofio?

Beth dych chi'n (ei) feddwl o'r llyfr?

Dw i'n meddwl bod y llyfr yn ddiflas.   *I think the book is boring.*

Dw i'n meddwl ei fod e'n ddigalon.   *I think it's depressing.*

Dw i'n meddwl ei fod e'n wael.   *I think it's poor.*

Dw i'n meddwl ei fod e'n gymhleth.   *I think it's complicated.*

Beth dych chi'n (ei) feddwl o'r ffilm?

Dw i'n meddwl bod y ffilm yn dda.	*I think the film is good.*
Dw i'n meddwl ei bod hi'n ddiddorol.	*I think it's interesting.*
Dw i'n meddwl ei bod hi'n ddifyr.	*I think it's entertaining.*
Dw i'n meddwl ei bod hi'n rhagorol.	*I think it's excellent.*

Enw ffilm	Enw -	Enw -	Enw -	Enw -	Enw -

Dw i'n gwybod fy mod i'n iawn.	*I know (that) I'm correct.*
Dw i'n gwybod fy mod i'n hwyr.	*I know (that) I'm late.*
Dw i'n gwybod fy mod i'n gynnar.	*I know (that) I'm early.*
Dw i'n gwybod fy mod i'n gweithio yfory.	*I know (that) I'm working tomorrow.*

Wyt ti'n siŵr dy fod ti'n iawn?	*Are you sure (that) you're ok?*
Wyt ti'n siŵr dy fod ti'n iawn i helpu?	*Are you sure (that) you're ok to help?*
Wyt ti'n siŵr dy fod ti'n iawn i yrru?	*Are you sure (that) you're ok to drive?*
Wyt ti'n siŵr dy fod ti'n iawn i weithio?	*Are you sure (that) you're ok to work?*
Wrth gwrs fy mod i!	*Of course I am!*

Dw i'n siomedig ein bod ni'n colli'r parti.	*I'm disappointed (that) we are missing the party.*
Dw i'n siomedig eich bod chi'n colli'r parti.	*I'm disappointed (that) you are missing the party.*
Dw i'n siomedig eu bod nhw'n colli'r parti.	*I'm disappointed (that) they are missing the party.*
Dw i'n siomedig bod y plant yn colli'r parti.	*I'm disappointed (that) the children are missing the party.*

Ymarfer

Gyda'ch partner, taflwch dri dis i wneud brawddegau,
e.e. 1 + 3 + 5 > Gobeithio ei fod e'n mynd i'r parti.

1.	Gobeithio	fi	cwis
2.	Dw i'n meddwl	ti	cyfarfod
3.	Dw i'n gwybod	fe	gêm
4.	Dw i'n siŵr	hi	dosbarth
5.	Mae'n debyg	ni	parti
6.	Wrth gwrs	nhw	bore coffi

Gyda'ch partner, unwch y ddau hanner i wneud un frawddeg neu gwestiwn.

Dych chi'n siŵr   mae hi'n bwrw eirlaw yn y gogledd

....?

Mae'n debyg   mae hi'n swnllyd iawn yn y clwb nos

....

Mae hi'n amlwg   rwyt ti'n mynd i basio

....

Efallai   mae e'n dost

....

Dw i'n sicr   maen nhw'n mynd i'r parti

....

Gobeithio   'dyn ni'n gallu mynd

....

Dw i wedi clywed   mae hi wedi torri ei choes

....

Wyt ti'n meddwl   mae'r bòs yn grac

.... ?

Dw i ddim yn meddwl   dw i'n gallu mynd ar y cwrs i Nant
                                   Gwrtheyrn

....

Mae'n bosib   dych chi angen paned o goffi nawr

.... !

Yn y dyfodol

Dw i'n meddwl bydd hi'n wlyb yfory.   *I think it will be wet tomorrow.*
Efallai bydd hi'n wlyb yfory.   *Perhaps it will be wet tomorrow.*
Mae'n debyg bydd hi'n wlyb yfory.   *It's likely that it will be wet tomorrow.*
Mae S4C yn dweud bydd hi'n wlyb yfory.   *S4C says it will be wet tomorrow.*

Sut bydd y tywydd yn y gwanwyn / yr haf / yr hydref / y gaeaf?
Gyda'ch partner, dwedwch **dair** brawddeg am bob tymor, yn dechrau gyda:

Mae'n bosib...   Dw i'n meddwl...   Efallai...

e.e. Efallai bydd hi'n niwlog yn yr hydref.

Trefnu cyfarfod yr wythnos nesa – fyddi di'n rhydd?

Bydda i'n mynd at y deintydd.

Efallai bydda i'n mynd i'r swyddfa yn ....

Dw i'n meddwl bydda i ar wyliau.

Dw i ddim yn meddwl bydda i ar gael.

Dw i'n credu bydda i mewn cyfarfod arall.

Ysgrifennwch y pum esgus a gadewch chwe blwch yn wag:

Enw	1.	2.
bore Llun		
prynhawn Llun		
bore Mawrth		
prynhawn Mawrth		
bore Mercher		
prynhawn Mercher		
bore Iau		
prynhawn Iau		
bore Gwener		
prynhawn Gwener		
bore Sadwrn		

Sgwrs 1

A: Fasech chi'n hoffi dod am ddiod ar ôl y dosbarth? Dw i'n dathlu fy mhen-blwydd i heddiw!

B: Dw i'n siŵr fy mod i'n gallu dod am hanner awr.

A: Ro'n i'n gobeithio baset ti. Efallai basech chi'n hoffi dod hefyd, Ceri a Chris?

CaCh: Mae'n debyg basen ni'n gallu dod am un ddiod fach.

B: Tybed fasai'r tiwtor yn gallu dod? Gobeithio basen ni'n siarad Cymraeg wedyn!

A: Dw i'n meddwl basai'n well gyda'r tiwtor fynd adre – bydd e/hi wedi blino ar ôl y dosbarth!

C: Beth am y dosbarth drws nesa?

Ch: Mae'n siŵr basen nhw'n hoffi dod hefyd!

A: Af i i ofyn iddyn nhw nawr.

Edrychwch ar y brawddegau isod o Sgwrs 1. Fel yn y dyfodol, does dim angen defnyddio **bod** pan fyddwn ni'n siarad yn yr **amodol** (*conditional*) – baswn i, baset ti ac ati.

Ro'n i'n gobeithio baset ti.

Efallai basech chi'n hoffi dod hefyd.

Mae'n debyg basen ni'n gallu dod am un ddiod fach.

Gobeithio basen ni'n siarad Cymraeg wedyn.

Dw i'n meddwl basai'n well gyda'r tiwtor fynd adre.

Mae'n siŵr basen nhw'n hoffi dod hefyd.

Ymarfer – Mynegi barn

Beth dych chi'n (ei) feddwl o'r pethau yma? Syniad da neu syniad twp?
Defnyddiwch y patrwm:

Beth dych chi'n (ei) feddwl o XX?

Dw i'n meddwl bod XX yn syniad da/syniad twp.

	Dyfalu	Ateb
A. ...cael diwrnod o wyliau ar Ddydd Gŵyl Dewi?	Syniad da - Syniad twp -	Syniad da - Syniad twp -
B. ...peidio ag yfed alcohol ym mis Ionawr?	Syniad da - Syniad twp -	Syniad da - Syniad twp -
C. ...pleidleisio yn 16 oed?	Syniad da - Syniad twp -	Syniad da - Syniad twp -

Bwyta ma's

Ble est ti ma's i fwyta ddiwetha?

Sut roedd y bwyd?	Ro'n i'n meddwl ei fod e'n flasus/ddiflas.
Sut roedd yr ystafell?	Ro'n i'n meddwl ei bod hi'n gyfforddus/oer.
Sut roedd y staff?	Ro'n i'n meddwl eu bod nhw'n hyfryd/ofnadwy.

Sgwrs 2

A: Sut aeth y gwyliau sgio?

B: Siomedig a dweud y gwir.

A: Pam?

B: Roedd yr awyren yn hwyr iawn yn gadael Caerdydd. Ro'n ni'n flinedig iawn yn cyrraedd Genefa.

A: O'ch chi'n aros yn y Swistir?

B: Nac o'n, yn Ffrainc. Ro'n ni'n meddwl basai Ffrainc yn rhatach.

A: O'ch chi'n aros mewn gwesty?

B: Nac o'n. Roedd y *chalet* tua dwy awr o'r maes awyr. Llogon ni gar.

A: Sut roedd y daith i'r *chalet*?

B: Ro'n ni'n meddwl bod y ffordd yn droellog iawn, ac roedd hi'n serth hefyd.

A: Felly, o'ch chi'n aros ar y mynydd?

B: O'n ac roedd hi'n rhewllyd iawn, felly roedd y ffordd yn llithrig.

A: Mae'n siŵr ei bod hi'n beryglus.

B: Ro'n i'n sicr ein bod ni'n mynd i gael damwain – roedd hi'n annifyr iawn.

A: Dyna drueni!

B: A doedd y gwres canolog ddim yn gweithio, ro'n ni'n rhewi yn y nos!

A: Sut roedd y sgio, beth bynnag?

B: Ofnadwy! Doedd dim digon o eira! Ond llithrais i ar yr iâ a chwympo wrth lethr sgio plastig y plant bach!

A: Ro'n i'n meddwl dy fod ti'n cerdded yn rhyfedd...

B: Dw i'n gwybod. Fydda i ddim yn mynd i sgio eto!

Gwrando

1. Ble gwelodd Meri'r ffilm?

....

2. Sut 'dyn ni'n gwybod bod Rhys ap Rhys yn enwog?

....

*

3. Beth oedd y broblem gyda Catrin Zara?

....

4. Ble cafodd y ffilm ei ffilmio?

....

*

5. Beth oedd barn Marc am y ddau actor?

....

6. Pam dydy Meri ddim eisiau siarad am ddiwedd y ffilm?

....

7. Beth yw'r peth gorau am y ffilm, yn ôl Meri?

....

*

8. Faint o ffilmiau fydd yn y gyfres?

....

*

9. Dych chi'n clywed **darn o bren** yn y darn. Dych chi'n gallu meddwl am enghreifftiau eraill?

darn o ....   darn o ....   darn o ....

Trafod pwnc – Y Teledu

A: Beth dych chi'n (ei) feddwl o'r ddrama newydd ar S4C?

B: Yn fy marn i, mae hi'n wych.

A: Dw i'n cytuno. Y rhaglen orau ers blynyddoedd.

A: Welaist ti'r rhaglen gomedi newydd am Gymru neithiwr?

B: Do. Mwynheuais i hi.

A: Paid â siarad dwli. Roedd hi'n ofnadwy.

A: Beth wyt ti'n (ei) feddwl o'r gyfres newydd i ddysgwyr ar S4C?

B: Dw i wedi gweld dwy raglen ac ro'n i'n meddwl eu bod nhw'n ddiddorol.

A: Dw i'n cytuno. Bydd y gyfres yn help mawr.

Siaradwch – Does dim rhaglenni da ar y teledu erbyn hyn.

I ddechrau meddwl am y pwnc, ysgrifennwch enw pum rhaglen ym mhob categori:

Rhaglenni da nawr	Rhaglenni da flynyddoedd yn ôl	Rhaglenni gwael nawr	Rhaglenni gwael flynyddoedd yn ôl

- Faint o raglenni teledu dych chi'n (eu) gwylio? Ar ba sianeli?
- Pa fath o raglenni dych chi'n (eu) gwylio?
- Pa fath o raglenni dych chi'n (eu) casáu?
- Beth sy'n well gyda chi, ffilmiau neu gyfresi teledu?
- Dych chi'n gwylio rhaglenni'n fyw, neu dych chi'n gwylio rhaglenni ar y we?
- Beth oedd eich hoff raglen deledu chi yn y gorffennol? Pam roedd hi'n dda?
- Does dim rhaglenni da ar y teledu erbyn hyn. Dych chi'n cytuno?

Robin Radio

a) Atebwch:

Pa mor hwyr yw Cari?

....

Pwy sy ar fai?

....

Beth fydd Cari yn ei wneud gynta?

....

b) Gwrandewch am:

ar gornel eich stryd chi	*on the corner of your street*
Wnaiff e ddim digwydd eto.	*It won't happen again.*
ar hyn o bryd	*at this moment in time*

c) Cyfieithwch:

I'm sorry I'm late.

....

I think I have said.

....

Go and make a cuppa.

....

Help llaw

Mae **meddwl bod** yn codi yn Uned 7 yn y Cwrs Sylfaen. Yn y Cwrs Canolradd, 'dyn ni'n adeiladu ar y patrwm.

1. 'Dyn ni'n defnyddio **bod** ar ôl:

Berfau	Ansoddeiriau	Arall
meddwl	siŵr	efallai
gwybod	sicr	wrth gwrs
gobeithio	mae'n debyg	mae'n flin gyda fi
dweud	siomedig	
clywed	hapus	
dadlau	trist	

2. Mae **bod** yn newid gyda'r rhagenwau:

fy mod i   ein bod ni
dy fod ti   eich bod chi
ei fod e   eu bod nhw
ei bod hi

3. 'Dyn ni'n defnyddio **bod** yn y presennol a'r amherffaith (*imperfect*) – roedd, ac ati.

Mae hi'n braf.   Dw i'n meddwl **ei bod hi'n** braf.
Roedd hi'n braf.   Ro'n i'n meddwl **ei bod hi'n** braf.

4. Ond yn y dyfodol a'r amodol (*conditional*), 'dyn ni ddim yn defnyddio **bod**.

Bydd hi'n braf.   Dw i'n meddwl **bydd** hi'n braf.
Basai hi'n braf.   Ro'n i'n meddwl **basai** hi'n braf.

allan

ma's

Opinions

Opinions2

Uned 4 – Gwela i chi yr wythnos nesa

Nod yr uned hon yw...

• **Iaith:** Y dyfodol cryno *(concise)* (gwela i, gweli di, gweliff e/hi, gwelwn ni,
• **Ymarfer:** Rhoi cymorth gwelwch chi, gwelan nhw)

Geirfa

awyr	*air, sky*
Caeredin	*Edinburgh*
cymuned(au)	*community (communities)*
gwibdaith (gwibdeithiau)	*trip(s), excursion(s)*
injan dân (injans tân)	*fire engine(s)*
rhaw(iau)	*spade(s)*
Rhufain	*Rome*

anafu	*to injure*
apelio (at)	*to appeal (to)*
gwthio	*to push*
palu	*to dig*
sôn	*to mention*

defnyddiol	*useful*
go iawn	*real*
pendant	*definite*

bad(au) achub	
busnes(au)	
cymorth	
diogelwch	
oerfel	
perchennog (perchnogion)	
pwyllgor(au)	
swn (synau)	
swyddog(ion)	

cymorth cyntaf	*first aid*
iechyd a diogelwch	*health and safety*
o flaen	*in front of*
rhoi'r gorau i	*to give up*
sbort a sbri	*fun and games*

Geiriau pwysig i fi...

....

....

....

Siaradwch – Y Dyfodol

- Beth fyddwch chi'n ei wneud y penwythnos nesa?
- Dych chi'n edrych ymlaen at ddathlu rhywbeth arbennig yn ystod y deuddeg mis nesa?
- Fyddwch chi'n gwneud rhywbeth am y tro cynta yn ystod y deuddeg mis nesa?
- Fyddwch chi'n mynd i rywle newydd yn y chwe mis nesa?
- Fydd rhywbeth pwysig yn digwydd yn y newyddion yn y chwe mis nesa?
- Fyddwch chi'n gwneud rhywbeth diddorol gyda'ch Cymraeg chi yn ystod y deuddeg mis nesa?

Adolygu – Dw i'n meddwl ...

	chi				
Ydy ysbytai'r ardal yma'n dda?					
Ydy pobl yn mynd allan llai i dafarndai y dyddiau yma?					
Ydy'r byd yn cynhesu?					
Ydyn ni angen traffordd o Gaergybi i Gaerdydd?					
Oedd cinio ysgol yn ofnadwy?					
Fyddwch chi'n prynu car trydan yn y dyfodol?					
Fydd hi'n bwrw eira yn y naw mis nesa?					
Fydd pobl yn mynd ar wyliau i'r lleuad mewn 30 mlynedd?					
Fasech chi'n hoffi symud tŷ yn y pum mlynedd nesa?			`		

Dych chi'n cofio?

Mynd
Af i i'r gwaith yfory.
Ei di i'r parti heno.
Aiff hi adre wedyn.
Awn ni i'r sinema nos yfory.
Ble ewch chi ar wyliau yn yr haf?
Ân nhw ddim i'r cyfarfod yr wythnos nesa.

Cael
Caf i frechdanau i ginio.
Cei di ddigon o fwyd yn y parti.
Caiff hi baned o de.
Cawn ni hufen iâ.
Beth gewch chi i de?
Cân nhw amser da yn y cyngerdd.

Bwyta ma's

Enw	Ble?	Gyda phwy?	Bwyta?	Yfed?

Sgwrs 1 – Gwneud

A: Beth **wnei di** nesa?

B: Dw i ddim yn siŵr. Efallai **gwnaf i** gwrs arall.

A: Dw i ddim yn siŵr chwaith, ond dw i'n meddwl **af i** i deithio am ychydig.

B: Ble **ei di**?

A: I Dde America, efallai. Dw i erioed wedi bod yno.

B: Dw i wedi bod yno unwaith. Mae'n wych.

A: Pa gwrs **wnei di**?

B: Does dim syniad gyda fi ond dw i eisiau dysgu rhywbeth newydd. **Edrycha i** ar wefan y coleg heno.

A: Pob lwc.

B: A phob lwc i ti gyda'r teithio hefyd.

Gwnaf i'r siopa.
Beth wnei di yfory?
Wnaiff e ddim byd.
Gwnawn ni ein gorau.
Beth wnewch chi nesa?
Gwnân nhw'r gwaith cartre.

Gwela i chi...

Gwela i chi yr wythnos nesa.	*I'll see you next week.*
Helpa i chi yr wythnos nesa.	*I'll help you next week.*
Tala i chi yr wythnos nesa.	*I'll pay you next week.*
Ffonia i chi yr wythnos nesa.	*I'll phone you next week.*
Pryna i laeth.	*I'll buy milk.*
Pryna i betrol.	*I'll buy petrol.*
Pryna i bapur newydd.	*I'll buy a newspaper.*
Pryna i lyfr Cymraeg.	*I'll buy a Welsh book.*
Edrycha i ar y teledu yfory.	*I'll watch television tomorrow.*
Helpa i yn yr ysgol yfory.	*I'll help in the school tomorrow.*
Gweithia i yn yr ardd yfory.	*I'll work in the garden tomorrow.*
Arhosa i yn y tŷ yfory.	*I'll stay in the house tomorrow.*

Ymarfer

Gyda'ch partner, cysylltwch y ddau hanner:

a	Os bydd hi'n sych yfory,	i.	galwa i yn y siop ar y ffordd adre.
b	Os bydd hi'n oer yfory,	ii.	arhosa i yn y tŷ.
c	Os bydd hi'n wlyb yfory,	iii.	hwfra i drwy'r tŷ i ti.
ch	Os bydd dy gar di yn y garej,	iv.	archeba i un arall ar-lein heno.
d	Os bydd dy fagiau di'n drwm,	v.	rhoia i ddillad ar y lein i sychu.
dd	Os bydd angen rhywbeth i swper,	vi.	bwyda i'r gath i ti.
e	Os bydd digon o amser,	vii.	caria i nhw i fyny'r grisiau.
f	Os byddi di gartre dydd Sul,	viii.	galwa i gyda'r cigydd ar y ffordd adre.
ff	Os byddi di yn y dosbarth yfory,	ix.	gwnaf i rywbeth cyflym yn y meicrodon.
g	Os byddi di bant dros nos,	x.	pryna i goffi i ti ar ôl y wers.
ng	Os byddi di eisiau tocyn arall,	xi.	rhoia i lifft adre i ti.
h	Os byddi di eisiau bwyd,	xii.	gwisga i fenig a sgarff.

Darllen

Dw i'n brysur!

Gyda'ch partner, darllenwch y darn a llenwch y bylchau. Mae help yn y grid o dan
y darn darllen.

Rhaid i fi adael y gwaith yn gynnar heddiw. Dw i'n brysur heno – fel arfer!
_____ i'r plant o'r clwb ar ôl ysgol. Af i â Siân i'r dosbarth bale, wedyn af i
â Twm i'r ymarfer rygbi. Wedyn, _____ i fwyd i swper yn yr archfarchnad. Os
bydd amser, _____ i baned yn y caffi.

_____ i Siân o'r dosbarth bale ac wedyn _____ i i'r ymarfer rygbi i gasglu
Twm. _____ i swper ar ôl cyrraedd adre. _____ i swper gyda'r plant. Dim
ffonau symudol – _____ i â'r plant! _____ i'r llestri yn syth wedyn, gyda
help y plant – gobeithio!

_____ i ddillad rygbi Twm a _____ i nhw yn y peiriant sychu dillad.
Bydd e'n chwarae rygbi eto yfory! _____ i stori i Siân a _____ i
Twm gyda ei waith cartref Cymraeg.

Pan mae'r plant yn cysgu, _____ i ar y newyddion, _____ i dipyn o
ddillad, a _____ i dipyn bach o waith papur o'r swyddfa.
_____ i o flaen y tân efallai cyn amser gwely!

edrych	yfed	codi x 2	prynu	helpu
cysgu	golchi x 2	coginio	gyrru	siarad
smwddio	bwyta	darllen	rhoi	gorffen

Beth bryni di heddiw?	*What will you buy today?*
Beth bryni di yfory?	*What will you buy tomorrow?*
Beth brynwch chi heddiw?	*What will you buy today?*
Beth brynwch chi yfory?	*What will you buy tomorrow?*

Beth weli di yn y sinema nesa?	*What will you see in the cinema next?*
Beth weli di yn y theatr nesa?	*What will you see in the theatre next?*
Beth welwch chi yn y sinema nesa?	*What will you see in the cinema next?*
Beth welwch chi yn y theatr nesa?	*What will you see in the theatre next?*

Enw	prynu heddiw	prynu yfory	sinema	theatr

Beth wnewch chi dros y penwythnos?

Gyrrwn ni i Abertawe.	*We will drive to Swansea.*
Arhoswn ni mewn hostel.	*We will stay in a hostel.*
Cerddwn ni i'r Mwmbwls.	*We will walk to the Mumbles.*
Prynwn ni bysgod a sglodion.	*We will buy fish and chips.*
Ble aiff y teulu Jones dros yr haf?	Ân nhw i Borthcawl.
Beth wnân nhw yna?	
Cerddan nhw ar y traeth.	*They will walk on the beach.*
Nofian nhw yn y môr.	*They will swim in the sea.*
Arhosan nhw mewn carafán.	*They will stay in a caravan.*
Gwarian nhw lawer o arian yn y ffair.	*They will spend a lot of money in the fair.*

Mae awyrennau'n hedfan i Baris, Rhufain, Caeredin a Los Angeles o Gaerdydd heddiw. Llenwch y tabl gyda'ch partner.

	mynd	gweld	bwyta	yfed	prynu
Sara a Sam	Paris				
Huw a Helen	Rhufain				
Gwyn a Gareth	Caeredin				
Mari a Megan	Los Angeles				

Pryniff Sam salad yfory.	*Sam will buy salad tomorrow.*
Pryniff e gaws.	*He will buy cheese.*
Pryniff Mair fara yfory.	*Mair will buy bread tomorrow.*
Pryniff hi fenyn.	*She will buy butter.*

Yn y swyddfa – Trefnu Pwyllgor Pwysig!

Siaradiff Sam â Sara.

Anfoniff Sara neges at bawb.

Anfoniff Sam y papurau at bawb.

Anfoniff Non decst at Tom.

Anfoniff Tom ebost at Emyr.

Ffoniff Emyr Ffion.

Trefniff Ffion ystafell.

Anfoniff Ffion neges at y pennaeth.

Anfoniff y bòs ebost at bawb.

Y Negyddol

Dych chi'n cofio?

Chaf i ddim mynd <u>i'r parti</u>.

Wnaf i ddim byd <u>heno</u>.

Felly:

Fwyta i ddim byd heno.	*I won't eat anything tonight.*
Ddarllena i ddim byd heno.	*I won't read anything tonight.*
Wylia i ddim byd heno.	*I won't watch anything tonight.*
Waria i ddim byd heno.	*I won't spend anything tonight.*

Phryna i ddim byd.	*I won't buy anything.*
Phryniff e ddim byd.	*He won't buy anything.*
Phrynwn ni ddim byd.	*We won't buy anything.*
Phrynan nhw ddim byd.	*They won't buy anything.*

Ymarfer

Taflwch y dis a gwnewch frawddegau, e.e.

rhif **1** a rhif **4** = fi + talu am y cwrs = Tala i am y cwrs./Thala i ddim am y cwrs.

Dis 1	Pwy?	Dis 2	Beth?
1	fi	1	prynu paned
2	ti	2	edrych ar y teledu
3	fe/hi	3	dringo lan y mynydd
4	ni	4	talu am y cwrs
5	chi	5	cofrestru ar y cwrs
6	nhw	6	ymuno â'r clwb

Ymarfer – Rhoi cymorth
Gwrando 1

Gwrandewch ar y negeseuon yma a phenderfynwch pwy dylech chi ei ffonio i helpu. Ysgrifennwch y rhif ar y llinell.

Ambiwlans Awyr ....

Tîm Cymorth Cyntaf ....

Injan dân ....

Plymwr ....

Bad achub ....

Swyddog Iechyd a Diogelwch ....

Garej ....

Sgwrs 2

A: O na! Mae fy nghar i'n sownd yn yr eira! Do'n i ddim yn disgwyl hyn! Dw i'n hwyr iawn nawr!

B: Beth yw'r holl sŵn yma? Arhoswch funud, dych chi'n sownd?

A: Ydw – ac mae apwyntiad pwysig iawn gyda fi mewn hanner awr!

B: Dych chi eisiau help?

A: Na, bydda i'n iawn yn y funud. Mae teiars arbennig gyda fi...

B: Dych chi'n siŵr? Mae rhaw gyda fi yn y garej. Pala i lwybr i chi o flaen y car.

A: Baswn i'n ddiolchgar iawn, ond cymerwch ofal, faswn i ddim eisiau i chi gwympo.

B: Cwympo, wir? Bydda i ma's gyda'r wyrion mewn munud, yn gwneud dyn eira. 'Dyn ni'n edrych ymlaen at gael sbort a sbri yn yr eira. Arhoswch funud nawr...

A: Wel, diolch am eich help chi.

B: Gwell i chi fynd i'ch apwyntiad pwysig chi.

A: Diolch yn fawr. O, mae eira yn niwsans ofnadwy!

B: Mae'n rhyfedd, dych chi'n byw ar y stryd yma ers tair blynedd a dw i erioed wedi siarad â chi o'r blaen.

A: Wel, dw i ddim yn nabod llawer o bobl, dw i'n gweithio oriau hir.

B: Arhoswch funud, dw i'n nabod eich llais chi, a'ch wyneb chi hefyd.

A: Wel, diolch yn fawr am eich help chi, rhaid i fi fynd nawr.

B: Trefor Roberts dw i, pwy dych chi, 'te?

A: Ym...Enfys dw i....

B: Enfys Haf...menyw'r tywydd ar S4C?

A: Ie, dyna chi. Rhaid i fi fynd...

B: Wel, wel, Enfys Haf o S4C, doedd hi ddim yn disgwyl yr eira!

Siaradwch

- Dych chi wedi cael problem achos eira erioed?
- Ydy eich car chi wedi mynd yn sownd mewn eira? Oedd rhaid i chi wthio'r car?
- Pan dych chi'n codi yn y bore ac yn gweld eira drwy'r ffenest, dych chi'n teimlo'n hapus/yn grac/yn llawn straen?
- Sut dych chi'n helpu pobl mewn eira?
- Dych chi erioed wedi cael help gan rywun mewn eira?
- Dych chi erioed wedi bod yn sgio? Ydy gwyliau sgio yn apelio atoch chi?

Gwrando 2

1. Faint o bobl sy'n gweithio yn y Llew Gwyn?

....

2. Pam does dim rhaid i Dewi adael Llanaber?

....

3. Pam mae Dewi'n synnu bod y busnes yn gwneud mor dda?

....

4. Beth yw **prif** reswm Dewi dros adael y dafarn?

....

****

5. Pam mae John (mab Dewi) yn brysur bob nos Lun?

....

6. Beth mae Dewi'n gobeithio ddigwyddiff yn y dyfodol yn y dafarn?

....

7. Pa newyddion 'da' ddaeth allan o'r daith i Iwerddon?

....

8. Pam mae Dewi'n eitha siŵr byddan nhw'n gallu gadael erbyn y Nadolig?

....

****

9. Dych chi'n clywed y cyflwynydd yn sôn am Dewi yn tynnu peintiau.
Beth, dych chi'n feddwl, yw:

to pull a leg   *to take clothes off*

....

to extract teeth   *to take a photograph*

....

to draw a picture   *to pull a face*

....

to draw the curtains   *to draw a line*

....

Siaradwch

- Beth sy'n gwneud tafarn dda?
- Oes/Oedd hoff dafarn gyda chi?
- Oes llai o bobl yn mynd i dafarnau nawr? Pam?
- Tasech chi'n rhedeg tafarn, beth fasech chi'n (ei) wneud yno? Beth fasech chi ddim yn (ei) wneud yno?

Robin Radio

a) Atebwch:

Am sawl elusen mae Mrs Morris yn sôn? ....

Pam dyw Robin ddim eisiau cefnogi'r cartref cŵn? ....

Pa elusen fydd yn cael yr arian? ....

b) Gwrandewch am:

mewn gwirionedd	*in reality*
achos da iawn wir	*a very good cause indeed*
gwerthfawr iawn	*very valuable*

c) Cyfieithwch:

not able to agree	....
She was very grateful.	....
in the sixties	....

Darllen

Nawr dych chi'n gallu darllen *Croesi'r Bont* gan Zoë Pettinger o gyfres Llyfrau Amdani. Mae pum stori yn y llyfr.

Dych chi'n gallu prynu'r llyfr yn eich siop Gymraeg leol neu ar gwales.com.

Does unman yn debyg i gartref

Chwythodd gwynt twym drwy'r twnnel. Sgrechiodd breciau'r trên ac **atseiniodd** y rhybudd 'Mind the gap' ar hyd y platfform. Roedd pobl yn rhuthro i bob cyfeiriad. Symudodd Owain yn **wyliadwrus** yn eu mysg nhw. Camodd ar y trên, oedd **dan ei sang** yn barod. Doedd neb yn siarad, neb yn **cyfathrebu**. Roedd Owain yn falch o hynny. Roedd e'n **anhysbys**, roedd e'n ddiogel.

Gadawodd y trên yr orsaf ac edrychodd Owain o gwmpas. Doedd e ddim yn nabod neb a doedd neb yn ei wylio fe. **Am y tro** o leiaf.

atseinio – *to echo*

gwyliadwrus – *watchful*

dan ei sang – *overcrowded*

cyfathrebu – *to communicate*

anhysbys – *anonymous*

am y tro – *for the time being*

Help llaw

Mae dyfodol **gwneud**, **mynd** a **dod** yn codi yn unedau 10-12 yn y Cwrs Sylfaen.

1. I ddefnyddio'r dyfodol cryno (*concise*), dych chi'n cymryd bôn (*stem*) y ferf, a rhoi terfyniadau (*endings*) y dyfodol.

bod	helpu	mynd	gwneud	cael	dod
bydd**a** i	help**a** i	**a**(f) i	gwn**a**(f) i	c**a**(f) i	do(f) i
bydd**i** di	help**i** di	e**i** di	gwne**i** di	ce**i** di	do**i** di
bydd e/hi	help**iff** e/hi	a**iff** e/hi	gwn**aiff** e/hi	c**aiff** e/hi	daw e/hi
bydd**wn** ni	help**wn** ni	a**wn** ni	gwn**awn** ni	ca**wn** ni	do**wn** ni
bydd**wch** chi	help**wch** chi	e**wch** chi	gwn**ewch** chi	ce**wch** chi	de**wch** chi
bydd**an** nhw	help**an** nhw	**ân** nhw	gwn**ân** nhw	c**ân** nhw	dôn nhw

Mae'r trydydd person (fe/hi) yn wahanol:

bydd e	help**iff** e
bydd hi	help**iff** hi
bydd y plant	help**iff** y plant

2. Mae **treiglad llaes** (t, c, p) a **threiglad meddal** yn y **negyddol**:

Prynwn ni fwyd ar y ffordd.	**Ph**rynwn ni ddim bwyd ar y ffordd.
Meddyliwn ni am y peth heno.	**F**eddyliwn ni ddim am y peth heno.

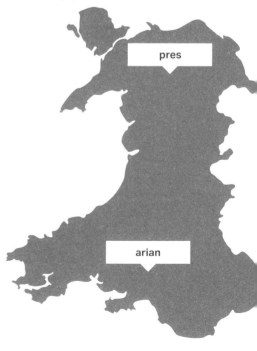

pres

arian

FutShort

Fut Mynd 1

Uned 5 – Adolygu ac Ymestyn

Nod yr uned hon yw...
• **Iaith:** Adolygu ac ymestyn
• **Ymarfer:** Siarad am wyliau

Geirfa

addysg	education
chwarel(i)	quarry (-ies)
chwedl(au)	tale(s)
glan(nau)	shore(s), bank(s)
gwylan(od)	seagull(s)
llechen (llechi)	slate(s)
mellten (mellt)	lightning
mordaith (mordeithiau)	cruise(s)
oriel(au)	gallery (-ies)
safon(au)	standard(s)

achosi	to cause
crwydro	to wander, to roam
cynnal	to hold (event)

absennol	absent
anferth	huge
costus	pricey
dychrynllyd	frightening
gwerin	folk

asgwrn (esgyrn)	bone(s)
beirniad (beirniaid)	judge(s), adjudicator(s)
beudy (beudai)	cowshed(s)
cyfleuster(au)	facility (-ies)
cyfnod(au)	period(s) (amser)
defnydd	use
gwestai (gwesteion)	guest(s)
holiadur(on)	questionnaire(s)
lleoliad(au)	location(s)
llyn(noedd)	lake(s)
marc(iau)	mark(s)
pleser(au)	pleasure(s)
sgerbwd (sgerbydau)	skeleton(s)
sidan	silk
tortsh(ys)	torch(es)
twrist(iaid)	tourist(s)

ar hyd	along
Caeredin	Edinburgh
dod i ben	to come to an end
er gwaetha	despite
llond bola	bellyful (fed up)
newydd sbon	brand new
o leia	at least
yr Unol Daleithiau	the United States

Geiriau pwysig i fi...

....

....

Adolygu – Gêm o Gardiau

	♠	♦	♣	♥
A	Beth o'ch chi'n (ei) feddwl o'r tywydd yr haf diwetha?	Beth fyddwch chi'n (ei) ddathlu nesa?	Dych chi'n meddwl bod eich archfarchnad chi'n ddrud?	Dwedwch rywbeth da am eich cymdogion chi.
2	Beth dych chi byth yn (ei) fwyta amser brecwast?	Beth dych chi'n (ei) feddwl o'r tywydd heddiw?	Dych chi wedi prynu car newydd sbon erioed?	Beth dych chi'n (ei) feddwl o gyfnod y Nadolig?
3	Beth yfwch chi nesa?	Â phwy siaradwch chi Gymraeg ar ôl y dosbarth?	Pa fwyd dych chi byth yn (ei) brynu mewn archfarchnad?	Beth dych chi'n (ei) feddwl sy'n anodd wrth ddysgu Cymraeg?
4	Beth dych chi'n (ei) feddwl o ganu gwerin Cymraeg?	Beth yw/oedd enw llawn eich mam chi?	Beth dych chi'n (ei) feddwl o eira?	Dwedwch rywbeth am y person ifanca yn eich teulu chi.
5	Beth o'ch chi'n (ei) feddwl o'ch cwrs Cymraeg cynta chi?	Beth dych chi byth yn (ei) goginio gartre ond yn hoffi (ei) fwyta ma's?	Beth dych chi'n (ei) feddwl o raglenni teledu nos Sadwrn ar hyn o bryd?	Beth brynwch chi nesa?
6	Beth o'ch chi'n (ei) feddwl o'ch taith chi i'r dosbarth heddiw/heno?	Pwy welwch chi yfory?	Ble cerddwch chi ar lan y môr nesa?	Enwch anifail dych chi erioed wedi ei weld.
7	Pryd teithiwch chi ar drên nesa?	Pa fath o wyliau dych chi byth yn (ei) ddewis?	Ble fasech chi byth yn gwario £100?	Dych chi'n meddwl bod y stryd fawr yn brysur yn eich tre chi?
8	Dych chi wedi bod yn Nant Gwrtheyrn?	Beth o'ch chi'n (ei) feddwl o Nos Galan llynedd?	Pryd gwelwch chi eich ffrind gorau chi nesa?	Pa fath o raglenni teledu dych chi byth yn (eu) gwylio?
9	Fyddwch chi'n edrych ar chwaraeon dros y penwythnos?	Dych chi wedi bod mewn hofrennydd erioed?	Pa raglen sy/oedd yn ddoniol ar y teledu?	Ar ba raglen deledu edrychwch chi y penwythnos yma?
10	Pa aelodau o'r teulu welwch chi yn y dyfodol agos?	Ym mha fis mae eich pen-blwydd chi?	Ble basech chi byth yn gallu gweithio?	Pa ddiod dych chi byth yn (ei) hyfed?
Jac	Dwedwch rywbeth am y person hena yn eich teulu chi.	Beth dych chi byth yn (ei) fwynhau am y Nadolig?	Ydy hi'n mynd i fwrw glaw dros y penwythnos?	Beth dych chi'n (ei) feddwl o'r ardal yma?
Brenhines	Dych chi'n darllen llyfr ar hyn o bryd?	Enwch rywbeth dych chi byth yn (ei) brynu.	Fyddwch chi'n brysur yr wythnos nesa?	Dych chi wedi nofio gyda dolffiniaid erioed?
Brenin	Beth dych chi'n (ei) feddwl fydd ar y newyddion heno?	Dych chi wedi dringo Ben Nevis erioed?	Dwedwch rywbeth am eich bòs cynta chi.	Pa mor brysur o'ch chi y penwythnos diwetha?

Y Dyfodol – Ateb

Dych chi'n cofio?

Ga i brynu <u>tocyn</u>?	Cei/Na chei.
Gawn ni <u>edrych ar y teledu</u>?	Cewch/Na chewch.
Wnei di dalu am y <u>bwyd</u>?	Gwnaf/Na wnaf.
Wnewch chi <u>agor y drws</u>?	Gwnaf/Na wnaf.

Bryni di bapur newydd yfory?	Gwnaf/Na wnaf.	*Yes, I will/ No, I won't.*
Brynwch chi bapur newydd?	Gwnawn/Na wnawn.	*Yes, we will/ No, we won't.*
Bryniff e bapur newydd?	Gwnaiff/Na wnaiff.	*Yes, he will /No, he won't.*
Brynan nhw bapur newydd?	Gwnân/Na wnân.	*Yes, they will/No, they won't.*

Ble awn ni?

Dw i'n siŵr bydd y Metro'n brysur.

Bydd yr olygfa o'r Tŵr yn rhagorol.

Prynwn ni *croissants* bob bore.

Yfwn ni goffi da bob dydd.

Ymwelwn ni ag Oriel y Louvre.

Gwelwn ni'r *Mona Lisa*.

Wrth gwrs byddwn ni'n mwynhau!

Ble awn ni? ....

Ble awn ni?

Dw i'n siŵr bydd hi'n heulog bob dydd!

Awn ni lan yr Wyddfa ar y trên.

Cerddwn ni i lawr yn ofalus!

Siaradwn ni Gymraeg bob dydd.

Ymwelwn ni â'r amgueddfa lechi.

Nofiwn ni yn Llyn Padarn.

Gwelwn ni Gastell Dolbadarn.

Prynwn ni frecwast da yn y caffi.

Ble awn ni?

....

Yn eich grŵp chi, llenwch y bylchau i wneud deialog:

A: Ble awn ni i ddathlu fy mhen-blwydd arbennig i?

B: Dw i erioed wedi bod yn ....

C: O na! Dw i byth eisiau mynd yn ôl i ...., roedd hi'n
.... yna.

A: Mae fy .... i wedi bod yn .... Mae e/hi'n
dweud bod .... yn ....

B: O'r gorau, awn ni i ....

C: Sut awn ni?

A: Awn ni ....

B: Dw i'n meddwl bydd y tywydd yn .... yn
....

C: Dw i'n gobeithio byddwn ni'n gallu bwyta .... yn
....

A: Gwelwn ni .... yno, bydd hi'n fendigedig!

B: Siaradwn ni .... yno, a Chymraeg gyda'n gilydd,
wrth gwrs!

C: Arhoswn ni mewn .... yno. Bydd hynny'n gyfleus.

A: Iawn, awn ni i ...., 'te.

Ymarfer – Siarad am wyliau

Gofynnwch i bawb yn y dosbarth ble basen nhw'n mynd ar wyliau. Pam? Pam lai?

Math o wyliau	yn bendant	efallai	byth
'yurt' (pabell grand) yng nghefn gwlad Cymru			
fflat mewn dinas yn Ewrop			
gwersyll gwyliau teuluol ym Mhrydain			
gwyliau sgio yn Awstria			
mordaith i'r Caribî			
tocyn trên mis i grwydro Ewrop			
pythefnos mewn parc thema yn yr Unol Daleithiau			
penwythnos sioe a siopa yn Llundain			
mis mewn hosteli yn y Dwyrain Pell			
gwyliau gartre gyda dyddiau ma's yn lleol			
gwyliau ar lan y môr mewn gwesty yng Ngwlad Groeg			
penwythnos yn gwylio gêm rygbi Cymru yn yr Alban			
gwibdaith i'r Eisteddfod Genedlaethol, aros noson mewn carafán, tocyn i gyngerdd yn y Pafiliwn			

Gwrando

Ble basech chi'n clywed y rhain?

1. ....
2. ....
3. ....
4. ....
5. ....
6. ....

Gwylio

Edrychwch ar y bobl yma'n trafod gwyliau. Nodwch ddau beth mae dau berson ar y fideo yn (eu) dweud am eu gwyliau nhw.

Person 1

1. ....
2. ....

Person 2

1. ....
2. ....

Llenwch y bylchau

Mae pobl Cymru'n lwcus iawn. Maen nhw'n byw .... gwlad sy'n llawn mynyddoedd, afonydd a thraethau bendigedig. Ar ddiwrnod heulog, oer, mae mynd .... dro ar hyd llwybr yr arfordir yn bleser. .... dim rhaid i chi fod yn ddringwr nac yn gerddwr da. Mae digon o lwybrau hawdd, sy'n addas i bobl o bob oed yng nghefn .... Cymru.

Yr wythnos diwetha, ... (mynd) wyth ohonon ni i gerdded ar y llwybr o Borthgain i Abereiddi yn Sir Benfro. .... y tywydd yn oer ond yn heulog. Cyrhaeddon ni .... ddeg o'r gloch y bore, parcio, ac ar ôl dringo'r grisiau allan o Borthgain, ro'n ni ar y llwybr. Do'n i ddim wedi cerdded yn Sir Benfro .... blaen, ond roedd pobl eraill yn ein grŵp wedi bod yma fwy nag unwaith. Cerddon ni'n ddigon araf, sgwrsio ac edrych .... y creigiau a'r môr.

Cyn pen tri ....(¾) awr, roedden ni wedi cyrraedd Abereiddi. Roedd y llwybr i'r chwith yn mynd i'r traeth a'r pentre, ond aethon ni ar y llwybr i'r .... o gwmpas y graig i weld y pwll glas enwog. Chwarel oedd yma yn y gorffennol, ond erbyn heddiw, mae'n enwog fel lle i gynnal cystadleuaeth i bobl sy'n deifio. Tasech chi'n rhoi mil o bunnoedd i fi, ... i ddim yn gallu neidio o ben y graig i'r dŵr.

Ar ôl ychydig o amser, ... (penderfynu) ni ddechrau cerdded yn ôl. Cwrddon ni â mwy o bobl ar y ffordd yn ôl i Borthgain, ac roedd llawer yn siarad Cymraeg! O leia, roedden nhw'n dweud 'Bore da'. Erbyn amser cinio, roedden ni 'nôl ym Mhorthgain, ac wedi newid o'r dillad cerdded.

.... (cael) ni ginio hyfryd yn y dafarn yno. Maen nhw'n gwneud bwyd môr, ac roedd pawb yn meddwl .... y pysgod yn flasus iawn.

Dych chi'n siŵr o gael diwrnod da os .... (mynd) chi i gerdded ar hyd llwybr yr arfordir, ac mae cerdded yn Sir Benfro'n well .... mynd dramor. Da chi, ... (chwilio) am y sgidiau cerdded a'r got law – mae'n hawdd.

Siaradwch

Mae gwyliau yng Nghymru yn well na gwyliau tramor.

Rhestrwch o leia 10 o eiriau fydd yn eich helpu chi i siarad am wyliau:

....

....

Gwyliau yng Nghymru – pethau da	**Gwyliau yng Nghymru – pethau drwg**

Gwyliau tramor – pethau da	**Gwyliau tramor – pethau drwg**

Mewn grwpiau, siaradwch:

- Dych chi'n cytuno? Pam?
- Ble mae'r llefydd gorau am wyliau yng Nghymru?
- Ble mae'r llefydd gorau i fynd am daith undydd yng Nghymru?
- Beth sy'n bwysig i chi pan dych chi'n dewis gwyliau?
- Beth yw'r problemau posibl gyda gwyliau yng Nghymru a thramor?
- Soniwch am eich gwyliau gorau erioed.
- Ble bydd eich gwyliau nesa chi?/Ble basech chi'n hoffi cael eich gwyliau nesa?
- Ydy pobl yn teithio llai achos COVID-19?

Gwrando

1. Pa mor aml mae rhaglen Helen James ar y radio?

....

2. Sut daeth Gwen Tomos a Bleddyn Griffiths i nabod ei gilydd gynta?

....

3. Beth dyw Bleddyn ddim yn ei hoffi am ei swydd e?

....

4. Pam roedd hi'n lwcus fod y glaw wedi stopio?

....

*****

5. Sut mae Bleddyn a Gwen yn cadw mewn cysylltiad?

....

6. Sut rydyn ni'n gwybod bod cwmni bysus Bleddyn yn gwneud yn dda?
   Nodwch ddau ateb.

....

7. Pam mae Bleddyn yn mynd i'r Eidal yn amlach nag i'r Alban?

....

8. Pam mae'r 1950au'n bwysig yn hanes y teulu?

....

*****

9. Yn y darn, dych chi'n clywed "y pumdegau". Sut mae dweud:

the sixties ....

the seventies ....

the eighties ....

the nineties ....

Chwedl – Rhys a Meinir

Roedd Rhys a Meinir yn gariadon ers blynyddoedd. Gofynnodd Rhys i Meinir ei briodi e.

Ar ôl iddi hi dderbyn, gwnaeth Rhys siâp calon ar goeden i gofio'r diwrnod.

Ar fore'r briodas, gwisgodd Meinir ei ffrog sidan hi yn barod i briodi. Ond roedd hi'n disgwyl i ffrindiau Rhys chwarae triciau arni hi, felly aeth hi i guddio.

Arhosodd Rhys am oriau, ond ddaeth Meinir ddim i'r eglwys.

Chwiliodd Rhys am ei gariad e am wythnosau, ond heb lwc.

Un noson stormus, aeth Rhys allan i chwilio eto. Stopiodd e wrth yr hen goeden, ond tarodd mellten y goeden a thorri'r goeden yn ei hanner.

Gwelodd Rhys olygfa ddychrynllyd – sgerbwd gyda darnau o ffrog briodas ar yr esgyrn. Roedd Meinir wedi cwympo i mewn i'r goeden wrth guddio ac wedi methu dod allan.

Torrodd calon Rhys a chwympodd e'n farw dan y goeden.

Heb edrych yn ôl ar y sgript, llenwch y bylchau.

Roedd Rhys a Meinir yn gariadon ers .... Gofynnodd Rhys i Meinir ei .... e. Ar ôl iddi hi dderbyn, ... Rhys siâp calon ar y goeden i gofio'r diwrnod. Ar fore'r briodas, ... Meinir ei ffrog sidan hi yn barod i briodi. Ond roedd hi'n disgwyl i ffrindiau Rhys .... triciau arni hi, felly aeth hi i guddio. .... Rhys am oriau, ond ddaeth Meinir ddim i'r eglwys. Chwiliodd Rhys am ei gariad e am ...., ond heb lwc. Un noson ...., aeth Rhys allan i chwilio eto. Stopiodd e wrth yr hen goeden, ond tarodd .... y goeden a thorri'r goeden yn ei .... Gwelodd Rhys olygfa ddychrynllyd – sgerbwd gyda darnau o ffrog briodas ar yr esgyrn. Roedd Meinir wedi .... i mewn i'r goeden wrth guddio ac wedi .... dod allan. Torrodd calon Rhys a chwympodd e'n .... dan y goeden.

Robin Radio

a) Atebwch:

Pwy sy wedi bod yn Nant Gwrtheyrn?...

Pam? ....

Beth ddylai Meinir ddim (ei) wneud yn Nant Gwrtheyrn? ....

b) Gwrandewch am

fel mae'n digwydd	*as it happens*
Am stori drist!	*What a sad story!*
lleoliad perffaith	*a perfect location*

c) Cyfieithwch:

That's a lovely name.	....
I will go next time.	....
somewhere interesting	....

Adolygu geirfa

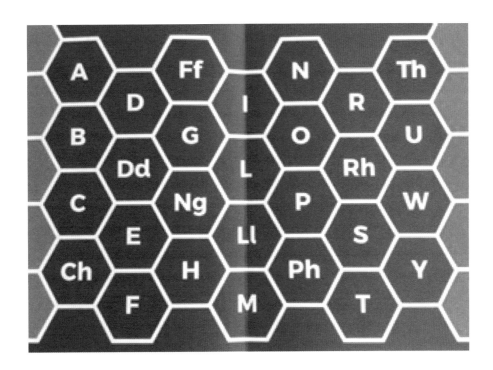

Help llaw

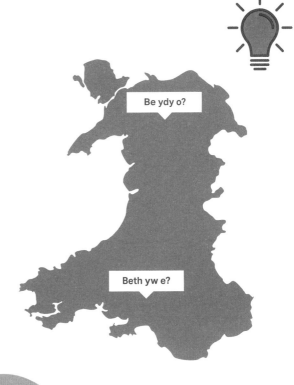

Atebion – Dysgwch yr atebion:

Weli di nhw yfory?	Gwnaf.
Wela i nhw yfory?	Gwnei.
Weliff e/hi nhw yfory?	Gwnaiff.
Welwch chi nhw yfory?	Gwnawn.
Welwn ni nhw yfory?	Gwnewch.
Welan nhw chi yfory?	Gwnân.

Revision4

Uned 6 – Dyma'r gwaith – edrychwch drosto fe!

Nod yr uned hon yw...

• **Iaith:** Ymarfer arddodiaid (*prepositions*) – **yn, dros**
• **Ymarfer:** Derbyn a gwrthod gwahoddiad

Geirfa

adran(nau)	*department(s)*
amlen(ni)	*envelope(s)*
breuddwyd(ion)	*dream(s)*
cefnogaeth	*support*
cynulleidfa(oedd)	*audience(s); congregation(s)*
dolen(ni)	*loop(s); link(s); handle(s)*
eglwys gadeiriol (eglwysi cadeiriol)	*cathedral(s)*
hwyl(iau)	*mood(s)*
mynedfa (mynedfeydd)	*entrance(s)*
siop trin gwallt	*hairdresser's*
twristiaeth	*tourism*

cochi	*to blush*
cynllunio	*to plan*
dianc	*to escape*
llwyddo (i)	*to succeed (in doing)*
marchnata	*to market, marketing*
para	*to last*
perswadio	*to persuade*
ymddiried	*to trust*

defnyddiol	*useful*
diogel	*safe*

amgylchedd	
atgof(ion)	
cofnod(ion)	
cyfaill (cyfeillion)	
cyfrifydd (cyfrifwyr)	
diflastod	
diwydiant (diwydiannau)	
fferyllydd (fferyllwyr)	
ffitrwydd	
gliniadur(on)	
gorffwys	
gweithle(oedd)	
nodyn (nodiadau)	
pigiad(au)	
poster(i)	
presgripsiwn (presgripsiynau)	
siswrn (sisyrnau)	
traethawd (traethodau)	

bant	*away*
dannedd gosod	*dentures, false teeth*
dod draw	*to come over*
druan â ti	*you poor thing*
edrych dros	*to check, to look over*
gan gynnwys	*including*
gyda'r hwyr	gyda'r nos

Geiriau pwysig i fi...

....

....

....

Siaradwch

- Pa gerddoriaeth sy'n eich gwneud chi'n hapus? Roc a rôl? Pop? Gwerin? Clasurol?
- Pryd a ble dych chi'n gwrando ar gerddoriaeth?
- Oedd hoff grŵp/hoff ganwr gyda chi pan o'ch chi'n blentyn/yn berson ifanc?
- Dych chi'n mwynhau gweld a chlywed cerddoriaeth fyw?
- Oes atgof arbennig gyda chi o gyngerdd/gig/sioe gerdd/opera?
- Dych chi'n berson cerddorol? Dych chi'n canu unrhyw offeryn?
- Fasech chi'n hoffi canu rhyw offeryn?
- Pa ddwy gân fasech chi'n (eu) dewis tasech chi'n mynd ar raglen radio fel *Desert Island Discs?*

Arddodiaid

Gyda'ch partner, llenwch y bylchau gydag un o'r arddodiaid yma:

â (x5)   **iddyn**   **ar** (x2)   **wrtho**   **wrthyn**

Dw i'n mynd ....'r plant i'r ysgol yn y car bob dydd. Mae'r daith yn para hanner awr. Dw i'n dweud .... nhw bod rhaid .... nhw siarad .... fi – dim radio, dim ffonau i neb!

Maen nhw'n anghytuno .... fi am fy rheol i, ond maen nhw'n cytuno .... fi bod hanner awr yn amser hir!

Dw i'n cwrdd .... nhw yn y prynhawn ac os ydyn nhw'n dweud hanes y diwrnod .... i, maen nhw'n cael edrych .... eu ffonau nhw am y pum munud ola! Maen nhw hefyd yn cael edrych .... eu gliniaduron nhw ar ôl cyrraedd adre.

Dych chi'n cofio?

Pa mor aml rwyt ti'n mynd i'r banc?	Dw i byth yn mynd i'r banc.
Pa mor aml rwyt ti'n mynd i'r ganolfan hamdden?	Dw i'n mynd i'r ganolfan hamdden bob wythnos.
Pa mor aml rwyt ti'n mynd at y deintydd?	Dw i'n mynd ati hi bob chwe mis.
Pa mor aml rwyt ti'n mynd at yr optegydd?	Dw i'n mynd ato fe bob naw mis.

Sgwrs

A:	Wyt ti'n edrych ymlaen at y gwyliau?
B:	Ydw, yn fawr. 'Dyn ni'n mynd i aros gyda fy <u>chwaer</u> a'r teulu <u>ym Mhatagonia</u>.
A:	Cofia fi atyn nhw! Ydy'r plant yn mynd gyda chi?
B:	Wrth gwrs! Ond rhaid iddyn nhw golli <u>tair wythnos</u> o ysgol.
A:	Wyt ti wedi gofyn i'r pennaeth eto?
B:	Dw i'n mynd i ofyn iddi hi yfory. Rhaid i fi ysgrifennu nodyn ati hi.
A:	Dewch draw aton ni ar ôl i chi ddod adre i ddangos eich lluniau chi i ni!
B:	Iawn. Ac anfona i luniau atoch chi hefyd o <u>Batagonia</u>.
A:	Gwych!

At

Dw i'n mynd i weld Aled a Nia	Cofia fi atyn nhw.
Dw i'n mynd i weld Aled.	....
Dw i'n mynd i weld Nia.	....
Dw i'n mynd i weld y plant.	....

Dros

Wnei di edrych dros y neges yma?	Edrycha i drosti hi mewn munud.
Wnei di edrych dros y traethawd yma?	Edrycha i drosto fe ar ôl cael paned.
Wnei di edrych dros y cofnodion yma?	Edrycha i drostyn nhw ar ôl cinio.

Gofynnwch i'ch partner edrych dros y rhain.

e.e. Wnei di edrych dros y neges yma?

Edrycha i drosti hi ar ôl...

- y neges (hi)
- yr ebost (fe)
- y llythyr (fe)
- y gwaith (fe)
- y gwaith cartre (fe)
- y nodiadau (nhw)
- y ffigurau (nhw)

A: Druan â ti – mae llawer o waith gyda ti yn cynllunio'r cyfarfod!

B: Oes, ond beth am yr Adran Farchnata – dw i'n teimlo drostyn nhw, yn gorfod perswadio cynulleidfa i ddod!

A: Ac maen nhw'n teimlo drosto i – bydd rhaid i fi fynd i'r cyfarfod!

B: Teimlo drostot ti? Teimlo droston ni, gobeithio! Rhaid i fi fynd i'r cyfarfod hefyd.

Yn

Oes diddordeb gyda ti yn y llyfr?	Nac oes, does dim diddordeb gyda fi ynddo fe.
Oes diddordeb gyda ti yn y swydd?	Nac oes, does dim diddordeb gyda fi ynddi hi.
Oes diddordeb gyda ti yn y digwyddiadau?	Nac oes, does dim diddordeb gyda fi ynddyn nhw.

Gofynnwch i'ch partner oes diddordeb gyda nhw yn y pethau yma:

y ddrama	y wibdaith	y ras feicio
yr erthygl	y cwrs gramadeg	yr awdur
Wimbledon	y cyfarfodydd	y ffilmiau ditectif
Y Gemau Olympaidd	y cyngherddau	y teithiau cerdded

Nawr, edrychwch ar y lluniau a gofynnwch i'ch partner oes diddordeb gyda nhw yn y pethau yma.

Gwrando

Gwrandewch ar y ddeialog ac ysgrifennwch beth yw gwaith pawb:

Mrs Scott   Toni   Sarjant James

..../../.../

Mrs Connor   Mr Hughes   Catrin   Mrs Thomas

..../../.../.../

Miss Clarke   Gareth

..../.../

Ar

Yn y ddeialog, dych chi'n clywed **Mae arnon ni arian iddyn nhw**.

Gyda'ch partner, ymatebwch:

Ces i bum bunt gan John.	Mae arna i bum punt iddo fe.
Ces i bum punt gan Mari.	....
Ces i bum punt gan John a Mari.	....
Ces i ddeg punt gan Lloyd.	....
Ces i ddeg punt gan Siân.	....
Ces i bunt gan y plant.	....

Gwrando a gwylio

Dyma Eadyth Crawford. Nodwch dri pheth ddysgoch chi amdani hi o'r fideo.

1. ....

2. ....

3. ....

Siaradwch – Yn y gweithle

- Pa mor aml rwyt ti'n/ro't ti'n gweithio ar y cyfrifiadur?
- Pa mor aml rwyt ti'n/ro't ti'n edrych ar ebyst?
- Pa mor aml rwyt ti'n/ro't ti'n mynd i gyfarfodydd?
- Pa mor aml rwyt ti'n/ro't ti'n siarad Cymraeg â chydweithwyr?

Ymarfer – Derbyn a gwrthod gwahoddiad

Gyda'ch partner, darllenwch y darnau a dewiswch beth sy'n cael ei ddisgrifio.

priodas   pwyllgor pwysig   parti ymddeol   protest   taith gerdded

1. Diolch am y gwahoddiad. Dw i'n edrych ymlaen at ddod. Gwelais i'r poster amdani hi yr wythnos diwetha. Dw i'n meddwl bod yr amgylchedd yn bwysig iawn. Faint o'r gloch mae'r bws yn gadael?

....

2. Wel, gobeithio byddi di'n mwynhau'r holl amser sbâr. Dw i'n siŵr bod hwyliau da arnat ti! Byddwn ni yna wrth gwrs, ond dw i ddim wedi dewis fy ngwisg ffansi i eto! Cofia fi at Pat!

....

3. Dw i yn poeni am fy ffitrwydd i, ond dw i ddim yn meddwl basai dringo i gopa'r Wyddfa dydd Sadwrn yma yn syniad da. Pob hwyl i chi!

....

4. Diolch am y gwahoddiad. Waw! Gwasanaeth yn yr eglwys gadeiriol! Chwilia i am het newydd dydd Sadwrn! Wnewch chi anfon eich rhestr anrhegion chi ata i?

....

5. Helô, Helen. Diolch, ond dim diolch. Mae digon o ddiflastod gyda fi yn fy ngwaith i bob dydd heb fynd i gyfarfodydd hir gyda'r hwyr hefyd. Dw i angen gorffwys, dim mwy o waith! Pob hwyl yn llwyddo i berswadio rhywun!

....

Deialogau

Gyda'ch partner, penderfynwch beth yw geiriau **B** bob tro.

A: Wyt ti eisiau dod i swper nos Fawrth nesa?

B: ....

A: Beth am nos Fercher 'te?

B: ....

A: Wyt ti eisiau dod i weld ffilm newydd Ioan Rhys?

B: ....

A: Yn y Plaza nos Iau.

B: ....

A: Wyt ti eisiau dod i gyfarfod i drafod problemau plastig?

B: ....

A: Mae tua deuddeg o bobl yn cwrdd unwaith y mis.

B: ....

Llenwch y bylchau

Un o hoff ddiddordebau Carys Roberts .... canu'r delyn. Dyma ychydig o'i hanes...

Dechreuais i gael gwersi yn yr ysgol pan oeddwn i'n naw oed, ond roeddwn i wedi dechrau canu'r piano pan oeddwn i'n saith – roedd rhaid .... mi ganu'r piano am .... (2) flynedd cyn cael gwersi telyn. Do'n i ddim yn hoffi'r piano .... gwbl – doedd gen i ddim diddordeb .... (yn) fe.

Y tro .... (x1) i mi gael fy nhelyn fy hun, telyn fach o Siapan oedd hi. Wedyn, ... (prynu) fy rhieni delyn newydd o'r Unol Daleithiau. Roedd hi'n delyn aur ac yn .... (mawr) na'r un o Siapan. Roeddwn i'n teimlo'n lwcus iawn. Mae llawer o bobl yn meddwl .... y delyn yn arbennig i ni yng .... (Cymru), ond mae hi'n boblogaidd iawn dros y byd.

Pan .... (mynd) i i'r coleg, dewisais i astudio Cerdd fel pwnc, ond roedd hi'n anodd cadw'r delyn yn y coleg. .... dim llawer o le .... (i) hi mewn ystafell fach yn fy hostel, ac ro'n i'n poeni .... (am) hi pan oedd pobl yn dod mewn i'r ystafell. O edrych yn ôl, basai gitâr neu ffliwt wedi bod yn .... o niwsans!

Ar ôl i mi .... (gadael) y coleg, ces i swydd fel athrawes .... ysgol uwchradd fawr. Mae llawer o blant eisiau dysgu canu'r delyn felly dw i'n brysur iawn bob amser cinio, yn rhoi gwersi .... (i) nhw. Erbyn hyn, mae telyn fach gyda fi a dw i'n rhoi'r gwersi .... (ar) hi ac yn ei defnyddio hi i ymarfer canu gyda'r plant yn y dosbarth: maen nhw .... eu bodd! Mae'n anodd credu pa .... ddefnyddiol ydy gallu canu'r delyn yn yr ysgol.

Tasai'r amser gyda fi, ... i'n hoffi canu'r delyn yn fwy aml. Mae ffrind gyda fi sy'n byw yn Ffrainc, felly yr haf nesa dw i'n mynd i aros .... (at) hi, a mynd â'r delyn gyda fi. Gobeithio .... y tywydd yn braf! Bysgio ydy'r ffordd .... (da) o gyfarfod pobl a gwneud tipyn bach o arian!'

Siaradwch – Mae Cymru'n dibynnu ar dwristiaid.

Nodwch o leia chwe lle twristaidd yng Nghymru.

Nodwch o leia 10 gair ar thema twristiaeth.

Beth sy'n dda am dwristiaeth?	Beth sy ddim yn dda am dwristiaeth?

Siaradwch am y pwnc mewn grŵp. Cofiwch siarad am eich profiadau chi yng Nghymru. Pa gyngor fasech chi'n ei roi i dwristiaid sy eisiau dod i Gymru?

Robin Radio

a) Atebwch:

Gyda phwy mae Cadi'n gweithio? ....

Beth yw cysylltiad Catrin Zara ag Abercastell? ....

Pam mae Tom Siôn yn enwog? ....

b) Gwrandewch am:

Dw i'n cochi.	*I'm blushing.*
neb eto	*no one yet*
er enghraifft	*for example*

c) Cyfieithwch:

Have you met anyone famous? ....

We're looking for someone. ....

We'll ask someone else. ....

Help llaw

Dysgoch chi rai arddodiaid (*prepositions*) yn y Cwrs Sylfaen (unedau 8 a 9) - â, am, ar, at, i, wrth.

Y tro yma, 'dyn ni wedi edrych ar **yn** a **dros**:

yndd**o** i	yndd**on** ni
yndd**ot** ti	yndd**och** chi
yndd**o** fe	yndd**yn** nhw
yndd**i** hi	

drost**o** i	drost**on** ni
drost**ot** ti	drost**och** chi
drost**o** fe	drost**yn** nhw
drost**i** hi	

Mae gen i gar.

Mae car gyda fi.

Uned 7 – Beth wyt ti'n (ei) feddwl ohono fe?

Nod yr uned hon yw...

• **Iaith:** Yr arddodiad 'o' a'r negyddol 'mo' (ohono i, ohonot ti, ohono fe, ohoni hi, ohonon ni, ohonoch chi, ohonyn nhw)

• **Ymarfer:** Gwadu

Geirfa

cyffordd (cyffyrdd)	junction(s)
dawn (doniau)	talent(s)
gwrach(od)	witch(es)
lôn feicio	bike lane
ocsiwn (ocsiynau)	auction(s)

addasu	to adapt
cicio	to kick
codi ofn (ar)	to frighten
cyflogi	to employ
cyfrannu (at)	to contribute (to)
gosod	to put; to set
gwadu	to deny
gweini	to serve
sefydlu	to establish
ymddiheuro (i)	to apologise (to)

ar frys	in a hurry
drws ffrynt	front door
gwell hwyr na hwyrach	better late than never
oni bai am...	if it weren't for...
...y cant	...per cent

Geiriau pwysig i fi...

....

....

....

aber(oedd)	estuary (-ies)
artist(iaid)	artist(s)
arwydd(ion)	sign(s)
calendr(au)	calendar(s)
camera cyflymder	speed camera
cawr (cewri)	giant(s)
cricedwr (-wyr)	cricketer(s)
cyfarwyddyd (cyfarwyddiadau)	direction(s), instruction(s)
egni	energy
etholiad(au)	election(s)
llety	accommodation
llys(oedd)	court(s)
parc gwledig	country park
targed(au)	target(s)
testun(au)	subject(s), text(s)

brwnt	dirty (de Cymru)
budr	dirty (gogledd Cymru)
cywir	correct
ffyrnig	fierce
hael	generous
llwyddiannus	successful
mentrus	adventurous
rhamantus	romantic
swynol	charming

Adolygu

Chwaraewch y gêm gyda'ch partner chi.

Gêm Arddodiaid

Dechrau

Mae hi'n chwilio .... fi	**Dw i'n aros ....** ti	**Dych chi'n edrych ....** fe	**Dw i'n gwrando ....** hi
Byddwch chi'n cwyno .... fe	**Anfonaist ti ....** fe	**Roedd hi'n darllen ....** ti	**Dw i wedi clywed ....** chi
Arhosais i .... fe	**Bydd hi'n gofyn ....** fi	**Siaradon ni ....** hi	**Edrychwch ....** nhw
Dw i'n aros .... fe	**Mae hi'n gwrando ....** ni	**Mae hi'n gwrando ....** hi	**Dw i'n gofyn ....** chi

dysgucymraeg.cymru
learnwelsh.cymru

'Dyn ni'n dweud ....
chi

Rwyt ti'n sôn ....
fi

Maen nhw'n meddwl ....
ti

Dw i'n edrych ymlaen ....
fe

Mae hi'n mynd ....
chi

Gofynnais i ....
fe

Dw i'n gwrando ....
fe

Dwedwch ....
nhw

Sonioch chi ....
nhw

Dw i'n ymddiheuro ....
fe

Beth sy'n bod ....
hi?

Anfonais i lythyr ....
fe

Siaradwch

Siaradwch amdanoch chi eich hun, eich teulu neu'ch ffrindiau chi.
Rhaid i chi ofyn cwestiynau i'r bobl eraill yn y grŵp hefyd.

1.   Pan o'n i'n ddeg oed...   4.   Ar ôl gadael yr ysgol...
2.   Un nos Galan...   5.   Mewn pum mlynedd...
3.   Deg mlynedd yn ôl...   6.   Mewn chwe mis...

Yr Arddodiad (*preposition*) O

Mae pump ohonon ni yn y dosbarth heddiw.	*There are five of us in class today.*
Mae chwech ohonon ni yn y dosbarth heddiw.	*There are six of us in class today.*
Mae saith ohonon ni yn y dosbarth heddiw.	*There are seven of us in class today.*
Mae wyth ohonon ni yn y dosbarth heddiw.	*There are eight of us in class today.*

Holiadur

ailgylchu	mwynhau nofelau	chwarae offeryn	defnyddio llawer o blastig	mynd i'r un siop trin gwallt bob tro

Faint o bobl sy yn y llun?

Mae tri o bobl yn y llun. ....

Mae tair ohonyn nhw. ....

Yn y Bar Gwin:

Faint sy'n yfed gwin? ....

Faint sy'n darllen? ....

Faint sy'n ferched? ....

Faint sy'n ddynion? ....

Gwrando – Dweud eich dweud

Yn y bar carioci:

A: Wel? **Beth o't ti'n (ei) feddwl** ....?

B: Beth o'n i'n (ei) feddwl ....? Mae dawn gyda ti! Dylet ti fynd ar Noson Lawen!

A: Rwyt ti'n rhy hael! Diolch yn fawr!

Ar ôl y gêm bêl-droed:

A: Wel? **Beth o'ch chi'n (ei) feddwl** ...., Dad?

B: Beth o'n i'n (ei) feddwl ....? Colloch chi o ddeg gôl i ddim! Wnest ti ddim cicio'r bêl!

A: Diolch am ddim byd!

Yn yr oriel:

A: Wel – **beth wyt ti'n (ei) feddwl** ....?

B: Beth dw i'n (ei) feddwl ....? Maen nhw'n ddiddorol! Pwy yw'r artist?

A: Fi, wrth gwrs!

Beth dych chi'n (ei) feddwl ohono fe?   Dw i'n meddwl ei fod e'n <u>annifyr</u>.
Beth dych chi'n (ei) feddwl ohoni hi?   Dw i'n meddwl ei bod hi'n <u>swynol</u>.
Beth dych chi'n (ei) feddwl ohonyn nhw? Dw i'n meddwl eu bod nhw'n <u>gostus</u>.

Holiadur

A: *Patagonia* yw fy hoff ffilm i. Beth dych chi'n (ei) feddwl ohoni hi?

B: Dw i'n meddwl ei bod hi'n dda hefyd./Dw i'n meddwl ei bod hi'n ofnadwy./ Dw i ddim wedi gweld *Patagonia*.

	1.	2.	3.	4.	5.
hoff ffilm (hi)					
hoff lyfr (fe)					
hoff grŵp (nhw)					

Y Negyddol

Dych chi'n cofio?

Does dim llaeth ar ôl!   Yfais i ddim <u>llaeth</u> heddiw.
Does dim bisgedi ar ôl!   Fwytais i ddim <u>bisgedi</u> heddiw.

Yfais i mo'r <u>llaeth</u>.   *I didn't drink the milk.*
Fwytais i mo'r <u>bisgedi</u>.   *I didn't eat the biscuits.*
Welais i mo'r <u>rhaglen</u>.   *I didn't see the programme.*
Phrynais i mo'r <u>car</u>.   *I didn't buy the car.*

Gyda'ch partner, dilynwch y patrwm:

Gest ti'r neges?   Naddo, ches i mo'r <u>neges</u>.
Brynaist ti'r llyfr?   ....
Dalaist ti'r biliau?   ....
Glywaist ti'r rhaglen?   ....
Ddarllenaist ti'r erthygl?   ....
Goginiaist ti'r pysgod?   ....
Fwytaist ti'r brechdanau?   ....
Lenwaist ti'r tanc?   ....

Gest ti'r neges?	Naddo, ches i **mohoni** hi.
Gest ti'r llythyr?	Naddo, ches i **mohono** fe.
Gest ti'r biliau?	Naddo, ches i **mohonyn** nhw.

Dilynwch y patrwm.

Anfonais i mo'r ebost ddoe.	Anfona i mohono fe yfory chwaith!
Orffennais i mo'r gwaith ddoe.	....
Phrynais i mo'r blodau ddoe.	....
Thalais i mo'r biliau treth ddoe.	....
Ches i mo'r neges neithiwr.	....
Wnes i mo'r gwaith cartref neithiwr.	....

Sgwrs 1 – Yn y llys

A: Dwedwch beth ddigwyddodd, Mr Jones.

B: Wel, es i ar goll yn y Parc Gwledig.

A: Pam aethoch chi ar goll?

B: Chlywais i mo'r cyfarwyddiadau gan y warden.

A: Pam wnaethoch chi ddim troi wrth yr arwydd?

B: Welais i mo'r arwydd, a welais i mo'r gyffordd chwaith.

A: Pam croesoch chi'r lôn feicio mor gyflym a chodi ofn ar y plant?

B: Welais i mo'r lôn feicio chwaith. Wedyn aeth fy nghar i yn erbyn wal frics.

A: Sut?

B: Welais i mo'r wal pan o'n i'n trio parcio yn y maes parcio.

A: Pam dych chi yn y llys heddiw, felly?

B: Welais i mo'r camera cyflymder wrth yrru bant ar frys!

Beth oedd y broblem gyda'r cyfarwyddiadau? (nhw)

....

Beth oedd y broblem gyda'r gyffordd? (hi)

....

Beth oedd y broblem gyda'r lôn feicio? (hi)

....

Beth oedd y broblem gyda'r wal? (hi)

....

Beth oedd y broblem gyda'r camera cyflymder? (fe)

....

Welodd e mohono i ddoe.	*He didn't see me yesterday.*
Welodd e mohonot ti ddoe.	*He didn't see you yesterday.*
Welodd e mohonon ni ddoe.	*He didn't see us yesterday.*
Welodd e mohonoch chi ddoe.	*He didn't see you yesterday.*

Ymatebwch:

Welodd e ti ddoe?	Naddo, welodd e mohono i.
Welodd e fe ddoe?	....
Welodd e chi ddoe?	....
Welodd e nhw ddoe?	....
Helpodd e chi ddoe?	....
Helpodd e ti ddoe?	....
Helpodd e hi ddoe?	....
Helpodd e nhw ddoe?	....
Ffoniodd e nhw ddoe?	....
Ffoniodd e chi ddoe?	....
Ffoniodd e hi ddoe?	....
Ffoniodd e ti ddoe?	....
Glywodd e ti ddoe?	....
Glywodd e nhw ddoe?	....
Glywodd e hi ddoe?	....
Glywodd e chi ddoe?	....

Ymarfer – Gwadu

A: Pwy dorrodd y ffenest? Dw i eisiau gwybod.

B: Dw i ddim yn gwybod. Wnes i ddim.
Ro'n i ma's neithiwr.

A: Clywais i dy fod ti wedi bod yn cadw sŵn yn hwyr eto.

B: Dyw hynny ddim yn wir. Wnes i ddim.

A: Wel, mae rhywun yn gwneud...

A: Mae arian wedi mynd o'r swyddfa.

B: Beth dych chi'n disgwyl i fi wneud? Dw i ddim yn gwybod dim byd.

A: Mae rhywun yn y swyddfa wedi mynd â'r arian.

B: Dim ond dwy bunt oedd yna.

A: Helô, helô, helô. Ro'ch chi'n gyrru wyth deg milltir yr awr, syr.

B: Dw i ddim yn gallu gwadu hynny. Ond dw i ar frys. Mae cyfarfod pwysig gyda fi, a dw i'n hwyr.

A: Gwell hwyr na hwyrach! Ro'ch chi'n gyrru'n beryglus.

B: Dw i yn gwadu hynny. Yn gyflym, o'n, ond do'n i ddim yn gyrru'n beryglus.

Darllen

Pwy sy'n gwadu?

cwmni dŵr	athrawon	bechgyn ifainc
'Y Pandas Pinc'	y llywodraeth	Tîm Mercedes

1. Maen nhw'n gwadu dechrau tân ar y mynydd.

....

2. Maen nhw'n gwadu newid yr olwyn yn rhy araf.

....

3. Maen nhw'n gwadu bydd dŵr brwnt yn broblem iechyd.

....

4. Maen nhw'n gwadu bod plant yn gweithio'n llai caled.

....

5. Maen nhw'n gwadu bydd etholiad yn fuan.

....

6. Maen nhw'n gwadu bydd y grŵp yn dod i ben.

....

Gwrando

Mae nifer o bobl wedi bod yn y llys ac maen nhw i gyd yn gwadu gwneud rhywbeth. Beth?

1. Mae'r ferch yn gwadu ....

2. Mae Mr Jones yn gwadu ....

3. Mae'r dynion yn gwadu ....

4. Mae'r bobl ifainc yn gwadu ....

5. Mae Miss Williams yn gwadu ....

6. Mae Sam Morris yn gwadu ....

Sgwrs 2

Atebwch y cwestiynau heb edrych ar y sgript.

1. Ble mae Siôn Ifans yn gweithio? ....

2. Pam mae e'n ffonio tŷ Mr a Mrs Huws? ....

3. Mae Mrs Huws wrth ei bodd yn gwylio criced. Cywir neu anghywir? ....

4. Pryd aeth Siôn Ifans i gartref Mr a Mrs Huws? ....

5. Pam mae Mr Huws yn trefnu gwyliau i'r Caribî? ....

.

Mrs Huws: Helô, Abercastell 395713. Pwy sy'n siarad?

Mr Ifans: Helô, Siôn Ifans o Siop Lyfrau'r Aber yma.

Mrs Huws: Wel, sut mae busnes, Mr Ifans?

Mr Ifans: Da iawn, diolch – ond dw i eisiau gofyn pryd dych chi'n dod i dalu am eich llyfr chi.

Mrs Huws: Llyfr? Pa lyfr?

Mr Ifans: Chaethoch chi mo'r llyfr *Cricedwyr a Chalypso*?

Mrs Huws: Cricedwyr? Mae'n gas gyda fi griced. Dych chi'n siŵr eich bod chi wedi ffonio'r rhif cywir?

Mr Ifans: Ydw, yn bendant. Dwedodd eich gŵr chi basai rhywun yn dod i dalu amdano fe, felly rhoiais i'r llyfr trwy'r drws ffrynt dros y penwythnos.

Mrs Huws: Welais i mo'r llyfr. Rhaid i chi ffonio'r gŵr ar 07823 556427. Dw i ddim yn mynd i dalu.

Mr Ifans: O, arhoswch funud, mae llyfr arall yma hefyd yn enw eich gŵr chi. Welais i mohono fe o dan y papurau ar y ddesg. Dyma fe – *Lleoedd rhamantus i aros yn y Caribî*.

Mrs Huws: O? Os felly, pan dych chi'n ffonio'r gŵr, peidiwch â sôn am ein sgwrs ni!

Mr Ifans: Dim gair! Hwyl, Mrs Huws.

(ffôn lawr)

Mrs Huws: Chwarae teg, anghofiodd e mo'r pen-blwydd priodas arbennig eleni! Ond wylia i mo'r criced, hyd yn oed yn y Caribî!

Llenwch y bylchau

Neithiwr, ... (mynd) grŵp o ferched o Gwm Cynon i Gaerdydd i dderbyn gwobr arbennig gan Fenter Cymru. Enillon nhw'r wobr am sefydlu busnes newydd .... ardal Aberdâr, ardal lle mae dros ddeg y cant o'r bobl allan o waith.

Roedd y merched – Del, Jan, Lynette a Helen – yn yr ysgol gyda'i gilydd, yn yr
.... dosbarth. Aethon nhw ar lwybrau gwahanol iawn ar ôl
.... (i) nhw adael. Aeth Lynette a Helen i brifysgolion gwahanol,
ac arhosodd Del a Jan gartre.

Tua phum .... (blwyddyn) yn ddiweddarach, daeth y ddwy
arall yn ôl i fyw yn Aberdâr. 'Roedd hi'n amser anodd i ni i gyd,' meddai Del,
'am resymau gwahanol. Doedd dim un .... (o) ni'n gweithio, a
dim arian yn dod i mewn. Penderfynon ni fod angen gwneud rhywbeth, ac un
diwrnod .... (cael) Jan y syniad o agor llety ....
(cath) a chŵn.'

Beth yn union ydy'r 'llety' yma felly? 'Wel,' meddai Del, 'pan fydd pobl yn mynd i
ffwrdd ar wyliau, yn aml iawn .... dim lle ganddyn nhw i adael eu
hanifeiliaid anwes. Roedd fy rhieni i'n mynd i aros yn .... carafán
nhw yng ngorllewin Cymru bob haf, ac roedd hi'n broblem bob blwyddyn
cael rhywun i edrych ar ôl Fflwffen y gath. Weithiau, roedden nhw'n mynd
.... 'r gath i lety yn agos i Gaerdydd, ac roedd gwyliau'r gath yn
costio mwy ....'r gwyliau yn y garafán yng ngorllewin Cymru!'

'Ro'n i'n nabod llawer o bobl yn yr ardal â phroblem debyg. Mae ci neu gath
gan bob teulu bron, felly ro'n ni'n meddwl .... hyn yn syniad
da ar gyfer busnes newydd. Gofynnon ni am arian gan Fenter Cymru i
addasu adeiladau. Mae sgiliau gwahanol gan bawb – mae Lynette yn gofalu
.... yr arian. Mae Del a Jan yn gweithio yn y swyddfa, a Helen yn
glanhau'r cytiau.'

Mae rhieni Jan a Helen yn helpu ambell waith, ond mae'r merched yn gobeithio
y byddan nhw'n cyflogi person arall yn y dyfodol. Maen nhw hefyd yn meddwl
dylai anifeiliaid gael gofal da yn y llety. Maen nhw .... eu bodd
yn y gwaith. Beth fyddan nhw'n (ei) wneud â'r mil o .... (££) a
dderbynion nhw yn y seremoni neithiwr? 'Wel,' meddai Del,
.... ni eisiau creu gwefan i'r cwmni. Bydd cwsmeriaid yn gallu
bwcio dros y we. Dyna'r peth .... (x1). Yr ail beth fydd rhoi
arwydd mawr yn dweud 'Gwesty Cathod a Chŵn Cwm Cynon' y tu allan i'r llety.
Bydd pawb yn gwybod ble i ddod.'
.... lwc i Del, Jan, Helen a Lynette – .... (4)
merch fentrus... a llwyddiannus!

Robin Radio

a) Atebwch:

Pwy oedd yn y llun? ....

Beth oedd ar ben Anti Mair? ....

Faint yw oed mam Robin? ....

b) Gwrandewch am

gwisg gwrach	*a witch's costume.*
Mae'n ddoniol iawn.	*It's very funny.*
Gwrthodais i.	*I refused.*

c) Cyfieithwch:

Did you see the picture of you? ....

What will everyone think of me? ....

Mum didn't see the picture. ....

Help llaw

1. Dysgwch yr arddodiad **o**. Y tro yma y bôn yw **ohon**- Dyma'r patrwm yn llawn:

ohono i	ohonon ni
ohonot ti	ohonoch chi
ohono fe	ohonyn nhw
ohoni hi	

2. I greu'r negyddol gydag enw pendant (*definite noun*) a ffurfiau cryno (*short form verbs*), rhaid i ni ddefnyddio **ddim** + **o** sy'n troi yn **mo**.

Welais i ddim newyddion neithiwr.	*I didn't see any news last night.*
Welais i **mo'r** newyddion neithiwr.	*I didn't see **the** news last night.*

Mae'n digwydd gydag enwau priod (*proper nouns*) a rhagenwau (*pronouns*) hefyd:

    Welais i **mo** Tom.   Welais i **mohono** fe.

Wrth siarad, mae'n bosib byddwch chi'n clywed:

    mono i (mohono i)   monon ni (mohonon ni)

    monot ti (mohonot ti)   monoch chi (mohonoch chi)

    mono fe (mohono fe)   monyn nhw (mohonyn nhw)

    moni hi (mohoni hi)

Dim ond gyda berfau **cryno** (*concise*) mae hyn yn digwydd:

    Dw i ddim yn darllen y llyfr.

    Dw i ddim wedi darllen y llyfr.

    Fydda i ddim yn darllen y llyfr.

    Faswn i ddim yn darllen y llyfr.

OND

    Ddarllenais i **mo'r** llyfr.

    Ddarllena i **mo'r** llyfr.

3. Cofiwch fod **dau** dreiglad yn digwydd yn y negyddol.

Treiglad Llaes gyda T, C, P:

    Thaliff hi mohonyn nhw.

    Chlywais i mo'r larwm.

    Pharciais i mo'r car.

Treiglad Meddal os nad ydy'r Treiglad Llaes yn bosib:

    Ddarllenais i mo'r ebost.

    Fwytodd e mo'r cinio.

    Welais i mohoni hi.

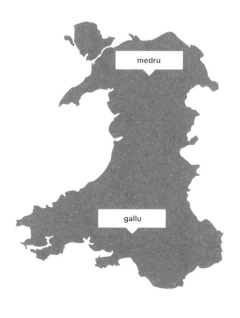

medru

gallu

Uned 8 – Rhedwch ar ei ôl e!

Nod yr uned hon yw...
- **Iaith:** ar ôl, ar bwys
- **Ymarfer:** Rhoi cyfarwyddiadau

Geirfa

cenhinen (cennin)	*leek(s)*		**anffodus**	*unfortunate*
croesffordd	*crossroads*		**dwbl**	*double*
cyfraith (cyfreithiau)	*law(s)*		**dwyieithog**	*bilingual*
daear	*earth*		**hallt**	*salty*
ffaith (ffeithiau)	*fact(s)*		**tyn(n)**	*tight*
ffrâm (fframiau)	*frame(s)*			
llawdriniaeth(au)	*operation(s)*			
nefoedd	*heaven*			
priffordd (priffyrdd)	*main road(s)*			
sioc(iau)	*shock(s)*			
tarten(ni)	*tart(s)*		**cydio (yn)**	*to hold (on to)*
ysgol(ion)	*ladder(s)*		**dod o hyd i**	*to find*
			drewi	*to stink*
			tawelu	*to become quiet; to calm down*
bys troed (bysedd traed)	*toe(s)*		**ymestyn**	*to stretch*
esgus(odion)	*excuse(s)*		**ysgwyd**	*to shake*
ficer(iaid)	*vicar(s)*			
gorwel(ion)	*horizon(s)*			
grefi	*gravy*			
Iesu	*Jesus*		**adran cleifion allanol**	*outpatients' department*
machlud	*sunset*		**caws gafr**	*goats' cheese*
pellter	*distance*		**chwerthin am ben**	*to laugh at*
sbeis(ys)	*spice(s)*		**er**	*although*
teimlad(au)	*feeling(s)*		**hyd yn hyn**	*up until now*
			o gwmpas	*around*
			yn enwedig	*especially*
			yn fuan	*soon*

Geiriau pwysig i fi...

....

....

....

Siaradwch

Enaid hoff cytûn – ffeindiwch rywun sy'n debyg i chi.
(Enaid hoff cytûn = *kindred spirit*)

Beth dych chi'n (ei) hoffi fwya?

Ysgrifennwch yr ymateb yn y grid:

hoffi'r ddau – **2**
hoffi A yn fwy na B – **A**
hoffi B yn fwy nag A – **B**
ddim yn hoffi'r ddau – **0**

	chi									
cefn gwlad/dinasoedd										
eira/haul										
torheulo/nofio										
letys/tomatos										
cawod/bath										
pêl-droed/rygbi										
canu carioci/opera										
caws/siocled										
dydd Sadwrn/dydd Sul										
cawl cennin/cawl cyw iâr										

Ar ôl

ar fy ôl i	*after me*	ar ein hôl ni	*after us*
ar dy ôl di	*after you*	ar eich ôl chi	*after you*
ar ei ôl e	*after him*	ar eu hôl nhw	*after them*
ar ei hôl hi	*after her*		

1. Dewi

2. Cefin a Dafydd

3. Mabli

4. Paul a Llinos

5. Angharad

6. Claire ac Andy

7. Sandra

8. Bob

9. Nia

10. John, Siân, Alun

11. Mari

1.

A: Pryd cyrhaeddaist ti'r gwaith?

B: Cyrhaeddais i am hanner awr wedi naw.

A: Gyrhaeddaist ti o flaen Cefin a Dafydd?

B: Naddo, cyrhaeddais i ar eu hôl nhw.

Ar bwys

ar fy mhwys i	*next/close to me*	ar ein pwys ni	*next/close to us*
ar dy bwys di	*next/close to you*	ar eich pwys chi	*next/close to you*
ar ei bwys e	*next/close to him*	ar eu pwys nhw	*next/close to them*
ar ei phwys hi	*next/close to her*		

Dych chi'n byw ar fy mhwys i.	*You live close to me.*
Dych chi'n gweithio ar fy mhwys i.	*You work close to me.*
Dych chi'n eistedd ar fy mhwys i.	*You are sitting next to me.*
Dych chi'n sefyll ar fy mhwys i.	*You are standing next to me.*

Gyda'ch partner, llenwch y bylchau yn y deialogau:

A: Dych chi'n byw ar bwys Huw?

B: Ydw, dw i'n byw _____ _____ _____ _____ . Dw i'n byw yn rhif 10 ac mae e'n byw yn rhif 9.

A: Dych chi'n nabod Mabli John?

B: Ydw, dw i'n eistedd _____ _____ _____ _____ yn y gwaith. Mae hi'n ferch hyfryd. Sut dych chi'n ei nabod hi?

A: Dw i'n byw ar bwys ei rhieni hi.

A: Dwedodd John a Mari Griffiths dy fod ti'n byw _____ _____ _____ ____.

B: Ydw, dw i'n byw drws nesa iddyn nhw. Maen nhw'n gymdogion da iawn.

A: Rwyt ti'n lwcus. Mae fy nghymdogion i'n swnllyd iawn.

Ymarfer – Cyfarwyddiadau

O'ch chi'n gwybod bod y gyfraith yn dweud ei bod hi'n iawn i chi roi arwydd **L** (Saesneg) neu **D** (am Dysgwr) ar eich car chi os dych chi'n dysgu yng Nghymru? Does dim rhaid i'r car fod yn ddwyieithog!

Yn y dre

Edrychwch ar y map isod.
Mae un llythyren ar goll ym mhob lleoliad!

1. Y ff__rdd ___sg___i
2. ___r ___sb___t___
3. Yr ys__ol ___yfun
4. Y Ga__olfa___ hamdde___
5. Y gylch___an ___awr
6. Y goleu___d__u tr___ffig
7. Y___ a___chfa___chnad
8. ___r ___sgol g___nradd
9. S___op y c___gydd
10. Y ___il___eddyg___a
11. Y ___iop by___god a ___glodion

12. Y ___yfrge___
13. Yr egl___ys
14. Y ___osg
15. Y ba___c
16. Y d___f___rn
17. Y p___zzer___a
18. Y ___afle bw___
19. Y ca___el
20. ___ fedd___gfa
21. Y gyl___fan fa___
22. Y___ o___saf d___enau

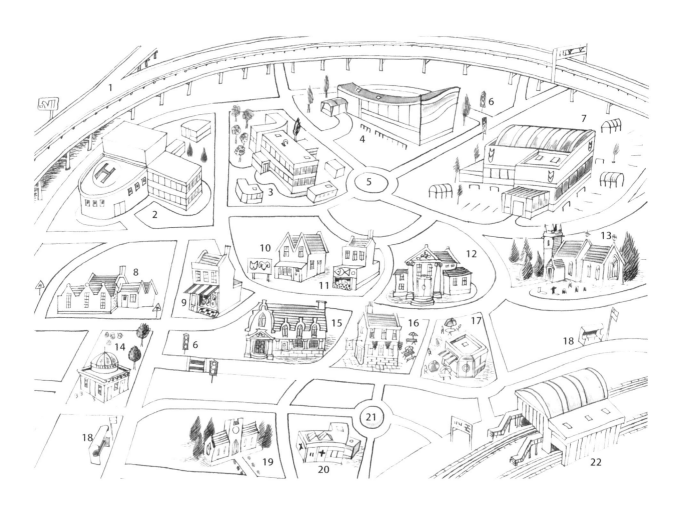

Chi	**Ti**
Dechreuwch wrth y <u>banc</u>.	.... wrth y banc.
<u>Trowch</u> i'r dde.	.... i'r dde.
Ewch heibio i'r <u>feddygfa</u>.	.... i'r feddygfa.
Cerddwch yn syth ymlaen am <u>50</u> metr.	.... yn syth ymlaen am 50 metr.
Arhoswch o flaen y <u>dafarn</u>.	.... o flaen y dafarn.

Dechreuwch wrth ddrws ffrynt y banc. Trowch i'r dde. Trowch i'r dde eto ar y gyffordd. Cerddwch at y groesffordd ac mae'r adeilad ar y chwith. Ble dych chi?

Sgwrs

A: 'Dyn ni'n hwyr i briodas. Ble mae Eglwys y Santes Fair a'r Iesu, os gwelwch chi'n dda?

B: Wel, dych chi o flaen yr ysbyty nawr, ac mae tair ffordd i fynd i'r eglwys.

A: Pa un yw'r gyflyma? 'Dyn ni ar frys ofnadwy!

B: Gawn ni weld... Nawr 'te, ewch yn syth ymlaen at y groesffordd. Bydd yr ysgol gyfun ar eich ochr chwith chi.

A: Yr ysgol gyfun, iawn.

B: Ie. Wedyn byddwch chi'n gweld cylchfan. Ewch o gwmpas y gylchfan a chymerwch y trydydd tro. Pan welwch chi'r llyfrgell ar y dde, byddwch chi'n gallu gweld yr eglwys. Neu efallai...

A: Diolch yn fawr, rhaid i fi fynd ar unwaith. Fi yw'r ficer!

Gwrando

A: Esgusodwch fi, dw i'n ceisio dod o hyd i'r ysbyty. Mae apwyntiad gyda fi yn yr adran gleifion allanol am dri o'r gloch.

B: Tri o'r gloch! A dych chi'n cerdded. Mae tipyn o bellter rhwng fan hyn a'r ysbyty. A, dyna ambiwlans! .... ar ei ôl e! O, mae e wedi mynd.

A: Dw i'n anghofio cyfarwyddiadau. Dych chi'n gallu meddwl am ffordd hawdd?

B: Wel, ... â mynd drwy ganol y dre, dych chi'n siŵr o fynd ar goll. Reit, dych chi'n gweld y gylchfan o'ch blaen chi yma?

A: Ydw.

B: .... o gwmpas y gylchfan, ... y trydydd tro, a.. i'r chwith wrth y dafarn. Bydd y banc ar eich ochr chwith chi. Wedyn, ... drwy'r goleuadau traffig at y mosg.

A: At y mosg, o'r gorau.

B: .... i'r dde, ... yn syth rhwng yr ysgol gynradd a siop y cigydd, a byddwch chi'n gallu gweld yr ysbyty.

A: Diolch yn fawr. Dw i newydd gael trên yma. Dw i ddim yn cerdded yn dda. Dw i'n cael llawdriniaeth ar fy nhroed yfory achos mae bysedd fy nhroed chwith wedi torri.

B: Gwell i chi gael tacsi, felly!

Atebwch y cwestiynau:

1. Ble mae'r dyn angen mynd? ....

2. Pam? ....

3. Beth sy ar ôl y goleuadau traffig? ....

4. Sut mae e'n mynd i gyrraedd pen y daith? ....

Newydd

Yn y ddeialog, dych chi'n gweld **Dw i newydd gael trên**.
Dysgwch y patrwm:

Dw i newydd orffen.	*I've just finished.*
Dw i newydd gyrraedd.	*I've just arrived.*
Dw i newydd glywed.	*I've just heard.*
Dw i newydd adael.	*I've just left.*

Mae'r cyfarfod newydd ddechrau.	*The meeting has just started.*
Mae'r cyfarfod newydd orffen.	*The meeting has just finished.*
Mae'r bws newydd gyrraedd.	*The bus has just arrived.*
Mae'r bws newydd adael.	*The bus has just left.*

Cyfieithwch:

I've just bought a new car.	....
The film has just finished.	....
They have just arrived.	....
We've just had an idea.	....
Has the meeting just started?	....
They have just found the key.	....

Siaradwch

- Ble ro'ch chi'n byw pan o'ch chi'n blentyn? Sut oedd yr ardal? Sut mae'r lle wedi newid erbyn hyn?

- Dych chi wedi byw yn rhywle arall (gwahanol i'r ardal lle dych chi'n byw nawr)? Disgrifiwch yr ardal yna.

- Ble mae'r lle hardda yn yr ardal yma neu mewn ardal arall lle dych chi wedi byw?

- Mae Gwilym Bowen Rhys yn canu am 'Y Machlud'. Dyma rai lleoedd enwog yng Nghymru yn ystod y machlud – dych chi'n eu nabod nhw/wedi bod yno?

Aberystwyth, Caerdydd, Caergybi, Cricieth, y Mwmbwls,
Pen y Fan, Llyn Tegid, Rhosili, Talacre.

- Oes hoff le gyda chi i edrych ar yr haul yn machlud ar y gorwel?

Llenwch y bylchau

Adran Ffyrdd
Cyngor Sir Llanaber

Annwyl Syr,
Dw i'n ysgrifennu .... (at) chi i gwyno am y ffordd yn
.... stryd ni. Mae tyllau mawr wedi bod yn y ffordd ers y gaeaf
diwethaf. Mae gweithwyr y cyngor wedi bod i weld y tyllau, ond
.... nhw ddim wedi gwneud dim byd eto. Pan o'n i'n
.... (plant), roedd pob gaeaf yn galed iawn, ond
roedd y ffyrdd yn .... (da) na heddiw. Wrth gwrs, roedd llawer
llai o .... (car) ar y pryd, ond dydy hynny ddim yn esgus. Naw
.... (blwyddyn) yn ôl, enillodd ein pentre ni wobr
Pentre Gorau Cymru.

.... ni'n cystadlu heddiw, fasen ni ddim yn ennill dim byd.

Mae'n broblem fawr i'r bobl .... byw yma. Yr wythnos diwetha roedd rhaid i mi wario dros dri chan punt ar fy .... (car) ar ôl .... fe/fo fynd i dwll yn y ffordd.

Ac nid dyma'r tro .... (x1) i hyn ddigwydd. Dw i'n gwybod .... llawer o fy nghymdogion wedi cael yr un broblem. Yr haf diwetha, ... (prynu) Mrs Evans drws nesa Volvo newydd. Aeth hi .... fe/fo i'r garej ddoe, ac roedd angen gwario cannoedd o .... (££) arno.

.... (dod) yma i weld y broblem! Byddwch chi'n synnu pa .... ofnadwy yw/ydy'r tyllau.

Dw i wedi dweud .... ein cynghorydd lleol, ond dydy e/o ddim wedi gwneud dim byd i helpu hyd yn hyn.

Dw i'n edrych .... at glywed oddi wrthoch chi'n fuan.

Yn gywir,

John Williams

Robin Radio

a) Atebwch:

Pam gwnaeth Anti Mair ollwng yr ysgol? ....

Beth wnaeth Pero? ....

Beth wnaeth Ceri? ....

b) Gwrandewch am:

dal ati	*to keep going*
ac i wneud pethau'n waeth	*and to make things worse*
ar fy mhen i	*on top of me*

c) Cyfieithwch:

What happened next?	....
my left foot	....
I'm not allowed to drive.	....

Nawr dych chi'n gallu darllen *Gwers Mewn Cariad* gan Beca Brown o gyfres Llyfrau Amdani. Dych chi'n gallu prynu'r llyfr o'ch siop Gymraeg leol neu ar gwales.com. Dyma'r clawr a'r paragraff cynta.

'Maaaam...?'

Na, ddim plentyn dwy oed sy'n galw ond oedolyn – oedolyn pump ar hugain oed – fy merch i. Ond ddim hi ydy'r unig un sy'n galw arna i fel yna chwaith – dw i'n clywed 'Liiiiiiiz...?' yn aml iawn hefyd, gyda'r geiriau '... lle mae fy?... wyt ti wedi gweld? ... fedri di wneud? ...' yn ei ddilyn. Fi ydy'r un sy'n codi'r trôns budr; yn dod o hyd i'r goriadau **coll** ac yn **lleddfu hwyl ddrwg** gyda phaned foreol.

coll – *lost*
lleddfu hwyl ddrwg – *to alleviate a bad temper*

Help llaw

1. Mae rhai arddodiaid (*prepositions*) yn dod mewn dwy ran. Yn yr uned hon, 'dyn ni'n gweld **ar ôl, ar bwys.**

ar ôl	ar bwys
ar fy ôl i	ar fy mhwys i
ar dy ôl di	ar dy bwys di
ar ei ôl e	ar ei bwys e
ar ei hôl hi	ar ei phwys hi
ar ein hôl ni	ar ein pwys ni
ar eich ôl chi	ar eich pwys chi
ar eu hôl nhw	ar eu pwys nhw

2. Cofiwch fod **h** o flaen llafariaid ar ôl **ei** (benywaidd), **ein, eu:**

ei henw hi
ein henwau ni
eu henwau nhw

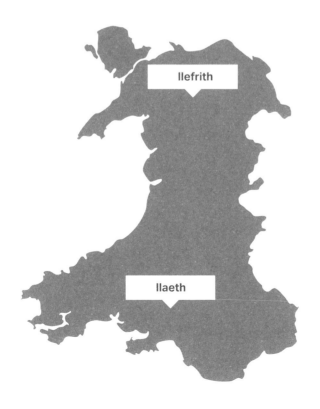

Uned 9 – Dylwn i fod wedi mynd

Nod yr uned hon yw...
- **Iaith:** Gorffennol yr Amodol (dylwn i fod wedi, ddylwn i ddim bod wedi)
- **Ymarfer:** Perswadio

Geirfa

cadair freichiau (cadeiriau breichiau)	armchair(s)
cloch (clychau)	bell(s)
clustog(au)	cushion(s)
effaith (effeithiau)	effect(s)
enfys(au)	rainbow(s)
ffeuen (ffa)	bean(s)
ffidil (ffidlau)	violin(s)
gwên (gwenau)	smile(s)
heulwen	sunshine
soffa(s)	sofa(s)
tylwythen deg (tylwyth teg)	fairy (fairies)

addurn(iadau)	decoration(s)
alergedd(au)	allergy (allergies)
arogl(euon)	smell(s)
cam(au)	step(s)
cwsg	sleep
cyntedd(au)	hallway(s)
diffyg(ion)	shortcoming(s), lack of
eirlys(iau)	snowdrop(s)
ieuenctid	youth
jyngl(s)	jungle(s)
lle(oedd) tân	fireplace(s)
mwgwd (mygydau)	mask(s)
parch	respect
rhybudd(ion)	warning(s)
siâp (siapiau)	shape(s)
ymateb(ion)	response(s)

anniben	untidy
awyddus	keen
cwrtais	courteous, polite
dwfn	deep
hwylus	convenient
moethus	luxurious
nerfus	nervous

ailagor	to reopen
anadlu	to breathe
arogli	to smell
blasu	to taste
bwlio	to bully
cyfnewid	to exchange
chwynnu	to weed
gwasgu	to squeeze, to squash
gwastraffu	to waste
mentro	to venture; to dare
pori	to graze; to browse
prancio	to prance, to gambol
rhentu	to rent
sylweddoli	to realise

ar glo	*locked*
curo'r drws	*to knock the door*
hel atgofion	*to reminisce*
henoed	hen bobl
llawr gwaelod	*ground floor*
mewn gwirionedd	a dweud y gwir
o fewn	*within*
pen draw	*far end; long run*
rhywbeth o'i le	rhywbeth yn bod
tŷ pâr/tŷ semi	*semi-detached house*
yn hollol	*completely, exactly*

Geiriau pwysig i fi...

....

....

....

Siaradwch

 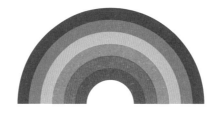 

gweld	clywed	blasu	teimlo	arogli

Beth sy'n rhoi gwên ar eich wyneb chi? Siaradwch am bob un, yna meddyliwch am un peth arall sy'n gwneud i chi wenu.

gweld enfys	canu carolau Nadolig	tatws newydd cynta'r flwyddyn
clywed clychau'n canu	bara ffres	plu eira
bath poeth moethus	eirlysiau cynta'r flwyddyn	cig moch yn coginio
jôcs cracyrs	hel atgofion gyda hen ffrind	babi'n chwerthin
eich tîm yn sgorio	addurniadau Nadolig	gweld ŵyn bach yn pori ac yn prancio

Dylwn i...

Dych chi'n cofio?

Dylwn i <u>olchi'r llestri</u> ar ôl y dosbarth.
Dylet <u>ti</u> ymddiheuro.
Hoffwn i <u>fynd ar fordaith</u> ar fy ngwyliau nesa i.
Allet ti <u>newid olwyn</u>?
Ddylwn <u>i</u> ddim dweud celwydd.

yn y tŷ	Dylwn i fod wedi hwfro.	*I should have vacuumed.*
yn y gwaith	Dylwn i fod wedi ateb yr ebyst.	*I should have answered the emails.*
ar y ffordd	Dylwn i fod wedi gweld y camera.	*I should have seen the camera.*
cyn y dosbarth	Dylwn i fod wedi dysgu'r eirfa.	*I should have learned the vocabulary.*
ar y bws	Dylwn i fod wedi gwisgo mwgwd.	*I should have worn a mask.*

Cyn y dosbarth:

1	**fi**	1	edrych ar yr eirfa
2	**ti**	2	cofrestru
3	**hi**	3	gorffen y llyfr darllen
4	**ni**	4	gwneud y gwaith cartref
5	**chi**	5	gwylio S4C
6	**nhw**	6	gwrando ar Robin Radio

Storïau Tylwyth Teg

Sinderela

Dylai hi fod wedi mynd adre cyn hanner nos.

Ddylai hi ddim bod wedi gadael ei hesgid hi.

Ond gorffennodd y stori'n hapus yn y pen draw!

Eira Wen

.... hi .... wedi gwrando ar ei saith ffrind.

.... hi ddim .... wedi cymryd yr afal gan y wrach.

.... hi ddim............................ wedi bwyta'r afal.

Ond gorffennodd y stori'n hapus yn y pen draw!

Jac a'r goeden ffa – Rhowch y brawddegau yn eu trefn.

1. ....
2. ....
3. ....
4. ....
5. ....
6. ....

Ond gorffennodd y stori'n hapus yn y pen draw!
Ddylai fe ddim bod wedi dringo'r goeden ffa.
Ddylai fe ddim bod wedi mynd i'r farchnad.
Ddylai fe ddim bod wedi prynu'r ffa.
Ddylai fe ddim bod wedi gwylltio'r cawr.
Ddylai fe ddim bod wedi gwerthu'r fuwch.

Ddylwn i ddim bod wedi...

Ddylwn i ddim bod wedi cysgu'n hwyr.	*I shouldn't have slept late.*
Ddylet ti ddim bod wedi rhentu'r tŷ.	*You shouldn't have rented the house.*
Ddylen ni ddim bod wedi dweud celwydd.	*We shouldn't have told a lie.*
Ddylen nhw ddim bod wedi rhoi'r gorau i ddysgu.	*They shouldn't have given up learning.*
Hoffwn i fod wedi mynd.	*I would like to have gone.*
Gallwn i fod wedi mynd.	*I could have gone.*
Hoffwn i ddim bod wedi mynd.	*I wouldn't like to have gone.*
Allwn i ddim bod wedi mynd.	*I couldn't have gone.*

Gyda'ch partner, meddyliwch am ymateb posib. Dilynwch y patrwm.

Cyrhaeddaist ti chwarter awr yn hwyr.	Gallwn i fod wedi cyrraedd yn gynharach.
Cest ti 49% yn yr arholiad.	....
Parciaist ti dros filltir i ffwrdd.	....
Gwariaist ti gan punt ar siwmper!	....
Cerddaist ti hanner milltir.	....

Cyrhaeddaist ti chwarter awr yn hwyr!	Allwn i ddim bod wedi cyrraedd yn gynharach.
Cest ti 99% yn yr arholiad!	....
Parciaist ti tu allan i'r swyddfa!	....
Cerddaist ti ugain milltir!	....

Es i i'r sinema nos Sadwrn.	Hoffwn i fod wedi mynd hefyd.
Arhosais i yn y gwely tan naw o'r gloch ddoe.	....
Ces i fargen ddoe.	....
Siaradais i Gymraeg drwy'r dydd ddoe.	....
Ymlaciais i drwy'r dydd ddoe.	....

Ymarfer – Perswadio

A: Dw i ddim eisiau mynd i'r parti.

B: Dylet ti! Chwarae teg i Carwyn am ofyn i ni.

A: Ond fydda i ddim yn nabod neb.

B: Byddi di'n fy nabod i! Dere, bydd e'n hwyl.

A: O'r gorau, 'te.

A: Dw i ddim eisiau mynd i'r ddrama.

B: Dylen ni ! Byddwn ni'n dysgu llawer.

A: Ond fydda i ddim yn deall y stori.

B: Wrth gwrs byddi di! Dere, pryna i'r tocynnau.

A: O'r gorau, 'te.

A: Dw i ddim eisiau mynd i'r cyfarfod.

B: Rhaid i ti! Ti yw'r siaradwr heno!

A: Ond dw i'n nerfus iawn.

B: Byddi di'n grêt!

A: Ond dw i ddim wedi siarad Cymraeg o flaen pobl o'r blaen.

B: Wyt ti eisiau ymarfer gyda fi nawr...?

A: Ydw, plîs!

Tai

Gyda'ch partner, ysgrifennwch o leia chwe gair ar y thema **Tai** yn y blwch.

Gêm Stamina

Gyda'ch partner, dwedwch frawddegau am y lluniau, e.e. Mae pum coeden yn llun 1; Mae ciosg ffôn yn llun 2.

Siaradwch

- O'r lluniau, pa gartre fasech chi'n hoffi byw ynddo fe? Pam?
- Ble fasech chi ddim yn dewis byw a pham?
- Pa dŷ yw'r un mwya tebyg i ble dych chi'n byw ar hyn o bryd/rhywle dych chi wedi byw?

Gwylio

Edrychwch ar y fideo. Gwrandewch ar y sgwrs yn y siop gwerthu tai.

Gyda'ch partner, ysgrifennwch o leia 6 pheth am y tŷ.

1. ....
2. ....
3. ....
4. ....
5. ....
6. ....

Newidiwch bartner. Cymharwch eich rhestri.

Chwarae rôl

Nawr, dych chi'n mynd i berswadio rhywun i brynu eich tŷ chi, tŷ ffrind neu aelod o'r teulu. Neu mae croeso i chi feddwl am unrhyw dŷ. Rhaid i chi ateb y cwestiynau yma.

- Pa fath o dŷ yw e?
- Faint o ystafelloedd sy yn y tŷ?
- Oes gardd gyda chi?
- Oes golygfa dda?
- Oes eisiau gwneud unrhyw waith yn y tŷ?
- Sut mae'r cymdogion?
- Beth sy yn yr ardal?

Sgwrs

Nyrs: Bore da, Gwasanaeth Gwaed Cymru.

Eryl: Bore da, Eryl Evans sy 'ma. Dylwn i fod wedi ffonio cyn heddiw.

Nyrs: Peidiwch â phoeni, dych chi'n ffonio nawr.

Eryl: Gwelais i eich hysbyseb chi ar S4C neithiwr.

Nyrs: Da iawn. Felly sut dw i'n gallu eich helpu chi?

Eryl: Wel, pan o'n i'n ifancach, ro'n i'n rhoi gwaed dwy neu dair gwaith y flwyddyn. Ond roedd rhaid i fi stopio rhoi gwaed achos es i ar wyliau i Affrica.

Nyrs: Ie, rhaid i chi aros pedwar mis ar ôl i chi gymryd tabledi malaria. Pryd aethoch chi i Affrica?

Eryl: Dwy fil un deg pump.

Nyrs: (chwerthin) Wel, mae'n iawn i chi roi gwaed felly, wrth gwrs.

Eryl: Dw i'n gwybod, ond rhaid i chi gael apwyntiad nawr, ac mae hi'n anodd trefnu amser achos dw i'n gweithio.

Nyrs: Dych chi'n gweithio dros y penwythnos?

Eryl: Nac ydw, fel arfer.

Nyrs: Mae apwyntiadau ar ddydd Sadwrn hefyd.

Eryl: O, mae diffyg amser dros y penwythnos yn broblem hefyd.

Nyrs: Wel, os ewch chi ar wefan Gwasanaeth Gwaed Cymru, dych chi'n gallu trefnu apwyntiad. Hefyd, mae'n bosib cerdded mewn ar y diwrnod os 'dyn ni ddim yn rhy brysur.

Eryl: Wel, do'n i ddim yn gwybod hynny. Dim esgus felly, dylwn i ailddechrau rhoi gwaed.

Nyrs: Diolch yn fawr. 'Dyn ni bob amser angen gwaed.

Eryl: Un peth arall. Mae'n gas 'da fi gael pigiad. Dych chi'n gallu helpu gyda hynny?

Nyrs: Nac ydw, rhaid i chi anadlu'n ddwfn am eiliad a byddwch chi'n hollol iawn.

Eryl: O'r gorau, gwnaf i. Hwyl, a diolch am eich help chi.

Nyrs: Hwyl.

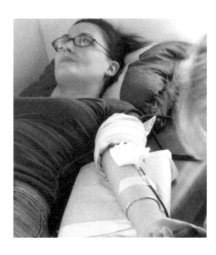

Siaradwch

- Dych chi erioed wedi rhoi gwaed?
- Dych chi'n rhoi gwaed nawr?

Gwrando – Cymdogion swnllyd

1. Sut cafodd Jenny ddigon o arian i brynu fflat?

....

2. Beth oedd prif reswm Jenny dros ddewis y fflat arbennig yma?

....

3. Pam roedd Jenny'n meddwl ei bod hi'n cael bargen?

....

4. Sut dylai Jenny fod wedi sylweddoli bod problem, pan aeth hi i weld y fflat yn y lle cynta?

....

*****

5. Sut mae barn Jenny am ganu opera wedi newid?

....

6. Sut ymateb gafodd Jenny pan aeth hi i guro ar ddrws ei chymydog y trydydd tro?

....

7. Pam dyw pennaeth Jenny ddim yn hapus?

....

8.   Beth ddylai Jenny ddim ei wneud, yn ôl Gwyn Lewis?

....

Siaradwch – Yr Ysgol

Geirfa

Ysgrifennwch bynciau ysgol yn y blwch:

- Ble aethoch chi i'r ysgol?
- Beth oedd eich hoff bynciau chi yn yr ysgol? Beth oedd eich cas bynciau chi?
- Pa bwnc yw'r mwya defnyddiol i chi nawr? Pa un yw'r lleia defnyddiol?
- Beth ddylech chi fod wedi (ei) wneud yn yr ysgol?
- Beth ddylech chi ddim bod wedi (ei) wneud?
- Dych chi'n dal i fod mewn cysylltiad â phobl o'r ysgol?
- Os dych chi mewn cysylltiad â phobl o'r ysgol, sut dych chi'n cysylltu nawr? Os dych chi ddim, pam mae hynny, tybed?

Dyddiau Ysgol. Dyddiau Da?

Pethau da am yr ysgol yn y gorffennol	Pethau drwg am yr ysgol yn y gorffennol
Pethau da am yr ysgol nawr	Pethau drwg am yr ysgol nawr

Siaradwch am y pwnc – **Dyddiau Ysgol. Dyddiau Da?** – yn eich grwpiau.

Llenwch y bylchau

Mae pobl pentref Rhydymarian yn dathlu'r wythnos yma ar ôl ennill gwobr 'Pentref .... (da) Cymru.' Dim ond dau .... (cant) o bobl sy'n byw yn y pentre, ond maen nhw i gyd wrth .... bodd efo'r wobr ac yn edrych ymlaen ....y parti mawr fydd yn digwydd yn nhafarn y Llew Coch nos Sadwrn nesa.

'Mae'r pentre wedi newid cymaint yn y pum .... (blwyddyn) diwetha,' meddai Ceridwen Morris, 92 oed, y person hynaf yn y pentref. .... hi ei geni yn Rhydymarian ac mae hi wedi byw yn y pentref ar hyd ei bywyd. 'Pan oeddwn i'n .... (plant), roedd Rhydymarian yn lle prysur iawn: roedd tair siop, dwy dafarn a phedwar capel yma ac roedd dros gant o blant yn yr ysgol. Ond dros y blynyddoedd, ... (symud) llawer o bobl i ffwrdd, dechreuodd mwy a mwy o bobl siopa .... archfarchnadoedd mawr tu allan ....'r dre ac roedd llai o bobl yn mynd i'r capel a'r dafarn. Pan gaeodd yr ysgol yn 2006, ro'n i'n meddwl .... y pentref wedi marw am byth.'

Tafarnwraig y Llew Coch ydy Llio Dafydd, ... 'n dod o Rydymarian yn wreiddiol hefyd. '.. chi wedi dod yma yn 2006, basech chi wedi gweld pentre trist a llwyd iawn,' meddai Llio. 'Roedd pob busnes wedi cau a .... dim pobl ifanc yma o gwbl – roedd pawb wedi symud i Gaerdydd i weithio. Ond pan ddaeth tafarn y Llew Coch ar y farchnad, ... (penderfynu) i ddod yn ôl yma a mentro dechrau busnes. Erbyn hyn, mae'r dafarn a'r tŷ bwyta'n brysur iawn bob dydd a nos ac mae llawer o grwpiau gwahanol yn cyfarfod yma: Merched y Wawr, clwb yr henoed, dosbarthiadau Cymraeg, dawnsio gwerin, clwb jiwdo, ac ati.'

Mae'r hen ysgol hefyd yn ganolfan brysur iawn erbyn hyn. Mae pedwar busnes bach yn gweithio yn y ganolfan; mae marchnad ffermwyr yn digwydd yno .... (x1) yr wythnos ac mewn dau fis .... hen neuadd yr ysgol yn ailagor fel theatr/sinema. Rheolwr y ganolfan .... Dyfan Rhys, dyn ifanc lleol. 'Ar ôl .... ni agor y theatr,' meddai Dyfan, 'y project nesa fydd troi hen gapel Bethania yn glwb ieuenctid. Mae llawer o deuluoedd newydd yn symud i'r pentref rŵan. Mae'n bosib bydd rhaid adeiladu ysgol newydd yn y pentre cyn bo .... !'

Llongyfarchiadau mawr i bobl pentref Rhydymarian ar ennill y wobr. Mwynhewch y dathlu!

Robin Radio

a) Atebwch

Â phwy mae Carol eisiau siarad? ....

Pam dyw hi ddim yn gallu gwneud hynny? ....

Beth fydd yn digwydd mewn tair wythnos? ....

b) Gwrandewch am:

gyda phob parch   *with all due respect*

Dw i'n dioddef o ddiffyg cwsg.   *I'm suffering from lack of sleep.*

hwiangerdd   *lullaby*

c) Cyfieithwch:

I don't want to speak to you.   ....

You can't give advice.   ....

I shouldn't have phoned today.   ....

Help llaw

Mae **dylwn i**, **hoffwn i** a **gallwn i** yn codi yn unedau 22 a 23 yn y Cwrs Sylfaen.

1.   Pan fyddwn ni'n defnyddio ffurfiau cryno yr amodol (*the concise forms of the conditional*), rhaid i ni roi'r gair **bod** cyn y gair **wedi**:

Dylwn i **fod** wedi mynd.

Hoffwn i **fod** wedi mynd.

Gallwn i **fod** wedi mynd.

Mae'r gair **bod** yn **treiglo'n feddal** ar ôl y ffurf gryno.

2.   Cofiwch fod y ferf yn **treiglo'n feddal** yn y negyddol. Does dim treiglad ar ôl **ddim**:

Ddylwn i ddim bod wedi mynd.

Allwn i ddim bod wedi mynd.

Does dim angen treiglo **bod** yn y gorffennol achos bod **ddim** yn treiglo.

GiveAdvice

Would Hoffi Gallu

Uned 10 – Adolygu ac Ymestyn

Nod yr uned hon yw...

• **Iaith:** Adolygu ac ymestyn

• **Ymarfer:** Diddordebau

Geirfa

arddangosfa (arddangosfeydd)	*exhibition(s)*
carreg (cerrig)	*stone(s)*
cofeb(au)	*memorial(s)*
cors(ydd)	*bog(s)*
crefft(au)	*craft(s)*
grawnwinen (grawnwin)	*grape(s)*
llywodraeth(au)	*government(s)*
morwyn (morynion)	*maid(s)*
mynwent(ydd)	*graveyard(s), cemetery(-ies)*

cariadus	*loving*
creadigol	*creative*
cyffredin	*common; general*
cymdeithasol	*social; sociable*
difrifol	*serious*
manwl	*detailed*
meddal	*soft*
proffesiynol	*professional*
siaradus	*talkative*
sur	*sour*
trwchus	*thick*
twristaidd	*tourist*

ar ran	*on behalf of*		**atgoffa**	*to remind*
awyr iach	*fresh air*		**cyfathrebu**	*to communicate*
Bryste	*Bristol*		**dioddef**	*to suffer*
Efrog Newydd	*New York*		**golygu**	*to mean; to edit*
o amgylch	*around*		**graddio**	*to graduate*
o'r enw	*named, called*		**gwau**	*to knit*
			snorclo	*to snorkel*
y rhan fwya	*the majority*		**rafftio**	*to raft*
			rhwystro	*to prevent*
			toddi	*to melt*

Geiriau pwysig i fi...

....

....

....

....

....

....

Adolygu – Gêm o gardiau

	♠	♦	♣	♥
A	Beth ddylech chi fod wedi (ei) wneud ddoe?	Pwy oedd y canwr diwetha i chi (ei) glywed ar y radio/mewn siop?	Tasech chi'n ennill wythnos o gwrs yn Nant Gwrtheyrn, fasech chi'n derbyn neu'n gwrthod?	Â phwy siaradoch chi Gymraeg ddiwetha (cyn y wers)?
2	Beth fydd rhaid i chi (ei) wneud dros y penwythnos?	Disgrifiwch beth sy o flaen yr adeilad lle dych chi nawr.	Wyt ti'n edrych ymlaen at y penwythnos?	Tasech chi wedi dod â bocs o siocledi i'r dosbarth, beth fasech chi wedi (ei) brynu?
3	Wyt ti'n edrych ymlaen at yr haf?	Â pha berson enwog o'r gorffennol hoffech chi fod wedi cwrdd?	Faint o bobl yn y dosbarth heddiw/ heno sy'n gwisgo rhywbeth du?	Pa air Cymraeg rwyt ti newydd (ei) ddysgu?
4	Pa mor aml rwyt ti'n siopa mewn archfarchnad?	Tasech chi'n cael cynnig mynd ar wyliau dringo yn yr Himalayas, fasech chi'n mynd?	Pa lyfr dych chi newydd (ei) ddarllen?	Tasech chi wedi cael swydd wahanol yn syth ar ôl yr ysgol, beth hoffech chi fod wedi (ei) wneud?
5	Faint o bobl yn y dosbarth sy'n gwisgo trowsus?	Yn eich teulu chi, faint ohonoch chi sy'n siarad Cymraeg?	Pa le yw eich hoff le twristaidd chi yn yr ardal?	At bwy anfonoch chi decst ddiwetha?
6	Ar beth edrychaist ti ar y teledu dros y penwythnos?	Tasech chi'n cael dewis gwyliau yng Nghymru neu wyliau ym Mecsico, pa un fasech chi'n (ei) ddewis?	Ble cerddwch chi ar lan y môr nesa?	Enwch anifail dych chi erioed wedi (ei) weld.
7	Disgrifiwch beth sy ar bwys eich tŷ chi.	Beth oedd y peth gorau am eich gwyliau diwetha chi?	Tasech chi wedi prynu paned mewn caffi cyn dod yma, beth fasech chi wedi (ei) brynu?	Yn eich teulu chi, faint ohonoch chi sy'n bwyta cig?
8	Dych chi wedi bod yn Nant Gwrtheyrn?	Beth o'ch chi'n (ei) feddwl o Nos Galan llynedd?	Pryd gwelwch chi eich ffrind gorau chi nesa?	Pa fath o raglenni teledu dych chi byth yn (eu) gwylio?
9	Pwy sy yn y newyddion ar hyn o bryd?	Dych chi'n cofio enw Cymraeg ar stori dylwyth teg?	Oes diddordeb gyda chi yn Eurovision?	Sut byddwch chi'n dathlu eich pen-blwydd nesa chi?
10	Ar ba gerddoriaeth dych chi'n hoffi gwrando i ymlacio?	Beth dych chi newydd (ei) brynu?	Tasech chi'n cael cynnig mynd ar wyliau sgio i'r Alban, fasech chi'n derbyn neu'n gwrthod?	Beth fasech chi'n hoffi (ei) newid am eich tŷ chi?
Jac	Tasech chi'n prynu bisgedi, pa rai fasech chi'n (eu) prynu?	Beth ddylet ti fod wedi (ei) wneud dydd Sadwrn?	Beth yw'r peth gorau am eich tŷ chi?	Pa wlad sy yn y newyddion ar hyn o bryd?
Brenhines	Ble dych chi'n hoffi mynd i weld y machlud?	Disgrifiwch beth sy yn eich ardal chi.	Tasech chi'n cael cynnig mynd ar fordaith, fasech chi'n mynd?	Oes diddordeb gyda chi yn ffilmiau James Bond?
Brenin	Oes diddordeb gyda chi mewn garddio?	Beth dych chi newydd (ei) fwyta?	At bwy anfonoch chi ebost ddiwetha?	Tasech chi'n cael gwahoddiad i sioe gŵn, fasech chi'n derbyn neu'n gwrthod?

Cynffoneiriau (*Tags*)

Mae e'n llyfr da, on'd yw e?	Ydy, wir
Mae hi'n rhaglen dda, on'd yw hi?	Ydy, wir.
Maen nhw'n blant da, on'd ydyn nhw?	Ydyn, wir.
Roedd e'n llyfr da, on'd oedd e?	Oedd, wir.
Roedd hi'n rhaglen dda, on'd oedd hi?	Oedd, wir.
Ro'n nhw'n blant da, on'd o'n nhw?	O'n wir.

Beth yw'r cynffonair?

Mae e'n llyfr da, _____ ?

Mae e'n weithgaredd diddorol, _____ ?

Maen nhw'n weithgareddau diddorol, _____ ?

Maen nhw'n ffilmiau diddorol, _____ ?

Mae hi'n ffilm wych, _____ ?

Roedd hi'n ffilm wych, _____ ?

Roedd hi'n ddamwain ddifrifol, _____ ?

Roedd e'n blentyn difrifol, _____ ?

Roedd e'n blentyn cariadus, _____ ?

Mae e'n blentyn cariadus, _____ ?

Maen nhw'n blant cariadus, _____ ?

Maen nhw'n blant siaradus, _____ ?

Ro'n nhw'n blant siaradus, _____ ?

Sgwrs

Rheolwr swyddfa:	Bore da, Dr Huws.
Dr. Huws:	Bore da, Chris. Mae hi'n braf, on'd yw hi?
Rheolwr swyddfa:	Ydy, wir, Dr. Huws. Mae'r haul yn gwenu.
Dr Huws:	Ddylwn i ddim bod wedi gwisgo siwt mor drwchus! Dw i'n toddi!
Rheolwr swyddfa:	Mae'r ffenest ar agor yn **eich swyddfa chi. Tynnwch eich siaced a'ch tei chi**, ac **eisteddwch** o flaen y ffenest am ychydig.
Dr. Huws:	Diolch. Un ar ddeg yn barod! Ble mae'r amser yn mynd? Ydy'r post yma eto?
Rheolwr swyddfa:	Ydy, Dr Huws, ers hanner awr wedi wyth. Mae llawer o lythyrau heddiw.
Dr Huws:	Oes rhywbeth pwysig ynddyn nhw?
Rheolwr swyddfa:	Nac oes, a dweud y gwir.
Dr Huws:	Oes rhywun wedi ffonio?
Rheolwr swyddfa:	Oes, Delyth Davies. **Anghofioch chi** fynd at y deintydd ddoe.
Dr Huws:	O, dylet ti fod wedi fy atgoffa i. Bydda i'n rhy brysur yr wythnos yma. Trefna apwyntiad arall mewn chwe mis. Dylai fy nannedd i fod yn iawn, ac mae'n gas gyda fi sŵn dril, dw i'n cael pen tost ar ei ôl e.
Rheolwr swyddfa:	Mae Mrs Llinos Smith o'r Llywodraeth wedi ffonio. Byddan nhw'n dod yma bore Llun nesa i drafod y ffurflen gais am grant i'r ysbyty gyda **chi**.
Dr Huws.	Amhosib. Bydda i ar wyliau yr wythnos nesa. Dylet ti fod wedi cofio.
Rheolwr swyddfa:	Mae'n ddrwg gyda fi, Dr Huws. Gwnaf i ganslo'r cyfarfod.
Dr Huws:	Problemau, problemau! Ble mae'r nodiadau ar gyfer hyfforddiant y prynhawn 'ma?
Rheolwr swyddfa:	Ebostiais i **eich nodiadau chi** a'r papurau **atoch chi** neithiwr.
Dr Huws:	Welais i mo'r ebost, ond edrycha i arno fe nawr. Unrhyw neges arall?
Rheolwr swyddfa:	Wel, ffoniodd Gareth, yn gofyn **dych chi** wedi bwcio tacsi i'r maes awyr eto?
Dr Huws:	Dylet ti fod wedi sôn am hynny gynta. Wyt ti'n gallu ffeindio rhestr o rifau ffôn tacsis i fi nawr?
Rheolwr swyddfa:	Ar unwaith, Dr Huws.
Dr Huws:	Neu ffonia di nhw. Rhaid i ni fod yn y maes awyr erbyn saith bore fory.

Rheolwr swyddfa: Dim problem.

Dr Huws: Rhaid i fi edrych ar y nodiadau nawr. Bydda i'n rhy brysur i siarad â neb ar y ffôn ond dylwn i fod yn barod am baned mewn hanner awr. Erbyn amser cinio yfory, bydda i yn Barcelona! Diolch Chris, rwyt ti'n gofalu amdana i'n dda iawn.

Rheolwr swyddfa: Croeso, Dr Huws.

1. Ysgrifennwch un frawddeg o'r ddeialog gyda **dylwn/dylet/dylai**.

   ....

2. Ysgrifennwch un frawddeg o'r ddeialog gyda **mo**.

   ....

3. Edrychwch ar y frawddeg, **Dylai fy nannedd i fod yn iawn**. Nesaf, gorffennwch y brawddegau yma.

   Mae'r garej wedi ffonio, dylai fy .... i fod yn barod erbyn yfory.

   Mae'r llyfrgell wedi ffonio, dylai fy .... i fod yn ôl erbyn yfory.

   Mae'r fferyllydd wedi ffonio, dylai fy .... i fod i mewn erbyn yfory.

   Mae'r siop briodas wedi ffonio, dylai fy .... i fod i mewn erbyn yfory.

Llenwch y bylchau

Mae grŵp gwerin Grawnwin Surion wedi cael gwahoddiad i ganu .... cyngerdd mawr yn yr Unol Daleithiau ym mis Medi. Nhw ydy'r grŵp ....(✗1) erioed o Gymru i gael gwahoddiad i gymryd rhan yn yr ŵyl werin fawr yn Efrog Newydd.

....(cael) y grŵp ei ddechrau gan bedwar ffrind, pan oedden nhw yn y coleg yng .... (Caerfyrddin). Roedd y pedwar wedi meddwl mynd i weithio fel .... (athro) ysgol gynradd ar ôl graddio, ond wnaeth hynny ddim digwydd. Sylweddolon nhw fod canu a chwarae mewn grŵp yn .... (da) na dysgu plant bach. Ers.............................. (3) blynedd nawr, maen nhw'n gweithio fel cerddorion proffesiynol ac yn chwarae mewn gigs dros Ewrop.

Dwedodd y prif ganwr, Steffan Gwyn, eu bod nhw .... eu bodd gyda'r llwyddiant maen nhw wedi'i gael. 'Roedd hi'n anodd i ddechrau,' meddai, 'ond ar ôl .... ni recordio'r CD cyntaf, ... (dechrau) pobl ofyn i ni ganu mewn gigs. Hefyd, roedd y DJ John Reed yn help mawr i ni .... y pryd. Roedd John yn chwarae ein caneuon ni ar ei .... (rhaglen) radio bob dydd bron!'

Bydd pethau'n newid ym mis Tachwedd, achos mae Gwennan, gwraig Steffan, yn disgwyl babi. 'Ar hyn o ....,' yn ôl Steffan, 'dyw hi ddim yn broblem mynd i ffwrdd am wythnos neu ddwy. Ond pan .... y babi'n cyrraedd, fydda i ddim yn gallu mynd i ffwrdd am wythnosau. Dw i ddim eisiau gadael Gwennan ar ei phen ei .... gyda'r babi.'

Felly, ydyn nhw'n mynd i dderbyn y gwahoddiad i fynd i Efrog Newydd? '... (✔), wrth gwrs,' meddai Steffan. 'Dw i wedi siarad .... Gwennan am y peth, ac mae hi wedi cytuno. Bydda i'n hedfan allan nos Fercher ac yn hedfan adre fore dydd Sul. Dw i ddim wedi bod yn America o'r .... , felly dw i'n edrych ymlaen yn fawr. Mae'r tri arall yn edrych ymlaen hefyd, a dw i'n meddwl eu .... nhw'n mynd i aros am rai diwrnodau wedi'r ŵyl, i fwynhau Efrog Newydd.'

Beth bynnag ydy'r dyfodol i Grawnwin Surion, maen nhw'n dal i fwynhau canu a pherfformio fel grŵp. Pob lwc .... (i) nhw!

Gwrando

1. Pam doedd Awen ddim yn gyfforddus neithiwr?

....

2. Cafodd y theatr ei hagor yn hwyrach na'r disgwyl. Pa mor hwyr?

....

3. Sut mae adeiladu'r theatr wedi helpu economi Llanaber?

....

4. Sut mae Dewi'n gwybod yn dda sut mae'r theatr yn edrych?

....

****

5. Beth oedd yn synnu Awen am y ddrama gafodd ei dewis?

....

6. Beth dydy Menna Williams ddim yn arfer (ei) wneud, wrth berfformio?

....

7. Sut roedd Awen yn gwybod beth roedd y gynulleidfa yn (ei) feddwl o'r ddrama?

....

8. Pam bydd theatr Llanaber yn brysur yr wythnos ar ôl i'r ddrama
   Y Llanast orffen?

....

****

9. 'Mae'r ddrama yn y theatr am ddeg noson ac roedd y noson gyntaf yn noson lwyddiannus.'

'Dyn ni'n defnyddio **noson** gyda rhifau ac ansoddeiriau.
Sut mae dweud:

two nights	....	*a popular night*	....
three nights	....	*a romantic night*	....
four nights	....	*an unhappy night*	....
five nights	....	*a long night*	....

Ymarfer – Diddordebau

Edrychwch ar y fideo ac ysgrifennwch frawddeg am ddiddordebau tri o bobl sy ar y fideo.

1. ....
2. ....
3. ....

Siaradwch

Edrychwch ar y lluniau yma o bobl yn mwynhau eu hunain yng Nghymru. Ysgrifennwch y gweithgaredd wrth y llun a dwedwch:

Faswn i byth yn gwneud hynny neu **Dw i/Baswn i wrth fy modd yn gwneud hynny:**

....

....

....

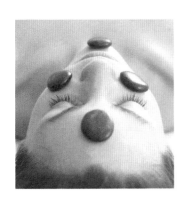

....

....

chwarae golff	snorclo mewn cors	sgwrsio gyda ffrindiau mewn tafarn
ymweld â chastell	dringo mynydd	gwylio gêm bêl-droed fyw
mynd i'r traeth	rafftio dŵr gwyn	nofio yn y môr ym mis Rhagfyr
ymlacio mewn spa	mynd i 'gig' mawr	cerdded llwybr yr arfordir
neidio o glogwyn	gwylio adar	ymweld ag arddangosfa/ amgueddfa

- Siaradwch am y lluniau. Beth dych chi wedi (ei) wneud? Dych chi'n nabod pobl sy'n gwneud y pethau hyn?
- Beth yw'ch diddordebau chi? Sut dych chi'n ymlacio?
- Fasech chi'n dweud eich bod chi'n berson cymdeithasol?
- Dych chi'n gwneud unrhyw fath o gelf a chrefft fel gwau, gwaith coed, arlunio ac ati?
- Ydy eich diddordebau chi nawr yn wahanol i'ch diddordebau chi ddeg mlynedd yn ôl?
- Beth o'ch chi'n hoffi (ei) wneud pan o'ch chi'n blentyn?

Gwrando a darllen – Hanes Y Ferch o Gefn Ydfa

Roedd Ann Thomas yn byw ar ffarm Cefn Ydfa ym mhentref Llangynwyd ger Maesteg. Roedd Ann yn ferch .... iawn, ac roedd ei theulu hi wedi .... ei bod hi'n priodi dyn .... o'r ardal o'r enw Anthony Maddocks. Ond un diwrnod, daeth Wil Hopcyn, bachgen ...., tlawd, i..'r to ar y ffarm. .... Ann a Wil mewn cariad ar unwaith.

Yn anffodus, sylwodd mam Ann fod y ddau mewn cariad, ond yn ei

.... hi, doedd Wil ddim yn ddigon da i Ann. Felly i

....'r berthynas, cloiodd hi Ann yn ei hystafell wely.

Ond doedd Ann ddim eisiau rhoi'r gorau i .... â'i chariad hi.
Gwelodd hi .... yn tyfu tu allan i'r ffenest, felly
.... Ann ei llaw ac ysgrifennu neges .... at
Wil ar ddeilen gan ddefnyddio ei .... ei hun. Gofynnodd hi i
forwyn y tŷ fynd â'r .... at Wil, ac felly roedden nhw'n gallu
....fel hyn am gyfnod. Pan sylweddolodd mam Ann beth
oedd yn digwydd, roedd hi eisiau eu rhwystro nhw eto ac felly cloiodd hi Ann
yn y .... nes roedd Wil wedi .... i ffwrdd i Fryste.
Doedd Wil ddim yn meddwl basai e'n gweld ei gariad byth eto.

Roedd rhaid i Ann .... Anthony Maddocks, ond doedd ei
 .... ddim yn golygu dim byd iddi hi. Dechreuodd hi ddioddef o
.... rhyfedd, doedd neb yn gwybod beth oedd yn bod arni hi.
Mewn gwirionedd, roedd ei .... yn torri. Pan sylweddolodd mam
Ann fod ei merch hi'n ddifrifol wael, ... hi am Wil. Ond roedd hi'n
rhy hwyr. .... Ann yn farw yn ei freichiau e.

Mae cofeb i'r ddau yng .... pentref Llangynwyd, ac mae
carreg fedd Wil yn y .... .Mae bedd Ann yn yr eglwys
ei hun.

Ysgrifennodd Wil gân serch .... i Ann o'r enw 'Bugeilio'r
Gwenith Gwyn'. Mae'r gân yn dal yn ...., felly mae'r cof yn
fyw am .... trist Wil ac Ann hyd heddiw.

Gêm geirfa

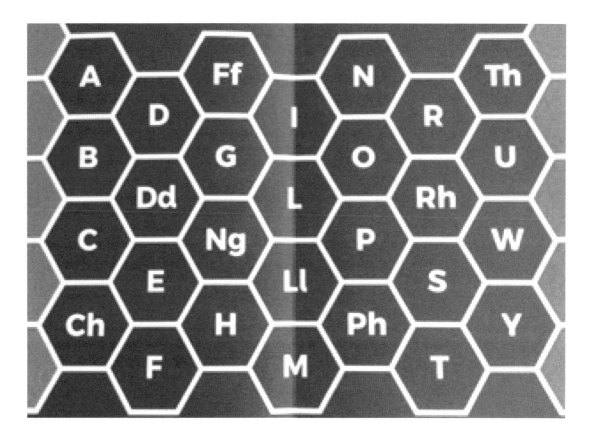

Robin Radio

a) Atebwch:

Pwy sy'n cael y teganau?

....

Pryd mae'r Clwb Gwau Cymraeg yn cyfarfod?

....

Pam mae Robin yn chwarae 'Oes Gafr Eto?'?

....

b) Gwrandewch am:

ers fy mhlentyndod	*since (my) childhood*
gofal dwys	*intensive care*
'Dyn ni'n griw siaradus.	*We are a talkative crew.*

c) Cyfieithwch:

What do you do in your spare time? ....

Why have you come on the programme? ....

I have just started. ....

Uned 11 – Cafodd y llyfr ei ysgrifennu

Nod yr uned hon yw...
• **Iaith:** Y goddefol (*the passive voice*)
• **Ymarfer:** Disgrifio

Geirfa

adeg(au)	period(s) of time	**anaf(iadau)**	injury (-ies)
amaethyddiaeth	agriculture	**cap(iau)**	cap(s)
cadair esmwyth	easy chair	**crud(au)**	cradle(s), cot(s)
dealltwriaeth	understanding	**cwlwm (clymau)**	knot(s)
dyled(ion)	debt(s)	**deigryn (dagrau)**	tear(s)
fflam(au)	flame(s)	**drych(au)**	mirror(s)
gwefus(au)	lip(s)	**estyniad(au)**	extension(s)
gwleidyddiaeth	politics	**ffoadur(iaid)**	refugee(s)
lloches(au)	shelter(s)	**lle tân (llefydd tân)**	fireplace(s)
meddyginiaeth(au)	medication(s)	**lledr**	leather
rhaff(au)	rope(s)	**llefarydd (llefarwyr)**	spokesperson (spokespeople)
		llif(ogydd)	flood(s)
		metel(au)	metal(s)
adrodd	to recite, to relate	**mwg**	smoke
		patrwm (patrymau)	pattern(s)
arestio	to arrest	**perygl(on)**	danger(s)
argraffu	to print	**pysgotwr (-wyr)**	fisherman (-men)
bwrw	to hit	**seiclwr (-wyr)**	cyclist(s)
clymu	to tie; to knot	**sgwâr (sgwariau)**	square(s)
diflannu	to disappear	**tir(oedd)**	land; ground(s)
dinistrio	to destroy		
enwi	to name		
gorlifo	to overflow	**amaethyddol**	agricultural
llyncu	to swallow	**crwn**	round
oedi	to pause; to delay	**diamynedd**	impatient
plygu	to bend, to fold	**esmwyth**	restful; smooth
protestio	to protest	**hirgrwn**	oval
recordio	to record	**petryal**	rectangular
sibrwd	to whisper	**smotiog**	spotty
siglo	to rock; to shake	**streipiog**	striped
storio	to store	**trwchus**	thick, dense
ymddiswyddo	to resign		

amser maith yn ôl	amser hir yn ôl
ar y pryd	*at the time*
Gemau Olympaidd	*Olympic Games*
hynny	*that*
o ddrwg i waeth	*from bad to worse*
oherwydd	achos
Prif Weinidog	*First Minister* (Cymru), *Prime Minister* (y Deyrnas Unedig *(UK)*)
ymhen	*within* (amser)
yn ogystal â	*as well as, in addition to*
y rhain	*these*

Geiriau pwysig i fi...

....

....

....

Siaradwch

Dych chi'n trefnu swper arbennig. At bwy basech chi'n hoffi anfon gwahoddiad? Dych chi'n gallu dewis pedwar o bobl enwog (byw neu farw). Rhaid i chi ddweud pam dych chi'n dewis y pedwar person. Trafodwch hefyd beth fydd y bwyd.

1. ....
2. ....
3. ....
4. ....

Bwydlen:

I ddechrau:

....

Prif gwrs:

....

Pwdin:

....

Y goddefol

Dych chi'n cofio?

Ces i fy ngeni <u>yng Nghaerdydd</u>.   Ces i fy magu <u>yng ngwlad Pwyl</u>.
Ble cest <u>ti</u> dy eni?   Ble cest <u>ti</u> dy fagu?

Enw	fi						
geni							
magu							

Ces i fy <u>nhalu</u> ddoe.   Cawson ni ein <u>talu</u> ddoe.
Cest ti dy <u>dalu</u> ddoe.   Cawsoch chi eich <u>talu</u> ddoe.
Cafodd e ei <u>dalu</u> ddoe.   Cawson nhw eu <u>talu</u> ddoe.
Cafodd hi ei <u>thalu</u> ddoe.

Wyt ti'n chwarae heddiw?   Nac ydw, ces i fy anafu yn y gêm ddiwetha.
Ydy e'n chwarae heddiw?   ....
Ydy hi'n chwarae heddiw?   ....
Ydyn nhw'n chwarae heddiw?   ....

1 - fi   **4** - ni
2 - ti   **5** - chi
3 - fe/hi (llun)   **6** - nhw

Cafodd y tŷ ei adeiladu.	*The house was built.*
Cafodd y tŷ ei beintio.	*The house was painted.*
Cafodd y tŷ ei brynu.	*The house was bought.*
Cafodd y tŷ ei werthu.	*The house was sold.*
Cafodd y gân ei recordio.	*The song was recorded.*
Cafodd y gân ei chanu.	*The song was sung.*
Cafodd y gân ei pherfformio.	*The song was performed.*
Cafodd y gân ei hysgrifennu.	*The song was written.*
Cafodd y plant eu dewis.	*The children were chosen.*
Cafodd y plant eu dihuno.	*The children were woken up.*
Cafodd y plant eu gweld.	*The children were seen.*
Cafodd y plant eu derbyn.	*The children were accepted.*

Gyda'ch partner, rhaid i chi wneud brawddeg ac yna meddwl am frawddegau posib eraill. Dilynwch y patrwm:

siop + gwerthu = Cafodd y siop ei gwerthu. Cafodd y siop ei phrynu. Cafodd y siop ei pheintio.

A	tai	cloi
2	tabledi	llyncu
3	swyddfa	llosgi
4	ffeiliau	storio
5	rhaff	tynnu
6	papur	plygu
7	dyled	talu
8	stori	sibrwd
9	crud	siglo
10	theatr	enwi
Jac	derbynneb	argraffu
Brenhines	parsel	anfon
Brenin	cwlwm	clymu

Cafodd y car ei wneud gan Ford.	*The car was made by Ford.*
Cafodd y ceir eu gwneud gan Ford.	*The cars were made by Ford.*
Cafodd y rhaglen ei gwneud gan Radio Cymru.	*The programme was made by Radio Cymru.*
Cafodd y rhaglenni eu gwneud gan S4C.	*The programmes were made by S4C.*

Pwy ganodd y gân?

1. ....
2. ....
3. ....

Siaradwch

- Dych chi wedi clywed llawer o gerddoriaeth Gymraeg?

- Dych chi'n mynd i gig neu gyngerdd yn aml?

- Pwy oedd y canwr/gantores/grŵp diwetha weloch chi? Pryd a ble?

Atebwch y cwestiynau gyda'ch partner. Dilynwch y patrwm:

Pwy ysgrifennodd y ddrama?   Cafodd y ddrama ei hysgrifennu
                               gan Shakespeare.

Pwy wnaeth y dillad?	Tolkien
Pwy actiodd y rhan?	Y Prif Weinidog
Pwy ysgrifennodd y llyfr?	yr heddlu
Pwy beintiodd y llun?	Richard Burton
Pwy enillodd ras Tour de France?	Charlotte Church
Pwy atebodd y cwestiwn?	Gareth Edwards
Pwy arestiodd y dyn?	Laura Ashley
Pwy ganodd y gân?	Picasso
Pwy sgoriodd y cais?	Geraint Thomas

Darllen – Beth yw'r gwahaniaethau?

	Partner A	Partner B
Geni		
Pam symud i Gymru?		
Gwaith tad/ mam		
Beth oedd y ddamwain?		
Priodi pryd?		
Priodi ble?		
Y plant?		

Sgwrs

A: Beth o't ti'n (ei) feddwl o'r ddadl yn y Senedd ddoe?

B: Pa ddadl?

A: Dyw'r Lywodraeth ddim yn mynd i adeiladu'r rheilffordd newydd rhwng Caernarfon a Chaerdydd.

B: Beth? Pam?

A: Maen nhw'n dweud ei bod hi'n rhy ddrud. A bydd gormod o dir amaethyddol yn cael ei golli.

B: O diar. Ro'n i'n edrych ymlaen at y lein newydd. Beth ddwedodd y Prif Weinidog, 'te?

A: Dwedodd hi bydd tipyn o oedi nawr. Mae hi'n bosib bydd traffordd yn lle rheilffordd.

B: Ydy pawb yn cytuno?

A: Dim o gwbl. Aeth pethau o ddrwg i waeth. Ymddiswyddodd y Gweinidog Amaethyddiaeth. Roedd e yn ei ddagrau.

B: O – gormod o emosiwn fel arfer! Does dim diddordeb gyda fi mewn gwleidyddiaeth beth bynnag!

A: Paid â bod mor ddiamynedd. Rhaid i ti ddangos diddordeb!

B: Pam?

A: Ti yw partner y Prif Weinidog!

Gwylio 1 – Cwrdd â dau fardd

Edrychwch ar y fideo o Myrddin ap Dafydd o ogledd Cymru ac Aneirin Karadog o dde Cymru yn dweud eu hanes.

1. Ffeindiwch un peth sy'n gyffredin rhwng Myrddin ac Aneirin.

....

2. Nodwch un ffaith am Myrddin.

....

3. Nodwch un ffaith am Aneirin.

....

Gwylio 2 – Fideo Hansh – Dosbarth Cymraeg i Ffoaduriaid

Atebwch y cwestiynau.

1. Ble cafodd Theresa ei geni? ....

2. Ble cafodd Theresa ei magu? ....

3. I bwy mae Theresa'n gweithio? ....

4. Ble mae'r dosbarthiadau? ....

Ymarfer – Disgrifio

Fy hoff ystafell – Ysgrifennwch beth dych chi'n (ei) glywed:

....

....

....

....

....

Edrychwch ar y lluniau o ystafelloedd byw gwahanol. Dwedwch ddau beth am y llun cyntaf, tri pheth am yr ail, pedwar peth am y trydydd, pum peth am y pedwerydd a chwe pheth am y pumed.

Dych chi wedi clywed pobl yn disgrifio pêl rygbi fel "y bêl hirgron" a phêl-droed fel "y bêl gron" ar Radio Cymru ac S4C?

Gwaith Arholiad – Bwletin Newyddion

Gwrandewch ar y Bwletin Newyddion a llenwch y bylchau:

Dyma'r bwletin newyddion.

1. Bu .... difrifol yn ffatri Protechnics Abertawe y bore 'ma. Mae'r tân wedi ei ddiffodd erbyn hyn, ond mae mwg du trwchus yn dod o'r ffatri o hyd a'r ffordd fawr i mewn i'r ddinas ar .... oherwydd hynny. Dydy'r heddlu ddim yn gwybod beth oedd achos y tân eto, ond ch ....neb ei ....

2. C .... dau fachgen eu h .... ar ôl iddyn nhw fynd i drafferthion ar y môr ger arfordir Ynys Môn. Roedd y ddau'n ceisio hwylio i Amlwch, ond .... y mast ar y cwch. Yn lwcus iddyn nhw, c............................ nhw eu .... gan bysgotwr ar y lan, a ffoniodd y gwasanaethau achub. Roedd y ddau'n iawn ar ôl y digwyddiad, ond yn oer ar ôl treulio .... awr ar y môr.

3. Newyddion drwg i ardal Pant Gwyn heddiw. Dywedodd .... ar ran cwmni dillad Gwen Ann eu bod nhw'n cau eu ffatri yn y dre. Mae'r gweithwyr wedi bod yn .... wrth y ffatri, ac yn siomedig iawn bod y cwmni'n symud y gwaith i .... newydd yng Ngogledd Lloegr. Mae'r cwmni'n dweud bod s .... ar gael i'r gweithwyr i gyd yn y ffatri newydd, ond does neb eisiau gadael Pant Gwyn.

4. Newyddion tramor nesa. Mae llawer o bobl wedi cael eu .... mewn llifogydd yng ngogledd Pacistan. Bu'n bwrw glaw am ...., ac mae'r afon Indus wedi gorlifo mewn sawl lle. Mae'n anodd cael bwyd a meddyginiaeth i sawl ardal, gan fod llawer o'r .... a'r pontydd wedi cael eu dinistrio. Mae ofn fod .... o bobl wedi colli eu bywydau.

5. Bu farw'r .... Eluned Wilkins yn ei chartref yng Nghaerdydd ddoe, dim ond diwrnod ar ôl dathlu ei phen-blwydd yn naw deg oed. Bu'n athrawes mewn ysgol Saesneg yng Nghaerdydd am dros .... mlynedd, ond bydd pobl yn cofio amdani fel awdur llyfrau Cymraeg i blant. Mae hi'n .... tri o blant a deg o wyrion.

6. Mae'r seiclwr Geraint Jones yn edrych .... yn fawr at y Gemau Olympaidd ymhen dau fis. Mewn cyfweliad ar Radio Cymru y bore 'ma, dwedodd ei fod wedi gwella o'r .... a gafodd wyth mis yn ôl wrth seiclo yn Sbaen. Ar y ...., doedd o ddim yn meddwl y basai'n gallu seiclo byth eto, ond mae o a'i deulu'n gobeithio am .... yng ngemau Llundain ym mis Awst.

7. Mae'r tywydd .... yn dal i achosi problem ledled Cymru a Lloegr. Yn ôl y swyddfa ...., bydd y tywydd poeth a sych yn para wythnos arall o leiaf. Newyddion drwg i'r garddwyr, ond newyddion da i'r .... twristiaeth. Mae nifer y bobl sydd wedi bwcio gwestai glan môr yn .... nag erioed, meddai llefarydd ar ran y Bwrdd Croeso.

*Bu – *There was*
 Bu farw - *died*

Nawr, atebwch y cwestiynau heb edrych yn ôl ar y sgript!

Bwletin Newyddion

1. Sut mae'r mwg wedi achosi problem yn Abertawe?

....

2. Sut cafodd y gwasanaethau achub wybod bod problem ar y môr?

....

3. Sut mae cwmni Gwen Ann yn ceisio helpu'r gweithwyr?

....

4. Beth sydd ddim yn cyrraedd rhai pobl oherwydd y llifogydd?

....

5. Am beth roedd yr awdur Eluned Wilkins yn enwog?

....

6. Pam roedd Geraint yn meddwl na fasai hi'n bosib iddo gystadlu yn y
    Gemau Olympaidd?

....

7. Sut mae'r tywydd yn helpu'r economi?

....

Nawr, darllenwch un o'r bwletinau i'ch partner fel tasech chi'n dweud y
newyddion ar Radio Cymru.

Robin Radio

Mae *Cân i Gymru* yn rhaglen ar S4C bob Dydd Gŵyl Dewi. Cystadleuaeth yw'r rhaglen, lle mae'r gwylwyr yn dewis un gân i fynd i Iwerddon i gystadlu yn erbyn caneuon o'r gwledydd Celtaidd eraill.

a) Atebwch:

Sut bydd y Fflamau Ffyrnig yn mynd i'r gystadleuaeth? ....

Faint yw oed pawb yn y grŵp ar wahân i Sara? ....

Beth yw gwaith pawb yn y grŵp ar wahân i Sara? ....

b) Gwrandewch am:

Y Fflamau Ffyrnig	The Fierce Flames
i adrodd yr hanes	to tell the story
gwefus goch	red lip

c) Cyfieithwch:

You were chosen. ....

Where will you be competing? ....

Are you taking a holiday? ....

Help llaw

1. Mae'r goddefol *(passive voice)* a'r rhagenwau (fi, ti, fe, hi, ni, chi, nhw) yn codi yn lefel Sylfaen (uned 5):

Ces/Ges i fy ngeni.	Cawson/Gaethon ni ein geni.
Cest/Gest ti dy eni.	Cawsoch/Gaethoch chi eich geni.
Cafodd/Gaeth e ei eni.	Cawson/Gaethon nhw eu geni.
Cafodd/Gaeth hi ei geni.	

2. Cofiwch fod eisiau 'h' ar ôl **ei** benywaidd, **ein**, **eu** os bydd llafariad:

Ces/Ges i fy enwi.	Cawson/Gaethon ni ein henwi.
Cest/Gest ti dy enwi.	Cawsoch/Gaethoch chi eich enwi.
Cafodd/Gaeth e ei enwi.	Cawson/Gaethon nhw eu henwi.
Cafodd/Gaeth hi ei henwi.	

3. Pan fyddwn ni'n defnyddio enwau (*nouns*), rhaid i ni wybod beth yw cenedl (*gender*) yr enwau unigol i'n helpu ni i dreiglo'n iawn:

tŷ (gwrywaidd)   Treiglad meddal ar ôl **ei** (gwrywaidd)   Cafodd y tŷ ei **brynu**.
siop (benywaidd)   Treiglad llaes ar ôl **ei** (benywaidd)   Cafodd y siop ei **phrynu**.

4. Dysgwch y gwahaniaeth rhwng:

Roedd y bachgen yn cicio.   *The boy was kicking.*
Cafodd y bachgen ei gicio.   *The boy was kicked.*

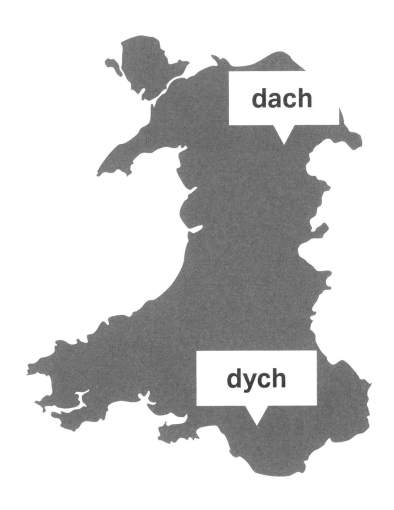

BroughtUp

Uned 12 – Arestiwyd y dyn

Nod yr uned hon yw...
• **Iaith:** Dysgu'r Amhersonol
• **Ymarfer:** Ymddiheuro

Geirfa

allanfa (allanfeydd)	*exit(s)*
bro(ydd)	*area(s), region(s)*
bron(nau)	*breast(s), chest(s)*
colled(ion)	*loss(es)*
cyfrinach(au)	*secret(s)*
desg(iau)	*desk(s)*
genedigaeth(au)	*birth(s)*
hen fam-gu	*great-grandmother*
personoliaeth(au)	*personality (-ies)*
plaid (pleidiau)	*political party (-ies)*
rhes(i)	*row(s)*
rhwyd(i)	*net(s)*
taleb(au)	*voucher(s)*
telynores(au)	*female harpist(s)*
torf(eydd)	*crowd(s)*
triniaeth(au)	*treatment(s)*
tyrfa(oedd)	*crowd(s)*

ail-law	*second-hand*
bychan	*bach*
bywiog	*lively*
cyfartal	*equal*
dieuog	*innocent, not guilty*
electronig	*electronic*
euog	*guilty*
hamddenol	*leisurely*
hwyliog	*full of fun*
llafar	*oral*

addysg gorfforol	*physical education*	**arddangos**	*to exhibit*
cael blas ar	mwynhau	**carcharu**	*to imprison*
cael hyd i	*to find, to discover*	**croesawu**	*to welcome*
canfed	*hundredth*	**diogi**	*to laze*
canser y fron	*breast cancer*	**ffarwelio (â)**	*to say goodbye (to)*
gêm gyfartal	*draw*	**hawlio**	*to claim*
glaw mân	*drizzle*	**lledu**	*to spread; to widen*
i'r dim	*exactly*	**lleihau**	*to reduce*
o hyn ymlaen	*from now on*	**parhau**	*to continue*
		plannu	*to plant*
		rhuthro	*to rush*
		rhybuddio	*to warn*
		saethu	*to shoot*
		twymo	*to heat (up)*

Geiriau pwysig i fi...

....

....

....

Siaradwch

Beth sy ar eich **rhestr bwced** chi?

Adolygu – Ro'n i'n cicio neu Ces i fy nghicio?

Dechrau	picked up by the taxi	living in Scotland at the time	appointed to the job	brought up in Scotland	chosen to play in the team
travelling in Spain	seen in town yesterday	paid too much	driving a lorry	speaking Welsh	finishing the work
listening to the radio	named after my father	working at home	knocked down by a car	born in the spring	trained to use the machine
stopped by the police	hit by a bike	taught at home	worrying a lot	starting to enjoy the job	helping in school
arranging a party	losing the plot	injured in the game	arrested last night	making lunch	practising the piano
pushed to the floor	watching a film	gardening all afternoon	born in the last century	shopping in town	**Yn ôl i'r dechrau**

Yr Amhersonol

Iaith ffurfiol ac ysgrifenedig

Anafwyd pump o bobl.

Saethwyd pump o bobl.

Arestiwyd pump o bobl.

Lladdwyd pump o bobl.

Iaith lafar

Cafodd pump o bobl eu hanafu.

Cafodd pump o bobl eu saethu.

Cafodd pump o bobl eu harestio.

Cafodd pump o bobl eu lladd.

Ymarfer

Cyflwynwyd y rhaglen gan <u>Jason Mohammad</u>.

Agorwyd y <u>ffatri</u> gan y Prif Weinidog.

Anfonwyd y neges gan <u>y Prif Weinidog</u>.

Adeiladwyd y <u>tai</u> gan gwmni lleol.

Cysylltwch y ddau hanner i greu un frawddeg:

1.	Arestiwyd pump o bobl		1.	mewn damwain ar yr M4.	
2.	Lladdwyd pump o bobl		2.	fydd yn ymuno â'r cwmni y flwyddyn nesa.	
3.	Anafwyd pump o bobl		3.	i'r cyfarfod staff ar ddechrau'r tymor newydd.	
4.	Carcharwyd pump o bobl		4.	i wneud naid bynji i godi arian.	
5.	Croesawyd pump o bobl		5.	am gyfanswm o ugain mlynedd.	
6.	Gwelwyd pump o bobl		6.	am werthu cyffuriau.	
7.	Cyflwynwyd pump o bobl		7.	yn dianc mewn car mawr gwyrdd.	
8.	Perswadiwyd pump o bobl		8.	yn ystod storm Henry.	

Ganwyd <u>Lloyd George ym Manceinion</u>.

Lloyd George was born in Manchester.

Cynhaliwyd <u>protest</u> neithiwr.

A protest was held last night.

Cafwyd cyfarfod diddorol yn y <u>Senedd</u>.

An interesting meeting was had in the Senedd.

Aethpwyd â <u>chwech</u> o bobl i'r ysbyty.

Six people were taken to the hospital.

Daethpwyd o hyd i <u>gorff</u>.

A body was found.

Trowch i'r amhersonol:

1. Cafodd y llew ei saethu.

2. Cafodd y ferch fach ei henwi ar ôl ei mam-gu.

3. Cafodd y llanc ei arestio gan yr heddlu.

4. Cafodd y llythyr ei bostio at y Prif Weinidog.

5. Cafodd yr arian ei gasglu i elusen.

6. Cafodd y ddesg ei symud i ystafell arall.

7. Cafodd y llanc ei garcharu am ddwy flynedd.

8. Cafodd y llyfrau eu hargraffu yng Nghymru.

Trowch i'r goddefol:

1. Adeiladwyd estyniad mawr i'r ysbyty llynedd.

2. Dangoswyd y faner ar wal y neuadd.

3. Ffilmiwyd y cyfweliad yng Nghaerdydd.

4. Enillwyd y wobr gan Huw Huws.

5. Saethwyd tri o bobl yn y parc lleol.

6. Caewyd y brif allanfa am ddwy awr.

7. Dinistriwyd yr eglwys mewn tân mawr.

8. Croesawyd y ffoaduriaid i'r pentref.

Darllen – O'r papur bro…

Papurau Cymraeg lleol yw papurau bro. Gyda'ch partner, darllenwch y darnau o'r papur bro a thanlinellwch bob berf sy'n gorffen gydag -**wyd.**

Cynhaliwyd cyfarfod olaf Merched y Wawr am y tymor yng Ngwesty'r Llew Du. Fel arfer, roedd y bwyd yn fendigedig. Croesawyd Siân Jones, Llywydd Cenedlaethol y Mudiad, aton ni i glywed am waith codi arian y gangen at ymchwil i afiechyd canser y fron.

Llongyfarchiadau mawr i Alun a Pegi Morris ar enedigaeth Jac, brawd bach i Nel. Ganwyd Jac yn Ysbyty Abercastell ar Fehefin y nawfed. Jac yw'r canfed babi i gael ei eni yn yr ysbyty, ac i ddathlu, cafwyd seremoni arbennig gyda Sam Jones, Aelod Cynulliad Bro Castell a Sam Tân ei hun. Cyflwynwyd tegan meddal bychan Sam Tân i Jac ac i bob babi arall yn yr uned.

Mae tristwch mawr yn yr ardal ar ôl colli Bill Hughes. Bu Bill farw ar ôl salwch byr. Bydd pawb yn yr ardal yn cofio ei berfformiadau bywiog yn yr Ŵyl Ddrama bob blwyddyn, a bydd colled fawr ar ei ôl. Cynhaliwyd yr angladd yng Nghapel Bethania a daeth tyrfa fawr i'r gwasanaeth. Diolchodd y gweinidog i gôr Bryncastell am ganu mor hwyliog. Basai Bill wedi bod wrth ei fodd. Gwahoddwyd pawb i'r festri i gael te a bwffe ar ôl yr angladd.

Byddwch yn ofalus os byddwch chi yng nghoedwig y parc. Gwelwyd cath fawr ddu yn crwydro yn yr ardal yn ddiweddar. Credir* gallai hi fod yn beryglus i anifeiliaid anwes ac ŵyn bach. Bydd hi'n anodd ei gweld hi yn y tywyllwch, ond ffoniwch Heddlu Abercastell ar unwaith os gwelwch chi unrhyw beth.

O'r diwedd, mae parc chwarae newydd i'r plant ym Mryncastell. Diolch i bawb weithiodd mor galed i godi'r arian. Agorwyd y parc gyda seremoni hyfryd, lle plannwyd dwy goeden bob ochr i'r allanfa gan y cynghorydd lleol, Dafydd Jones, a'i lyschwaer, yr actores fyd-enwog Catrin Zara. Cadwyd y gyfrinach tan y diwrnod bod ymwelydd mor arbennig ar ei ffordd i'r ardal. Dywedodd Ms Zara ei bod hi wrth ei bodd yn ymweld â chartref ei llysfrawd annwyl. Y cam nesaf fydd agor pwll padlo arbennig i'r plant lleiaf.

Ar ôl ennill eu gêm yn erbyn Aberystwyth neithiwr o ddwy gôl i un, bydd tîm pêl-droed merched Bryncoch nawr yn mynd ymlaen i rownd nesaf y cwpan. Ond doedd hi ddim yn noson dda i Jess Davies, y capten. Rhuthrwyd hi i'r ysbyty ar ôl taro ei phen tra oedd hi'n ceisio rhoi'r bêl yn y rhwyd a threuliodd hi'r noson yn cael triniaeth yn Ysbyty Bryncastell. Mae pawb o'r criw yn edrych ymlaen at ei gweld yn ôl ar y cae yn fuan.

*Credir – *it is believed*

Gwrando a Llenwi bylchau – Bwletin Newyddion

_____ dyn am ddwyn arian o Fanc Llanaber. Mae'r _____ eisiau diolch i staff y banc am eu help i ddal y dyn _____ yma. Bydd e yn y llys y mis nesaf.

_____ un person ac _____ tri arall mewn damwain ddifrifol ar yr A470 yn gynnar y bore 'ma. _____ â'r tri i ysbyty Bryncastell. Roedd hi'n _____ iawn ar y pryd.

_____ deg teulu o Syria i Geredigion dros y _____ diwethaf. Bydd y plant yn mynd i ysgolion _____ lle byddan nhw'n dysgu'r _____ a'r Saesneg. Diolchodd arweinydd y cyngor i'r bobl leol am eu croeso cynnes i'r teuluoedd yma.

_____ seremoni Personoliaeth Chwaraeon y Flwyddyn Cymru yng _____ neithiwr. Aeth y wobr am yr unigolyn gorau i'r seiclwr Tomos Griffths. _____ gwobr tîm y flwyddyn gan dîm _____ Tafarn y Bryn, Bryncastell, enillodd _____ tîm dartiau gorau Ewrop yn _____ y mis diwetha.

A'r tywydd i gloi. _____ pawb gan gryfder y gwynt neithiwr, a _____ coed wedi eu chwythu i lawr mewn rhai mannau. Canslwyd rhai trenau rhwng Caerdydd ac Abertawe ond bydd pethau'n gwella, a bydd y _____ yn codi dros y penwythnos.

Gwylio – Sain Ffagan

Gwyliwch y fideo a nodwch unrhyw enghreifftiau o'r amhersonol (**-wyd**) dych chi'n eu clywed.

....

....

Atebwch y cwestiynau:

1. Ym mha flwyddyn agorwyd Amgueddfa Sain Ffagan?

....

2. Sawl tŷ teras sy yn y rhes?

....

3. O ble symudwyd y tai?

....

4. Beth yw Llwybrau Llafar?

....

5. Sut dych chi'n gallu defnyddio Llwybrau Llafar?

....

6. Beth ddigwyddodd yn 2007?

....

7. Pwy sy wedi bod yn gweithio ar yr eglwys?

....

8. Beth sy yn Sefydliad y Gweithwyr?

....

9. Beth sy'n arbennig am staff yr adeiladau?

....

10. Beth yw **Cymru** a **Byw a Bod**?

....

11. Faint yw cost tocyn mynediad i Sain Ffagan?

....

12. Pryd enillodd Sain Ffagan wobr?

....

13. Faint o bobl sy'n ymweld â'r amgueddfa bob blwyddyn?

....

Siaradwch

- Dych chi wedi bod yn Sain Ffagan?
- Pryd aethoch chi i amgueddfa ddiwetha? Ble?
- Oes hoff amgueddfa gyda chi?

Ymarfer – Ymddiheuro

Meddyliwch am sefyllfaoedd lle basech chi'n ymddiheuro, e.e. cyrraedd y dosbarth yn hwyr.

Gwrandewch ar y tair deialog a nodwch y tair ffordd mae'r bobl yn dweud *sorry*:

1. ....

2. ....

3. ....

Gorffennwch y deialogau hyn gydag ymddiheuriad a beth dych chi'n mynd i'w wneud:

A: Dw i ddim yn gallu defnyddio'r fforc yma, mae hi'n frwnt.

B: ....

A: Diolch. Ond brysiwch, neu bydd y bwyd yn oeri.

A: Beth oedd yr holl sŵn yna neithiwr? Do'n i ddim yn gallu cysgu.

B: ....

A: Gobeithio, wir.

A: Roedd y drws ffrynt ar agor pan gyrhaeddais i adre. Anghofiaist ti gau'r drws eto.

B: ....

A: Wel, bydd rhaid i ti gael dau gloc larwm i wneud yn siŵr dy fod ti'n dihuno.

Sgwrs

A: Bore da. Gwasanaeth Cwsmeriaid Creision Ŷd y Ceiliog Coch. Gaf i helpu?

B: Cewch gobeithio. Prynais i focs o'ch creision ŷd chi yn yr archfarchnad ddoe.

A: Gobeithio byddwch chi'n cael blas arnyn nhw!

B: Ches i ddim blas o gwbl! Pan agorais i'r bocs, roedd llawer iawn o blastig ond – dim ond dau ddarn o greision!

A: O diar.

B: Ro'n i wedi gosod y bwrdd yn barod i gael brecwast hamddenol gyda fy nheulu cyn ffarwelio am y diwrnod, ond ro'n i'n siomedig iawn.

A: Mae'n flin iawn gyda fi glywed. Gaf i ymddiheuro ar ran y cwmni?

B: Baswn i'n meddwl, wir!

A: Anfonwn ni becyn arall atoch chi, ac un arall am eich trafferth chi.

B: Dim ond dau? Mae hyn yn ofnadwy, dw i wedi treulio amser yn aros i chi ateb y ffôn, a...

A: O'r gorau, Mr Jones. Gawn ni gynnig ugain o flychau mawr o Greision Ŷd i chi?

B: Wel... iawn. Sut dych chi'n mynd i anfon y bocsys?

A: Gallwn ni anfon taleb ar ebost. Argraffwch y daleb, a byddwch chi'n gallu casglu'r blychau o archfarchnad gyfleus.

B: Wel, basai hynny'n iawn. Diolch.

A: Croeso, unrhyw bryd!

Dych chi'n gwybod am y ceiliog ar focsys creision ŷd? Mae stori bod Nansi Richards, y delynores o Gymru, yn aros gyda Mr Kellogg, perchennog y cwmni, yn America tua chanrif yn ôl. Roedd hi'n cael blas ar ei brecwast, y creision ŷd, a soniodd Mr Kellogg ei fod e'n chwilio am lun i fynd ar ei focs e. Dwedodd Nansi fod y gair Cymraeg 'ceiliog' yn ei hatgoffa hi o'r cyfenw Kellogg – a bod ceiliog yn llun da i'w roi ar focs grawnfwyd brecwast. A dyna ddigwyddodd – roedd y syniad yn ffitio i'r dim. Mae'n debyg bod hon yn stori wir!

Pwnc llosg: Mae bywyd yn anodd i bobl ifanc y dyddiau yma.

Gwyliwch Tedy o Batagonia yn siarad ac atebwch y cwestiynau:

Beth sy'n wahanol am bobl ifanc yng Nghymru a phobl ifanc ym Mhatagonia?

Arholiadau

....

....

Ceir

....

....

Beth yw'r pethau mae pobl ifanc yng Nghymru ac ym Mhatagonia'n (eu) mwynhau?

....

....

Pa broblemau sy gyda phobl ifanc yng Nghymru ac ym Mhatagonia?

....

....

Beth sy'n gwella bywyd i bobl ifanc yng Nghymru ac ym Mhatagonia?

....

....

Edrychwch ar y geiriau isod a'u rhoi nhw yn y bylchau o dan y lluniau. Croeso i chi roi eich syniadau eich hun hefyd.

teithio	technoleg	ffioedd prifysgol
swyddi tymor hir	yr amgylchedd	y cyfryngau cymdeithasol
arholiadau	prisiau tai	cymdeithasu

Llenwch y blychau:

Pethau oedd yn fwy anodd i bobl ifanc yn y gorffennol	Pethau sy'n fwy anodd i bobl ifanc nawr

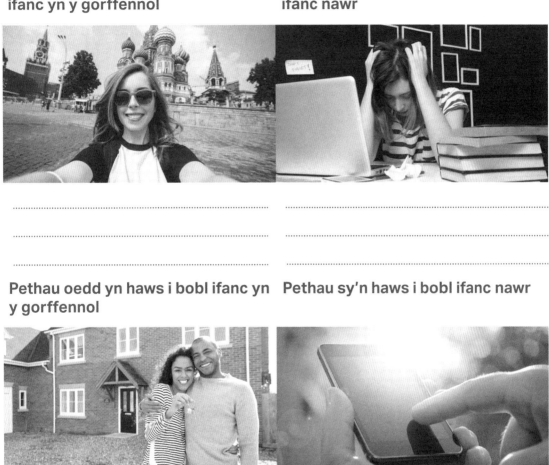

Pethau oedd yn haws i bobl ifanc yn y gorffennol	Pethau sy'n haws i bobl ifanc nawr

Dych chi'n cytuno? Pam?/Pam lai?

- Siaradwch am sefyllfa pobl ifanc heddiw a phan o'ch chi'n gadael addysg lawn amser: gwaith, prisiau tai, arian, cost mynd i'r brifysgol, yr amgylchedd, technoleg, cyfle i deithio ac ati.
- Oedd hi'n well neu'n waeth i bobl ifanc yn y gorffennol?
- Ydy/Oedd byw trwy gyfnod clo yn fwy anodd i bobl ifainc?

Bwletin Newyddion

Atebwch y cwestiynau.

1. Beth sy'n profi bod yr achos yma wedi bod yn anodd i'r heddlu?

....

2. Pam mae'r niwl yn achosi problem?

....

3. Beth wnaeth yr Aelod Seneddol â'r arian ?

....

4. Heblaw am chwarae rygbi, am beth roedd Bob Davies yn enwog?

....

5. Pam dyw rhai pobl ddim yn hapus am y ffordd newydd?

....

6. Beth oedd y sgôr ar ddiwedd y gêm neithiwr?

....

7. Sut bydd y tywydd dydd Sul?

....

Ysgrifennu llythyr

Arddywediad – Ysgrifennwch beth dych chi'n ei glywed:

....

....

....

....

....

....

....

....

Sut mae dweud?

Dear councillor

....

Thank you for your letter.

....

I'm writing to you on behalf of...

....

I look forward to hearing from you.

....

Yours sincerely

....

Siaradwch

- Pryd ysgrifennoch chi lythyr ddiwetha?
- Pryd cawsoch chi lythyr ddiwetha?
- Dych chi'n anfon llawer o negeseuon ebost neu negeseuon testun?

Llyfrau Amdani!

Nawr dych chi'n gallu darllen *Y Llythyr* gan Helen Naylor, (addaswyd gan Dwynwen Teifi).

Dych chi'n gallu prynu'r llyfr yn eich siop Gymraeg leol neu ar www.gwales.com

Dyma'r llythyr sy'n dechrau'r nofel.

Tredafydd,
Awst 1996

Fy annwyl Huw,

Roedd hi mor braf derbyn dy lythyr di. Diolch am y lluniau hefyd. Roedd hi'n hyfryd gweld dy fod ti ddim wedi newid llawer dros y blynyddoedd. Yn anffodus, dw i ddim yn gallu dweud yr un peth amdana i fy hun!

Ces i deimladau cymysg wrth ddarllen y llythyr. Ro'n i'n hapus iawn o weld dy fod ti wedi cael bywyd llwyddiannus. Ro'n i'n dweud o hyd gallet ti fod yn arlunydd arbennig! Ond ro'n i'n teimlo'n drist hefyd mod i ddim wedi bod yn rhan ohono. Roedd gyda ni gymaint o gynlluniau pan o'n ni'n ifanc, ond oedd e? Ond rhaid i ni beidio meddwl am y gorffennol. Mae cymaint o bethau sy angen i ni siarad amdanyn nhw nawr. Mae Bethan a finnau mor falch dy fod ti wedi penderfynu dod i Dredafydd. Cofia roi gwybod pan fyddi di'n cyrraedd y wlad.

Cofion gorau, Megan.

O.N. Dyma lun o Bethan a finnau yn y lolfa uwchben y siop. Wyt ti'n cofio'r lolfa?

Wedyn, mae'r stori'n dechrau go iawn – yn ôl yn 1945.

Robin Radio

a)   Atebwch:
O ble mae hen dad-cu Alejandro yn dod yn wreiddiol?

....

Sawl gwaith mae Alejandro wedi bod yng Nghymru cyn yr ymweliad yma?

....

Ble arhosodd Anti Mair ac Alejandro ar y daith o Batagonia?

....

b)   Gwrandewch am:

dan deimlad	*emotional*
diffyg cwsg	*lack of sleep*
am y tro	*for the time being*

c)   Cyfieithwch:

the old country

....

My great-grandfather was brought up...

....

Are you back to stay?

....

Help llaw

Does **dim** gwahaniaeth mewn ystyr rhwng:

Cafodd y gêm ei dangos ar y teledu.	Dangoswyd y gêm ar y teledu.
Cafodd y dyn ei arestio.	Arestiwyd y dyn.

Ond fyddwch chi ddim yn clywed yr amhersonol (**-wyd**) pan mae pobl yn siarad. Byddwch chi'n ei glywed weithiau mewn sefyllfa ffurfiol fel radio/teledu/araith (*speech*)/cyhoeddiadau a byddwch chi'n ei weld mewn adroddiadau ysgrifenedig ffurfiol.

I greu berfau amhersonol, rhaid i ni ddod o hyn i fôn (*stem*) y ferf ac ychwanegu **–wyd**:

cyhoedd**i**	cyhoedd-	cyhoedd**wyd**
aresti**o**	aresti-	aresti**wyd**
gwel**d**	gwel-	gwel**wyd**

Dysgwch rai ffurfiau afreolaidd:

cael	cafwyd	cynnal	cynhaliwyd
geni	ganwyd	gwneud	gwnaethpwyd
mynd â	aethpwyd â		

TheNews

Uned 13 – John sy'n byw yng Nghaerdydd

Nod yr uned: Ymarfer brawddegau pwysleisiol

• **Iaith:** Ymarfer brawddegau pwysleisiol

• **Ymarfer:** Perswadio

Geirfa

allanfa (allanfeydd)	*exit(s)*
basged(i)	*basket(s)*
carreg fedd (cerrig beddau)	*gravestone(s)*
cneuen (cnau)	*nut(s)*
cneuen goco (cnau coco)	*coconut(s)*
nifer(oedd)	*number(s), quantity(-ies)*
raced(i)	*racket(s)*
tafodiaith (tafodieithoedd)	*dialect(s)*
talaith (taleithiau)	*state(s)*
ysgrifen	*handwriting*

cadeirio	*to chair*
gwlychu	*to get wet*
heneiddio	*to age*
lapio	*to wrap*
trin	*to treat*

gwneud y tro	*to make do, to answer the purpose*
manylion personol	*personal details*
o bell	*from afar*

agored	*open*
angenrheidiol	*necessary*
blynyddol	*annual*
clyfar	*clever*
cyfrifol	*responsible*
deallus	*intelligent*
galluog	*capable, brainy*
gweithgar	*hardworking*
hoffus	*likeable*
preifat	*private*
sefydlog	*stable, fixed, unchanging*

Geiriau pwysig i fi...

Siaradwch

Trafodwch eich profiad yn dysgu Cymraeg.

Enw	Pryd dechreuoch chi ddysgu Cymraeg?	Ble roedd eich dosbarth cynta chi?	Faint o bobl oedd yn eich dosbarth cynta chi?

Enw	Beth yw'r peth gorau am ddysgu Cymraeg?	Sut dych chi'n defnyddio'r Gymraeg?

Wedyn **trafodwch** y pwnc:

Mae rhai pobl yn dweud bod dysgu iaith arall yn anodd.

- Pam mae pobl yn meddwl hyn?
- Beth sy'n gallu helpu pobl i ddysgu iaith arall?
- Pam mae rhai pobl yn dysgu'n well na phobl eraill?
- Beth oedd y peth mwya anodd yn eich profiad chi o ddysgu Cymraeg?
- Sut mae dysgu Cymraeg yn wahanol i ddysgu iaith arall, yn eich profiad chi?
- Pwy a/neu beth sy wedi eich helpu chi fwya?

Yna, gyda'ch gilydd, penderfynwch ar **dri** "gair o gyngor" i unrhyw berson sy'n dechrau ar y daith i ddysgu Cymraeg.

1. ....
2. ....
3. ....

Adolygu –wyd

Gyda'ch partner, taflwch y dis i ddechrau un o'r storïau newyddion.

Wedyn, meddyliwch am ail frawddeg i'r stori.

1	Anafu .... o bobl mewn damwain + lle + neithiwr
2	Agor (adeilad mawr) gan (person enwog) + lle + ddoe
3	Ennill Oscar gan (actor enwog) + nos Sul
4	Lladd .... o bobl mewn storm + lle + y bore ma
5	Llosgi (adeilad mawr) mewn tân + lle + dros nos
6	Cynnal (digwyddiad) + lle + echdoe

Sy

Dych chi'n cofio?

Gyda'ch partner, edrychwch ar y lluniau a dilynwch y patrwm:

Beth yw garddwr? Rhywun sy'n chwynnu/garddio/gweithio mewn gardd.

Pwyslais – sy

Pwy sy'n byw yn Abertawe? John sy'n byw yn Abertawe.

Pwy sy'n gweithio yn Tesbury's? Aled sy'n gweithio yn Tesbury's.

Pwy sy'n gwisgo trowsus du? Marc sy'n gwisgo trowsus du.

Pwy sy'n mwynhau pobi? Siân sy'n mwynhau pobi.

Pwy sy'n cadeirio'r cyfarfod? Y cynghorydd sy'n cadeirio.

Trefnu parti – Pwy sy'n...?
Partner A

gwneud y gwahoddiadau?	Angharad
anfon y gwahoddiadau?	
prynu'r anrhegion	Dafydd
lapio'r anrhegion	
bwcio'r neuadd?	Bethan
addurno'r neuadd?	
prynu'r bwyd?	Carys a Gwyn
coginio'r bwyd?	
gosod y bwyd yn y neuadd?	Enfys a Harri
trefnu'r gemau?	
clirio'r neuadd?	Ffion ac Owen
golchi'r llestri?	

Partner B

gwneud y gwahoddiadau?	
anfon y gwahoddiadau?	Gareth
prynu'r anrhegion	
lapio'r anrhegion	Ameer
bwcio'r neuadd?	
addurno'r neuadd?	Hywel a Fflur
prynu'r bwyd?	
coginio'r bwyd?	Jac a Martha
gosod y bwyd yn y neuadd?	
trefnu'r gemau?	Ifan
clirio'r neuadd?	
golchi'r llestri?	Rhys a Rhian

Cywirwch – dilynwch y patrwm:

A: Mae Shirley Bassey yn dod o Bontypridd.

B: Paid â bod yn dwp! Tom Jones sy'n dod o Bontypridd.

A: Mae Michael Douglas yn dod o Abertawe. (Catherine Zeta Jones)

B: ....

A: Mae Caerdydd yn chwarae yn Stadiwm Liberty. (Abertawe)

B: ....

A: Mae'r Alban yn chwarae rygbi yn Twickenham. (Lloegr)

B: ....

A: Mae'r Beatles yn canu *Dancing Queen*. (Abba)

B: ....

Pwyslais – oedd

Pwy oedd yn byw yn Aberystwyth?	John oedd yn byw yn Aberystwyth.
Pwy oedd yn gweithio fel nyrs?	Marc oedd yn gweithio fel nyrs.
Pwy oedd yn gweithio mewn ffatri?	Mari oedd yn gweithio mewn ffatri.
Pwy oedd yn absennol yr wythnos diwetha?	Rhian oedd yn absennol yr wythnos diwetha.

Pwyslais – fydd

...yn ystod y chwe mis nesa?

Enw	mynd ar wyliau?	gweithio ar ddydd Sadwrn?	mynd i gampfa?	cael pen-blwydd?	mynd i Lundain?

Gwylio – Pobl Patagonia

Gwylio – Pobl Patagonia

Pwy sy'n dod o Gymru a phwy sy'n dod o Batagonia?

dod o Gymru	dod o Batagonia

Nodwch un ffaith ddysgoch chi wrth wylio'r fideo:

Florencia _____

Elvira _____

Fabio ac Ann-Marie _____

Sgwrs – Gwrando a darllen

Mam/Tad:	Noswaith dda Mr/Ms Huws.
Mr/Ms Huws:	Noswaith dda. Reit, rhiant pwy dych chi?
Mam/Tad:	Mam/Tad Alan ac Elen dw i.
Mr/Ms Huws:	O ie. Wel, beth dw i'n gallu ei ddweud am Alan ac Elen?
Mam/Tad:	Dw i ddim yn gwybod, chi sy'n eu dysgu nhw.
Mr/Ms Huws:	Wel, dw i'n mynd i ddechrau gydag Alan. Mae e'n fachgen galluog iawn. Mae ei ysgrifen e'n daclus, mae ei lyfrau e'n daclus ac mae e'n gwneud y gwaith cartref bob tro. Fe sy'n dod gyntaf yn y prawf mathemateg bob wythnos.
Mam/Tad:	Ydy e'n gwrando yn y dosbarth?
Mr/Ms Huws:	Ydy, wir. Dyw e byth yn siarad yn y dosbarth.
Mam/Tad:	Wel, wir, dyw e ddim yn gwrando yn y tŷ.
Mr/Ms Huws:	Mae e'n darllen ac yn ysgrifennu yn dda yn Gymraeg ac yn Saesneg.
Mam/ Tad:	Bendigedig.
Mr/Ms Huws:	A dweud y gwir, Alan sy'n mynd i gystadlu ar ran yr ysgol yn y cwis newydd ar S4C – Plant Clyfar Cymru – y mis nesa.
Mam/Tad:	Wel, wel! A beth am Elen?
Mr/Ms Huws:	Wel, mae hi'n ddigon deallus, ond dyw hi ddim mor weithgar ag Alan. Dyw ei llyfrau hi ddim yn daclus, mae ei hysgrifen hi'n anniben iawn ac mae hi'n anghofio ei gwaith cartref yn aml.
Mam/Tad:	Ydy hi'n gwrando yn y dosbarth?
Mr/Ms Huws:	Mae hi'n gwrando ar ei ffrindiau!
Mam/Tad:	O diar! Oes unrhyw beth da am Elen, 'te?
Mr/Ms Huws:	Wel, mae hi'n hoffus iawn… Ac mae hi'n lico rygbi, on'd yw hi?
Mam/Tad:	O ydy! Mae hi'n mwynhau cystadlu gyda'r Urdd hefyd.
Mr/Ms Huws:	Yn yr eisteddfod?
Mam/Tad:	Gyda thîm rygbi'r sir wrth gwrs. Hi yw'r capten!
Mr/Ms Huws:	Ie, wir? Da iawn, Elen.

Cymharwch Alan ac Elen:

	Alan	Elen
llyfrau		
ysgrifennu		
gwaith cartref		
siarad		
cystadlu		

Ymarfer – Trefnu digwyddiad

Edrychwch ar y llun o ffair flynyddol Abercastell. Gyda'ch partner, faint o frawddegau dych chi'n gallu (eu) gwneud? e.e. "Mae chwech o gnau coco yn y llun."

Siaradwch

- Dych chi wedi helpu mewn ffair leol erioed?

- Tasech chi'n helpu, beth fasech chi'n hoffi (ei) wneud?

- Beth dych chi'n feddwl sy'n angenrheidiol i gael ffair leol dda?

Gwrando

Beth mae'r bobl yma yn ceisio (ei) drefnu?

1...

2...

3...

4...

5...

Gyda'ch partner, ysgrifennwch un ffaith am bob sgwrs.

1...

2...

3...

4...

5...

Ysgrifennu

Mae'r dosbarth yn trefnu parti syrpréis i ddathlu pen-blwydd arbennig eich tiwtor. Gyda'ch partner, ysgrifennwch ebost at bawb yn dweud beth yw'r trefniadau.

Gwrando

Gwrandewch ar y Bwletin Newyddion ac atebwch y cwestiynau:

1.   Pryd bydd yr M4 yn ailagor?

....

2.   Pa newyddion drwg a gafodd ardal Pontypridd yn ddiweddar?

....

3.   Pwy mae Phil Jones yn gobeithio (eu) helpu?

....

4.   O faint bydd prisiau cwmni Tonfedd yn codi?

....

5.   Sut mae Elin Prosser yn wahanol i enillwyr eraill y gystadleuaeth?

....

6.   Pa brofiad drwg gafodd Jason yn ystod y daith?

....

7.   Beth mae trefnwyr y regata (ei) eisiau?

....

Dych chi'n clywed llawer o rifau yn y bwletin. Sut mae dweud?

five cars ....

two people ....

two hours ....

two hundred ....

ten per cent ....

over a hundred thousand pounds ....

Ysgrifennu Llythyr

Llenwch y bylchau:

_____ Gynghorydd Smith

Diolch yn fawr iawn _____ _____ _____ yn dweud am eich polisi newydd o gasglu'r biniau ysbwriel _____ pedair wythnos. Cynhaliwyd cyfarfod yn Neuadd y pentref i drafod y mater a dw i'n _____ atoch chi _____ _____ llawer o bobl sy'n byw yn Y Stryd Fawr. Mae pobl yn anhapus iawn _____ y polisi yma. 'Dyn ni'n deall _____ rhaid i chi arbed arian ond tybed dych chi'n gallu ateb y ddau gwestiwn yma? Yn y gaeaf, mae llawer _____ ni'n hapus gyda'r polisi newydd, ond ydy hi'n bosib casglu'r biniau'n amlach yn ystod misoedd yr haf? 'Dyn ni'n poeni bydd y biniau'n drewi _____ tywydd twym. Yn ail, ydy hi'n bosib helpu teuluoedd mawr a chasglu eu biniau nhw yn _____ aml?

Dw i'n edrych ymlaen _____ glywed _____ _____ chi.

_____ _____

Gareth Jones

Robin Radio

a) **Atebwch:**

Pa iaith roedd Alejandro yn (ei) siarad gyda ei fam?

....

Ble roedd Alejandro yn clywed Cymraeg?

....

Ble roedd e'n siarad Cymraeg?

....

b) **Gwrandewch am:**

carreg fedd	*gravestone*
tafodiaith	*dialect*
galw draw	*to call over*

c) **Cyfieithwch:**

It's hard to say.

....

What is different?

....

It's you who's speaking quickly.

....

Help llaw

Mae **sy** yn codi yn Uned 22 yn y Cwrs Mynediad ac Uned 2 yn y Cwrs Sylfaen. Yma, 'dyn ni'n dangos sut i ddefnyddio **sy** i bwysleisio *(emphasise)*.

Fel arfer, mae brawddegau Cymraeg yn dechrau gyda berf. Os dych chi eisiau rhoi **pwyslais** ar y **goddrych** *(subject)* yn yr amser presennol, dych chi'n rhoi'r goddrych **yn gyntaf** ac wedyn **sy**. Mae **sy** yn troi yn **fydd** yn y dyfodol ac yn **oedd** yn yr amherffaith.

Fi **sy**'n gweithio heno.	Carwyn **sy**'n gyrru'r car.	Llinos **sy**'n dysgu heddiw.
Fi **oedd** yn gweithio neithiwr.	Carwyn **oedd** yn gyrru'r car.	Llinos **oedd** yn dysgu ddoe.
Fi **fydd** yn gweitho nos yfory.	Carwyn **fydd** yn gyrru'r car.	Llinos **fydd** yn dysgu yfory.

**Emphasise1
Can&When**

bli

crac

Uned 14 – Dw i'n meddwl taw ti sy'n iawn

- **Iaith:** Dysgu'r cymal enwol pwysleisiol (emphatic clauses)
- **Ymarfer:** Perswadio

Geirfa

agwedd(au)	attitude(s)		**dwys**	intense; intensive
caets(ys)/ cawell (cewyll)	cage(s)		**gwyllt**	wild
			hollbwysig	all-important
cerdd(i)	poem(s)		**mwdlyd**	muddy
cwyn(ion)	complaint(s)		**od**	odd
lefel(au)	level(s)		**prin**	rare, scarce
nyth(od)	nest(s)		**profiadol**	experienced
pibell(i)	pipe(s)		**sengl**	single
tagfa (tagfeydd)	traffic jam(s)		**sychedig**	thirsty
taran(au)	thunder			
			ailadrodd	to repeat
amynedd	patience		**apelio (at)**	to appeal
athletau	athletics		**awgrymu**	to suggest
clonc	chat		**cludo**	to transport
cotwm	cotton		**coroni**	to crown
cownter(i)	counter(s)		**cosi**	to itch
cyswllt	contact		**cymysgu (â)**	to mix (with)
deiet	diet		**delio (â)**	to deal (with)
diweithdra	unemployment		**pwyso**	to press; to weigh
dringwr (-wyr)	climber(s)		**rasio**	to race
gofal	care		**ymgeisio (am)**	to apply (for)
hyder	confidence			
lladrad(au)	burglary (burglaries)		**Bannau Brycheiniog**	The Brecon Beacons
lleidr (lladron)	thief (thieves)		**drosodd**	over; overleaf
lluosog(ion)	plural(s)		**gwneud cawl o**	to make a mess of
llwyth(i)	load(s)		**mân siarad**	chit-chat
mwd	mud		**o ddifri**	seriously
proffesiwn (proffesiynau)	profession(s)		**pob dim**	popeth
			rhiant (rhieni) maeth	foster parent(s)
rhedwr (-wyr)	runner(s)		**traws gwlad**	cross country
stwffin	stuffing		**trwm ei glyw/chlyw**	hard of hearing
sychder	drought; dryness		**wedi blino'n lân**	exhausted
			yn bennaf	mainly
trac(iau)	track(s)		**yn fyw ac yn iach**	alive and kicking
tyst(ion)	witness(es)		**yn syth bin**	immediately

Geiriau pwysig i fi...

....

....

....

Siaradwch – Y lein ddillad

garddio	tân gwyllt	eira	archfarchnadoedd	gwaith tŷ
lliwiau	coginio	cefn gwlad	nofio	adar
trenau	ffonau symudol	operâu sebon	dinasoedd	siocled
ffermydd	Cymru	bwyta'n iach	teganau plant	nos Galan

Adolygu

Enw	swper neithiwr (oedd)	swper heno (sy)	swper nos yfory (fydd)

Beth yw rhedwr traws gwlad?   Person sy'n rasio ar drac mwdlyd.

1	**nyrs**	cymysgu	cerddi	sychedig
2	**tafarnwr**	trwsio	cawl	dŵr twym
3	**plymwr**	trin	cleifion	dwys
4	**bardd**	chwynnu	gerddi	mewn ysbyty
5	**garddwr**	ysgrifennu	cwsmeriaid	â llwy bren
6	**cogydd**	gweini ar	pibell	gwyllt

Taw

John yw e.	Dw i'n gwybod taw John yw e.	*I know that he is John.*
Mari yw hi.	Dw i'n gwybod taw Mari yw hi.	*I know that she is Mari.*
John a Mari ydyn nhw.	Dw i'n gwybod taw John a Mari ydyn nhw.	*I know that they are John and Mari.*

Beth yw enwau'r lleoedd yma?

- - -   -   - - -   - - - - - - - - -

- - - - - - - -

- - - - - - -

John yw'r tala.	Dw i'n gwybod taw John yw'r tala.	*I know that John is the tallest.*
Mari yw'r dala.	Dw i'n gwybod taw Mari yw'r dala.	*I know that Mari is the tallest.*
John yw'r hena.	Dw i'n gwybod taw John yw'r hena.	*I know that John is the oldest.*
Mari yw'r ifanca.	Dw i'n gwybod taw Mari yw'r ifanca.	*I know that Mari is the youngest.*

Tîm athletau bechgyn Ysgol Abercastell

	Dyddiad geni	Taldra	Cyflymder (amser 100m)
Gareth	1.10.2012	4'10"	13 eiliad
Dafydd	3.3.2013	5'	13.3 eiliad
Aled	2.5.2012	4'8"	15 eiliad
Paul	1.12.2012	4'10"	14 eiliad
Derec	3.1.2013	4'9"	14.2 eiliad
Martin	1.12.2012	5'1"	13.9 eiliad
Sam	3.11.2012	4'9"	15.2 eiliad

Tîm athletau merched Ysgol Abercastell

	Dyddiad geni	Taldra	Cyflymder (amser 100m)
Ffion	2.3.2013	4'6"	14 eiliad
Nia	3.11.2012	5'2"	14.3 eiliad
Angharad	3.3.2013	4'10"	16 eiliad
Fflur	1.12.2012	4'10"	12.9 eiliad
Efa	1.10.2012	4'9"	15 eiliad
Mandy	1.12.2012	4'11"	14.9 eiliad
Cara	7.1.2013	5'	13.6 eiliad

Beth yw eich barn chi?

Dw i'n meddwl taw <u>Caffi'r Castell</u> yw'r caffi gorau.
Dw i'n meddwl taw <u>pasta</u> yw'r bwyd mwya blasus.
Dw i'n meddwl taw *Pobol y Cwm* yw'r rhaglen fwya cyffrous.

Enw	tŷ bwyta – da	dinas – hardd	siocled – blasus	ffrwyth – melys	llyfr – diflas

Pwy/Beth oedd...?

Dw i'n meddwl taw George Best oedd y pêl-droediwr gorau erioed.
Dw i'n meddwl taw *The Godfather* oedd y ffilm orau erioed.
Dw i'n meddwl taw *Friends* oedd y rhaglen orau erioed.
Dw i'n meddwl taw y Beatles oedd y grŵp gorau erioed.

Enw	pêl-droediwr	ffilm	rhaglen	grŵp pop

1. Basai _____ (enw) a fi'n dweud taw .... oedd y pêl-droediwr gorau.

2. Basai _____ (enw) a fi'n dweud taw .... oedd y ffilm orau.

3. Basai _____ (enw) a fi'n dweud taw .... oedd y rhaglen orau.

4. Basai _____ (enw) a fi'n dweud taw .... oedd y grŵp pop gorau.

Dw i'n siŵr taw fi sy'n iawn.	*I'm sure it's me who's right.*
Dw i'n siŵr taw ti sy'n iawn.	*I'm sure it's you who's correct.*
Dw i'n meddwl taw Iona sy'n iawn.	*I think that it's Iona who's right.*
Dw i'n meddwl taw nhw sy'n iawn.	*I think that it's them who are correct.*

Dw i'n meddwl taw Rick fydd yn rasio mewn ras.	*I think it's Rick who will be racing in a race.*
Dw i'n meddwl taw Wil fydd yn mynd i Wimbledon.	*I think it's Wil who will be going to Wimbledon.*
'Dyn ni'n meddwl taw Cerys fydd yn gwneud y gacen briodas.	*We think it's Cerys who will make the wedding cake.*
'Dyn ni'n meddwl taw Sam fydd yn ysgrifennu nofel.	*We think it's Sam who will write a novel.*

Ro'n i'n meddwl taw **Cerys** sy'n dysgu'r dosbarth.	*I thought **Cerys** is teaching the class.*
Ro'n i'n meddwl taw **Cerys** oedd yn dysgu'r dosbarth.	*I thought **Cerys** used to teach the class.*
Ro'n i'n meddwl taw **Cerys** fydd yn dysgu'r dosbarth.	*I thought **Cerys** will be teaching the class.*
Ro'n i'n meddwl taw **Cerys** fasai'n dysgu'r dosbarth.	*I thought **Cerys** would teach the class.*

Siaradwch

- Beth yw enw'r caffi?
- Pwy yw'r hena yn y llun?
- Pwy yw'r ifanca?
- Sut mae Yasmin a Zara'n yn perthyn?
- Pwy sy'n mwynhau nofio?
- Pwy sy'n gweithio mewn banc?
- Pwy sy'n astudio mewn coleg?
- Beth sy yng nghwpan Meg?

Gofyn cwestiynau

Bod neu Taw? Unwch ddau hanner y brawddegau.

1. Dw i'n meddwl   Mae John yn mynd i Lundain.

_____

2. Dw i'n meddwl   John sy'n mynd i Lundain.

_____

3. Dw i'n siŵr   Roedd pawb yn brysur yn y gwaith ddoe.

_____

4. Dw i'n siŵr   Y bòs oedd y person mwya prysur.

_____

5. Efallai   Mae Siân yn gwybod yr ateb.

_____

6. Efallai   Siân sy'n gwybod yr ateb.

_____

Lluosog

Cerdd gan Emyr Davies

Mae athro'n troi'n athrawon,
Mae tŷ yn mynd yn dai,
Mae cân yn troi'n ganeuon,
Ar bwy, yn wir, mae'r bai?

Mae iaith yn mynd yn ieithoedd,
Mae coeden yn troi'n goed...
Yr iaith Gymraeg, dw i'n meddwl,
Yw'r fwya od erioed!

Beth yw'r unigol/lluosog?

	meibion	merch	
tad		car	
	dwylo		plu
swyddfa			dosbarthiadau
	cymylau	dinas	
	protestiadau	pysgodyn	
	nadroedd		chwiorydd
brawd			plant
	dail		blodau
cariad			cestyll
mochyn		afon	
	defaid		gwledydd
	gwragedd		gwŷr
llygoden		rhiant	
	ffyrdd		lladron
mynydd		malwoden	
	plygiau		cefndryd
	ŵyn		cantorion
	geifr	taten	
hosan			llo
	cŵn		sbeisys

Ymarfer – Dweud stori

Darllenwch eich stori chi a llenwch y grid.

	Enw'r person	Pryd aeth e/hi?	Sut aeth e/hi?	Pryd cyrhaeddodd e/hi yr Eisteddfod?	Faint gostiodd y tocyn?	Ble aeth e/hi i ddechrau?	Beth oedd yn digwydd yno?
Stori A							
Stori B							
Stori C							
	Ble aeth e/hi wedyn?	Beth brynodd e/hi?	Ble aeth e/hi yn y prynhawn?	Beth oedd yno?	Am faint o'r gloch aeth e/hi adre?	Ble roedd e/hi yn bwriadu mynd y noson wedyn?	
Stori A							
Stori B							
Stori C							

Sgyrsiau – Yn siop trin gwallt 'Cyrls a Chlonc'

Gwrandewch ar y tair sgwrs:

A: Glywaist ti hanes Ffion?

B: Naddo!

A: Wel wel, paid ag ailadrodd hyn, ond… Clywais i ei bod hi wedi dweud "Cau dy ben" wrth y bòs!

B: Naddo! Wel, chlywais i erioed y fath beth! Pam?

A: Roedd y bòs yn dweud ei bod hi'n diogi… Ac roedd hi wedi gweithio shifft deuddeg awr yn y cartre gofal.

B: Deuddeg awr? Pam, felly?

A: Roedd pump o'r staff yn dost.

B: Wel, dw i ddim yn synnu ei bod hi'n grac, felly. Beth ddigwyddodd wedyn, 'te?

A: Hei, glywoch chi'r stori am Carol?

B: Pa stori? A phaid â sibrwd! Rwyt ti'n gwybod bod Sara ychydig yn drwm ei chlyw…

A: Y stori bod Carol wedi gwneud cawl o drefniadau'r parti Nadolig.

C: Sut?

A: Wel, mae hi wedi trefnu mynd i'r Mochyn Mawr.

B: Ha ha, cyfle i bawb fwyta fel mochyn – mae'r cinio Nadolig yn wych yna, yn enwedig y stwffin cnau arbennig!

A: Ie, ond mae'r Mochyn Mawr yn cau dros y Nadolig!

C: Pam 'te?

A: Wel… mae Carlo y Cogydd wedi diflannu gyda … Gwell i fi beidio â dweud mwy…

B a C: O, paid â gadael y stori ar ei hanner!

A: Glywaist ti fod y grŵp roc trwm 'Y Storm Ddu' ddim yn mynd i ganu eto?

B: Naddo.

A: Mae popeth drosodd.

B: Wel wel. Maen nhw'n hen, cofia. Maen nhw i gyd dros saith deg oed!

A: Wel na, dw i'n meddwl eu bod nhw wedi penderfynu gorffen pan o'n nhw'n chwarae yn Las Vegas.

B: Pam, beth ddigwyddodd?

A: Penderfynodd Daniel Du gloi Twm Tywyll yn y gawell ar y llwyfan … a thaflu'r allwedd i mewn i'r dorf!

B: O na! Sut daeth e ma's o'r caets?

Ysgrifennu stori

Edrychwch yn ôl ar y tabl sy'n dangos y lluosog. Gyda'ch partner, ysgrifennwch stori 6 brawddeg. Triwch gael cymaint â phosib o'r geiriau lluosog i mewn i'r stori.

Sgwrs

Alun: Beth yw'r broblem? 'Dyn ni ddim wedi symud ers hanner awr!

Bethan: Fallai taw damwain sy'n stopio'r traffig.

Alun: 'Dyn ni'n mynd i golli'r gêm os 'dyn ni yn y ciw 'ma yn llawer hirach.

Bethan: Beth wyt ti'n (ei) feddwl fydd y sgôr?

Alun: Dw i'n gobeithio taw ni fydd yn ennill. O dair gôl i ddwy.

Bethan: Basai hynny'n braf. Ond dw i'n poeni taw Caerdydd fydd yn ennill. Maen nhw'n chware'n dda ar hyn o bryd

Alun: O na! Mae'r heddlu eisiau pasio.

Bethan: Dw i ddim wedi gweld ambiwlans, o leia.

Alun: Dw i wedi blino ar hyn. Rho'r radio ymlaen, i ni glywed beth sy wedi digwydd.

Cyflwynydd Radio Cymru: Bore da. Dyma'r newyddion. 'Dyn ni newydd glywed bod tagfa fawr ar yr M4 y tu allan i Gaerdydd ar hyn o bryd. Mae lori oedd yn cludo pren wedi gollwng ei llwyth ar y ffordd i'r dwyrain. Mae ciw o bum milltir erbyn hyn. Mae'r heddlu ar eu ffordd i helpu'r traffig i adael y draffordd a gyrru trwy Gasnewydd.

Alun: O na, dw i'n meddwl taw taran glywais i fan 'na...

Bethan: Nage, lori fawr oedd hi, ar ochr arall y draffordd – yr ochr sy'n symud.

Alun: Mae'r awyr yn las ar hyn o bryd.

Cyflwynydd Radio Cymru: A'r tywydd i gloi. Mae'r sychder hir yn mynd i orffen heddiw, gyda ffrynt tywydd gwlyb yn symud o Iwerddon ar draws Cymru. Bydd tywydd stormus ledled y de. Gobeithio na fydd cefnogwyr Caerdydd ac Abertawe yn gwlychu gormod yn ystod y gêm fawr y prynhawn 'ma!

Alun: Mae pethau'n mynd o ddrwg i waeth!

Bethan: O, wel! Pwysa'r botwm 'na a newidia i Radio Rocio – dw i'n teimlo fel clywed tipyn o fân siarad gyda Robin!

Alun: Iawn. ...

Maybe it's an accident that's stopping the traffic.	
I hope that it's us who will win.	
I'm worried that it's Cardiff who will win.	
I think that it's thunder I heard there.	

Trafod pwnc

Trafodwch: Mae gormod o geir ar y ffordd.

- Dych chi'n defnyddio car? Pa mor aml?
- Ydy pobl yn fwy parod i ddefnyddio'r bws a'r trên y dyddiau yma?
- Pryd roedd y tro diwetha i chi ddefnyddio'r bws neu'r trên?
- Fasech chi'n defnyddio'r trên neu'r bws yn amlach, tasai'r gwasanaeth yn well?
- Beth yw'ch hoff ffordd chi o deithio?
- Tasech chi'n cael cynnig mynd i Baris am benwythnos hir, (a rhywun arall yn talu) pa ffordd fasech chi'n dewis mynd?
- Dych chi'n cytuno bod gormod o geir ar y ffordd? Pam?

Gwrando - Bwletin Newyddion

1. Beth ydy'r newyddion **da** i weithwyr y ffatri?

   _____

2. Beth sy'n awgrymu bod lladron yn gweld siop 'Dillad Del' fel targed hawdd?

   _____

3. Pam mae llawer o bobl yn protestio yn Madrid?

_____

4. Beth sydd wedi digwydd i'r ddau ddringwr ar Fannau Brycheiniog erbyn hyn?

_____

5. Am beth fydd pobl yn cofio Olwen Lewis yn bennaf?

_____

6. Pam mae'r gêm rygbi hon yn bwysig?

_____

7. Ble bydd y tywydd gwaetha yfory?

_____

Robin Radio

a) Atebwch :

Gyda phwy mae Rhian Morris yn gweithio? _____

Pam mae hi'n siarad ar Radio Rocio?   _____

Beth mae rhaid i chi (ei) gael yn eich tŷ i fod yn rhiant maeth? _____

b) Gwrandewch am :

rhieni maeth	_foster parents_
cynnal sgwrs	_to hold a conversation_
diffyg hyder	_lack of confidence_

c) Cyfieithwch:

first language	_____
spare bedroom	_____
personal details	_____

Help llaw

Taw

1. Cofiwch ein bod ni'n defnyddio **bod** ar ôl nifer o eiriau, e.e.

meddwl	siŵr	efallai
gwybod	sicr	er
gobeithio	hapus	wrth gwrs

Dw i'n meddwl **bod** y gêm yng Nghaerdydd.
Dw i'n siŵr **bod** y gêm yng Nghaerdydd.
Efallai **bod** y gêm yng Nghaerdydd.

2. Ond pan fydd pwyslais (*emphasis*), rhaid defnyddio **taw**, e.e.

Hi yw'r tiwtor.	Dw i'n siŵr **taw** hi yw'r tiwtor.
John sy'n byw yn Llundain.	Dw i'n siŵr **taw** John sy'n byw yn Llundain.
Cymru fydd yn ennill y gêm.	Gobeithio **taw** Cymru fydd yn ennill y gêm.
Star Wars oedd y ffilm orau.	Dw i'n meddwl **taw** *Star Wars* oedd y ffilm orau.

Ar ôl **taw**, mae brawddeg gyflawn (*complete sentence*).
Dyw hyn ddim yn wir am **bod**:

Dw i'n meddwl **taw** John sy'n byw yng Nghaerdydd.
Dw i'n meddwl **bod** John yn byw yng Nghaerdydd.

3. 'Dyn ni'n dweud **taw** yn ne Cymru, ond yn y gogledd maen nhw'n defnyddio **mai.** Hefyd, mae **mai** yn fwy ffurfiol (*formal*).

Reporting Back C7

Uned 15 – Adolygu ac ymestyn

Nod yr uned hon yw...

• **Iaith:** Adolygu ac ymestyn

Geirfa

craith (creithiau)	*scar(s)*
ffin(iau)	*border(s)*
ffon (ffyn)	*stick(s)*
gwasg (gweisg)	*printing press(es)*
iard(iau)	*yard(s)*
roced(i)	*rocket(s)*
streic(iau)	*strike(s)*
tasg(au)	*task(s)*
Tsieina	*China*
tymheredd	*temperature*

adnewyddu	*to renew, to refurbish*
addo	*to promise*
cwblhau	*gorffen*
llifo	*to flow*
mesur	*to measure*
sleifio	*to slink, to sneak, to sidle*

cadw golwg ar	*to keep an eye on; to keep track of*
cynnal a chadw	*maintenance*
dan bwysau	*under pressure*
dyddiad cau	*closing date*
gwm cnoi	*chewing gum*
i'r dim!	*exactly! perfect!*
y pen	*per head*

Geiriau pwysig i fi...

....

....

afiach	*disgusting; sickly*
ambell	*a few*
anarferol	*unusual*
anlwcus	*unlucky*
arferol	*usual*
cul	*narrow*
dieithr	*strange*
dyddiol	*daily*
gwastad	*flat*
iachus	*healthy (bwyd)*
llydan	*wide*
llym	*severe*
pleserus	*enjoyable*
pur	*pure*
sydyn	*sudden*
wythnosol	*weekly*

Adolygu – Gêm o Gardiau

	♠	♦	♣	♥
A	Pa wlad sy yn y penawdau newyddion ar hyn o bryd?	Beth yw eich prif ddiddordeb chi?	Dwedwch rywbeth am eich ffrind gorau chi.	Pwy yw'r person ifanca dych chi'n (ei) nabod? (Defnyddiwch **taw**.)
2	Pa dŷ bwyta yw'r gorau yn yr ardal yma? (Defnyddiwch **taw**.)	Pryd cest ti dy dalu ddiwetha?	Beth oedd eich prif ddiddordeb chi pan o'ch chi'n blentyn?	Fasech chi'n hoffi mynd ar fordaith neu wyliau sgio?
3	Beth oedd eich pwnc gorau yn yr ysgol? (Defnyddiwch **taw**.)	Pwy yw'r person hena dych chi'n (ei) nabod? (Defnyddiwch **taw**.)	Pwy wyt ti'n meddwl yw'r canwr gorau ar hyn o bryd? (Defnyddiwch **taw**.)	Dych chi wedi symud tŷ llawer yn ystod eich bywyd?
4	Tasech chi'n ennill gwyliau i unrhyw le yn y byd, i ble basech chi'n mynd?	Tasech chi'n cael cwrdd â rhywun enwog, pwy fasech chi'n (ei) ddewis?	Tasech chi'n cael mynd i unrhyw ddigwyddiad chwaraeon, i beth fasech chi'n mynd?	Beth sy ar y teledu am ddeg heno?
5	Pwy sy'n mynd i ennill Cwpan y Byd? (Defnyddiwch **taw**.)	Ble byddwch chi'n mynd ar wyliau nesa?	Beth yw'r rhaglen orau ar y teledu ar hyn o bryd? (Defnyddiwch **taw**.)	Sut basech chi'n mynd i Lundain, tasech chi'n mynd am benwythnos?
6	Gan bwy gaeth eich car ei wneud?	Beth wyt ti'n (ei) feddwl yw'r peth gorau am fyw yn yr ardal yma?	Gan bwy cafodd dy ffôn ei wneud?	Pwy o Gymru sy yn y papurau ar hyn o bryd?
7	Pa un yw'r ffilm orau erioed? (Defnyddiwch **taw**.)	Ble ro'ch chi'n mynd ar wyliau pan o'ch chi'n blentyn?	Beth oedd y pwnc anodda yn yr ysgol i chi? (Defnyddiwch **taw**.)	Pwy yw'r actor mwya enwog o Gymru ar hyn o bryd? (Defnyddiwch **taw**.)
8	Pa mor bell dych chi'n byw o'r dosbarth?	Ble cafodd eich tad-cu chi ei eni?	Pa mor aml dych chi'n gyrru car mewn wythnos?	Pwy sy'n smwddio dillad yn eich tŷ chi?
9	Ble aethoch chi ar eich gwyliau diwetha?	Pwy sy'n golchi'r llestri yn eich tŷ chi?	Faint o'r gloch ewch chi i'r gwely heno?	Ble aethoch chi allan am bryd o fwyd ddiwetha?
10	Pwy sy'n canu dy hoff gân di?	Ble cafodd eich ffrind gorau ei (g)eni?	Dwedwch rywbeth am y person ifanca yn eich teulu chi.	Beth oedd eich hoff bwnc chi yn yr ysgol?
Jac	Beth oedd eich cas bwnc chi yn yr ysgol?	Oes teulu neu ffrindiau gyda chi sy'n byw dramor? Pwy? Ble?	Beth yw'r llyfr gorau erioed? (Defnyddiwch **taw**.)	Pryd aethoch chi ar drên ddiwetha?
Brenhines	Oes teulu neu ffrindiau gyda chi sy'n byw yn Lloegr? Pwy? Ble?	Ble cafodd eich mam-gu chi ei geni?	Dych chi/O'ch chi'n chwarae unrhyw offeryn cerddorol?	Pa un yw'r lle hardda yng Nghymru? (Defnyddiwch **taw**.)
Brenin	Llun pwy sy ar flaen y papurau newyddion ar hyn o bryd?	Beth yw eich hoff gân chi? (Defnyddiwch **taw**.)	I ble hedfanoch chi ddiwetha?	Dwedwch rywbeth am y person hena yn eich teulu chi.

Darllen ac ysgrifennu

Darllenwch y darn yma am Dŷ Te Tebot Tsieina Y Tebot Piws.

Cafodd Abercastell eu tŷ te arbennig
cyntaf pan agorwyd Y Tebot Piws yn 1963.
Mae'n siŵr taw dyma'r tŷ te mwya poblogaidd
yn y sir. Cacennau cartref o bob math sy'n cael
eu gwerthu yma, a the blasus o India, Sri Lanka,
Nepal, Tsieina ac Affrica. Mae'n debyg taw'r
gacen gaws gyda saws afal a sbeis sinamon
yw'r bwyd mwya poblogaidd. Mae pobl yn dod
o bell i flasu'r te prynhawn enwog.
Mae'r fwydlen yn ddwyieithog ac mae pawb
sy'n gweithio yn y Tŷ Te yn siarad Cymraeg.
Mae croeso mawr i ddysgwyr – dewch yma i
ddathlu diwedd y flwyddyn, i gael cacennau
gorau Abercastell ac i ymarfer eich Cymraeg!
Cewch chi amser pleserus iawn.

Bar Tapas a Gwin 'Y Gwydr Glas'

Adolygu taw

Cwis – Ffeindiwch y lleoedd

Ysgrifennwch yr enw lle ar bwys y dot ar y map. Defnyddiwch y patrwm yma:

Dw i'n meddwl/gwybod taw Dinbych yw e.

Dinbych	Pwllheli	Aberteifi	Pontypridd	Llandrindod
Machynlleth	Llangefni	Caerdydd	Conwy	Merthyr
Dinbych-y-pysgod	Bangor	Wrecsam	Llanelli	Caerfyrddin

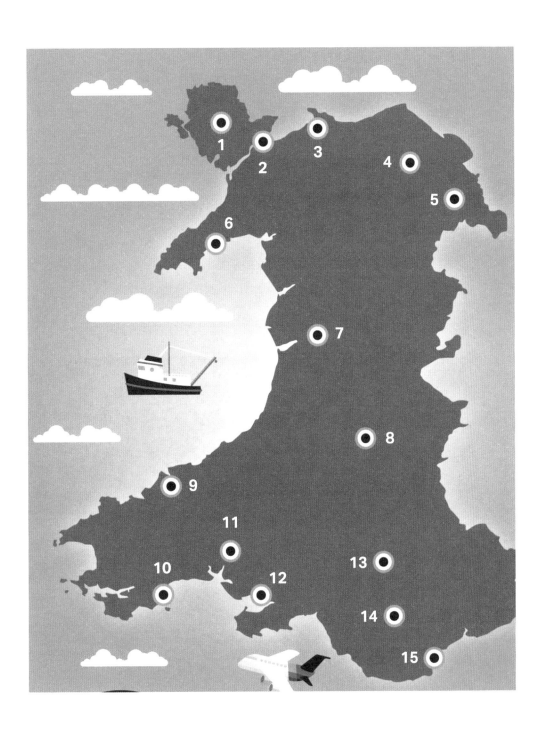

Adolygu -wyd

Ble yng Nghymru?

Agorwyd y Cae Ras yn _____ yn 1864.

Ailenwyd Canolfan Hamdden y _____ ar ôl Jade Jones yn 2012.

Agorwyd Venue Cymru yn _____ yn 2005.

Agorwyd Theatr y Werin yn _____ yn 1972.

Ganwyd Dylan Thomas yn Cwmdonkin Drive, _____ yn 1914.

Agorwyd Llyfrgell Genedlaethol Cymru yn _____ yn 1907.

Agorwyd Canolfan y Mileniwm ym Mae _____ yn 2009.

Ymarfer – Y Gwaith – Gwylio 1

Edrychwch ar y bobl yma yn siarad am eu gwaith.

Pwy sy'n gweithio mewn tri lle?...

Pwy sy'n gweithio'n rhan amser?..

Pwy sy'n gweithio gyda phlant?..

Pwy oedd yn cael llyfrau gan Siôn Corn?...

Pwy sy'n gweithio gyda hen bobl?...

Pwy sy'n helpu gyda iechyd pobl? ....

Pwy dych chi'n (ei) feddwl sy wedi creu ei chwmni/gwmni ei hun?...........................

Y Gwaith

Cymharwch y ddau lun, ffeindiwch bum peth sy'n wahanol.

Pa un sy'n eich atgoffa chi o ble dych chi/ro'ch chi'n gweithio? Pam?

Siaradwch – Eich swyddi chi

Enw	swydd gynta	swydd bresennol/ola

- Ble dych chi'n gweithio?/Ble ro'ch chi'n gweithio? (Os ydych chi wedi ymddeol, pam penderfynoch chi ymddeol?)
- Oes/Oedd tasgau dyddiol gyda chi?
- Beth yw/oedd y peth gwaetha am eich swydd chi? A'r peth gorau?
- Ydy/Oedd eich patrwm gwaith wedi newid yn ystod pandemig COVID-19?
- Tasech chi'n cael gwneud swydd rhywun arall am un diwrnod, swydd pwy fasech chi'n (ei) hoffi?

Sgwrs

A: Brysiwch! Rhaid i ni gwblhau'r holl dasgau cyn y dyddiad cau.

B: 'Dyn ni wedi bod wrthi ers wyth awr yn barod heddiw – mae'n gas gyda fi weithio dan bwysau.

A: Rhaid i ni gadw at yr amserlen! **Pwy sy'n cadw golwg ar y cloc?**

B: Fi.

A: Dych chi wedi ffeindio potel ddŵr twym fawr? Mae'n bwysig bod y bòs yn cadw'n dwym pan mae e ma's yn gyrru.

B: Ydw, mae un yn barod... **Pryd 'dyn ni'n cael ein talu?**

A: Ar ôl y Nadolig, wrth gwrs.

B: Oes rhywun o'r adran cynnal a chadw wedi bod yma eto?

A: Oes, wrth gwrs, rhaid iddo fe hedfan am filoedd o filltiroedd...

B: Oes unrhyw beth iachus yn mynd i mewn i'r parseli 'ma? Ych a fi, mae'r holl rwtsh yma'n afiach!

A: Wel, mae plant yn hoff o bethau melys – o'r gorau, gwnawn ni roi ychydig o gnau ac orenau i mewn hefyd.

B: Wel, ymlaen â ni, bydd hi'n fis Ionawr cyn bo hir... ac wedyn cawn ni i gyd

wyliau.

A: I'r dim! Rhywle twym, gobeithio ...

Felly – pwy yw'r bòs?

Yn y ddeialog dych chi'n clywed "cadw golwg ar..."

Sut dych chi'n dweud?

to keep order	_____
to keep warm	_____
to keep an eye on	_____

Yn y ddeialog clywoch chi fod rhywun yn "cael ei dalu".

I ddefnyddio'r **goddefol** (rhywbeth yn digwydd i chi neu rywun arall) yn y presennol, newidiwch gorffennol **cael** i'r presennol, e.e.

Ces i fy nhalu.

Cest ti dy dalu.

Cafodd e ei dalu.

Cafodd hi ei thalu.

Cawson ni ein talu.

Cawsoch chi eich talu.

Cawson nhw eu talu.

Dw i'n cael fy nhalu.

Rwyt ti'n cael dy dalu.

Mae e'n cael ei dalu.

Mae hi'n cael ei thalu.

'Dyn ni'n cael ein talu.

Dych chi'n cael eich talu.

Maen nhw'n cael eu talu.

Dw i'n cael fy nhalu bob <u>mis</u>.

Rwyt ti'n cael dy dalu bob wythnos.

Mae e'n cael ei yrru i'r <u>gwaith</u>.

Mae'r gacen yn cael ei <u>phobi</u> nawr.

'Dyn ni'n cael ein gwylio gan y camera.

Dych chi'n cael eich dysgu gan y tiwtor.

Maen nhw'n cael eu hanfon ar gwrs.

Beth yw'r brawddegau?

Dw i'n cael fy mesur am siwt	gan y deintydd	yn y parti croeso
Mae'r streic yn cael ei galw	â'r tâp mesur	yn y gwaith dur
Mae ei thymheredd hi'n cael ei fesur	gan y gymuned	yn y siop ddillad
Mae'r dril yn cael ei ddefnyddio	gan y gweithwyr	ar y ward
Mae'r gwm cnoi'n cael ei lanhau	gan y nyrs	â'r clwtyn gwlyb
Mae'r teulu dieithr yn cael eu croesawu	o'r bwrdd	ar y dant drwg

....

....

....

....

....

Geirfa – gwrywaidd neu fenywaidd?

Llyfr lliwio
Gwrywaidd

cerdyn

bag

dosbarth

llyfr

maes

tocyn

tŷ

Cot law
Benywaidd

pêl

ystafell

ysgol

siop

cot

rhaglen

gêm

Geirfa

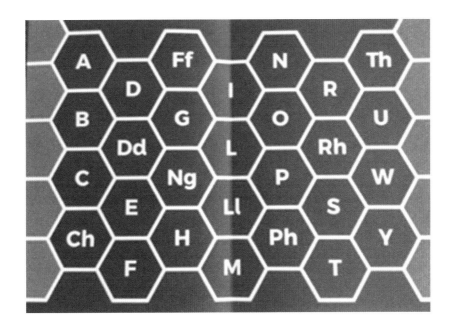

Gwylio 2 – Ffynnon Gwenffrewi

Dyma _____ Gwenffrewi yn Nhreffynnon, yn Sir y Fflint.

Mae miloedd o _____ yn dod i **ffynnon** Gwenffrewi bob blwyddyn. Ers mil, tri chant o _____ mae pobl yn dod yma i **weddïo** ac i ofyn am gael eu gwella.

Yn y seithfed _____, yn ôl yr hanes, gwrthododd Gwenffrewi fod yn gariad i Caradog, achos ei bod hi isio (eisiau) bod yn **lleian**. Gwylltiodd Caradog.

_____ ei phen i ffwrdd. Lle arhosodd ei phen hi ar y llawr, llifodd dŵr pur o'r ddaear, a dyna ddechrau'r ffynnon.

Daeth Sant Beuno, ewythr Gwenffrewi, a rhoi ei phen hi yn ôl ar ei _____ hi. Gweddïodd, a daeth Gwenffrewi yn ôl yn _____.

Mi wnaeth hi fyw fel lleian am dros ugain mlynedd.

Roedd Gwenffrewi yn ferch o **gig a gwaed** – ac mae hi wedi cael ei derbyn fel _____ ers iddi hi farw. Roedd sôn mewn hen _____bod gan Gwenffrewi **graith** o gwmpas ei gwddw felly efallai bod rhan o'r stori yn wir. Gweddïodd Gwenffrewi i Dduw _____ pawb oedd yn mynd i mewn i ddŵr y ffynnon. Mae _____ ers y **ddeuddegfed** ganrif bod pobl yn gwella ar ôl bod yn y dŵr.

Yn yr _____ ger y ffynnon, dach chi'n medru gweld llawer o _____ wedi eu gadael gan bobl dros y blynyddoedd ar ôl iddyn nhw gael eu gwella.

Mae'r dref, Treffynnon *(Holywell* yn Saesneg), yn cael ei _____ yn "Lourdes Cymru". Mae'n werth dŵad yma am dro!

Llenwch y bylchau heb edrych ar y sgript os yw'n bosib.

Gwrthodwyd .... gan ....

Torrwyd pen .... i ffwrdd gan ....

Rhoddwyd pen .... yn ôl ar ei hysgwyddau gan ....

Derbyniwyd .... fel santes ar ôl iddi hi farw.

Dywedwyd bod craith gyda ....

Gadawyd llawer o .... ger y ffynnon ar ôl i bobl gael eu gwella.

Galwyd y .... yn Lourdes Cymru ers canrifoedd.

.... yw'r enw Cymraeg ar y dre.

.... yw'r enw Saesneg ar y dre.

Dw i'n siŵr .... stori wir yw hanes Gwenffrewi. neu Dw i'n siŵr .... chwedl yw hanes Gwenffrewi.

Bwletin Newyddion

1. Sut roedd pobl dros y byd wedi clywed am Caradog Price?_____

_____

2. Os bydd yr ysgol yn cau, beth fydd y broblem i rieni Aberwylan?_____

_____

3. Beth fydd yn digwydd i'r teithwyr oedd ar y fferi?_____

_____

4. Sut bydd pobl Cymru'n clywed am hanes Dr Ifan Tomos yn ystod y chwe mis nesa?

_____

5. Faint o chwaraewyr newydd fydd gan dîm Chelsea?_____

_____

6. Am faint o amser oedd y neuadd ar gau?_____

_____

7. Pwy fydd yn hapus fod y tywydd yn newid? Pam?_____

_____

Llenwch y bylchau yn y darn yma:

Y dyddiau hyn, dydy cadw ci neu gath _____ yn beth anarferol

o gwbl. Os rhywbeth, mae anifail anwes gan y rhan fwyaf o _____

(pobl). Ond mae diddordeb arbennig gyda fi _____ cadw

anifeiliaid o wledydd tramor. Dydy hyn ddim yn beth newydd o gwbl i mi,

achos pan oeddwn i'n _____ (plant), roeddwn i'n byw

yng _____ (Gogledd) India, pan oedd fy rhieni'n gweithio

yno fel athrawon. Cyn i mi gael fy ngeni, symudodd Mam a Dad o Gymru i

India. Ar ôl priodi, _____ (penderfynu) nhw y basen nhw'n hoffi

gweithio am rai _____ (blwyddyn) cyn dechrau teulu.

Ar ôl bod yno am bum mlynedd, _____ fy chwaer Nia ei geni. Mae Nia

chwe blynedd yn _____ (hen) na fi ac roedd hi'n arfer gofalu

_____ (am) i bob tro roeddwn i'n mynd allan i chwarae yn yr iard

achos roedd llawer o anifeiliaid peryglus o gwmpas y tŷ. Felly doedd gweld

anifeiliaid ecsotig ddim yn syndod i mi na Nia.

Dim ond _____ (x1) gwelais i neidr beryglus iawn. Un tro pan

oeddwn i'n chwarae ar fy mhen fy _____ yn yr iard, gwelais i

neidr hir ddu yn sleifio o dan y tŷ. _____ (rhedeg) i yn ôl i'r tŷ yn

syth ac ar ôl gweld Nia, dwedais i _____ hi beth oedd wedi

digwydd. Aeth hi â fi at Aziz, y cogydd, a daeth e allan o'r tŷ â ffon hir yn ei

law i chwilio _____ y neidr.

Yn y diwedd, daliodd e'r neidr, a mynd â hi'r tu allan _____'r iard

yn bell o'n tŷ. Dw i'n meddwl _____ cobra oedd hi, un o

nadroedd mwyaf peryglus India. Roeddwn i wedi bod yn lwcus iawn.

Erbyn hyn, mae Nia'n cadw siop anifeiliaid anwes yn Aberystwyth ond

_____ dim nadroedd peryglus gyda/ganddi hi! Ac er fy

_____ i'n byw yng Nghaerdydd mewn tŷ teras, dw i wedi cadw fy

niddordeb mewn anifeiliaid peryglus. Ond nid neidr beryglus sy gyda fi/gen i

nawr; dw i wrth fy _____ yn cadw pysgod peryglus - piranhas!

Ymarfer

Mae diddordeb gyda fi mewn cadw anifeiliaid.

Dilynwch y patrwm:

Mae hi yn y gegin drwy'r amser.   Mae diddordeb gyda hi mewn
                                            coginio.

Mae hi'n prynu llyfr newydd bob wythnos.

Mae hi eisiau rhedeg marathon.

Mae hi mewn grŵp drama.

Mae hi'n mynd o gwmpas y byd.

Mae hi'n mynd am dro yn aml.

Ac er fy mod i'n byw yng Nghaerdydd...

Ysgrifennwch hanner cyntaf y frawddeg, gan ddefnyddio **er**.

_____, does dim cot gyda fi heddiw.

_____, mae e yn y gwaith.

_____, maen nhw'n colli pob gêm.

_____, mae'r tŷ bwyta'n gwneud yn dda iawn.

Robin Radio

a)   Atebwch:

Pam mae'r bobl ifanc yn mynd i Seland Newydd?

_____

Beth mae rhaid i chi (ei) wneud cyn mynd i'r diwrnod hwyl?

_____

 Sut mae'r ffordd i'r fferm?

_____

b)   Gwrandewch am:

ymlaen llaw   beforehand

yn hollol wastad   completely flat

o fewn clyw   within hearing distance

c)   Cyfieithwch:

a great opportunity for them _____

How are you going to raise the money?_____

Who's doing the music?_____

sâl

tost

Uned 16 – Es i i'w thŷ hi

Nod yr uned hon yw:
- **Iaith**: Defnyddio cywasgiadau (contractions)
- **Ymarfer:** Egluro

Geirfa

Yr Ariannin	*Argentina*
gradd meistr	*masters degree*
llenyddiaeth	*literature*
medal(au)	*medal(s)*
menter (mentrau)	*venture(s); initiative(s)*
pencampwriaeth(au)	*championship(s)*
trafnidiaeth	*transport*

adnabyddus	*well-known*
crand	*grand*
cyfoes	*contemporary*
cyhoeddus	*public*
di-Gymraeg	*ddim yn siarad Cymraeg*
di-ri(f)	*countless*
eglur	*evident; clear*
figan	*vegan*
llysieuol	*vegetarian*

ac yn y blaen	*etc.*
ar lafar	*spoken; orally*
ar y blaen	*in the lead*
lawr llawr	*downstairs*
oddi ar	*from (on); off; down from*
synnwyr cyffredin	*common sense*
undydd	*one-day*
uwchben	*above*
yn erbyn	*against*
y Wladfa	*the colony**

*Yr enw ar yr ardal lle mae cymuned sy'n siarad Cymraeg ym Mhatagonia, ardal o'r Ariannin.

annog	*to encourage*
egluro	*to explain*
lansio	*to launch*
syrthio	*to fall (gogledd Cymru)*
treiglo	*to mutate*

Geiriau pwysig i fi...

....

....

Siaradwch – Byw yn wyrdd

Yn eich grŵp, dwedwch pa rai o'r pethau yma dych chi'n (eu) gwneud a pha rai dych chi ddim yn (eu) gwneud.

1. ailgylchu gwastraff bwyd

2. bwyta bwyd llysieuol/figan

3. cael cawod yn lle bath

4. cerdded mwy ar deithiau byr

5. defnyddio bagiau defnydd i siopa bob amser

6. diffodd goleuadau wrth adael ystafelloedd

7. peidio â hedfan

8. peidio â thaflu bwyd

9. prynu a defnyddio pethau mwy gwyrdd, e.e. brws dannedd pren

10. prynu bwyd lleol

11. prynu bwyd yn ei dymor

12. defnyddio car trydan

13. prynu dillad o siopau elusen

14. prynu llai o bethau mewn pecyn plastig

15. rhannu ceir yn y gwaith

16. rhoi dillad/llyfrau ac ati i siopau elusen

17. casglu dŵr glaw

18. teithio mwy ar drafnidiaeth gyhoeddus

19. troi'r *thermostat* i lawr ar y gwres canolog

20. tyfu eich bwyd eich hun

21. defnyddio ynni gwyrdd, e.e. paneli solar

22. golchi dillad mewn dŵr oerach

Cywasgiadau

A

Beth sy yn y lluniau?

caws a gwin

y caws a'r gwin

dyn a baner

y dyn a'r faner

pobl a hufen iâ

y bobl a'r hufen iâ

merch a llyfr

y ferch a'r llyfr

bachgen a physgod

y bachgen a'r pysgod

menyw a cheffyl

y fenyw a'r ceffyl

Fy anrheg a fy ngherdyn i.	*My present and my card.*
Dy anrheg a dy gerdyn di.	*Your present and your card.*
Ei anrheg a'i gerdyn e.	*His present and his card.*
Ei hanrheg a'i cherdyn hi.	*Her present and her card.*
Ein hanrheg a'n cerdyn ni.	*Our present and our card.*
Eich anrheg a'ch cerdyn chi.	*Your present and your card.*
Eu hanrheg a'u cerdyn nhw.	*Their present and their card.*

Cyfieithwch:

the towns and the villages

....

her house and her garden

....

his house and his garden

....

her son and her daughter

....

his son and his daughter

....

their house and their garden

....

their son and their daughter

....

your building and your business (chi)

....

our Assembly Member and our Member of Parliament

....

O

Daeth hi o'r dosbarth.	*She came from the class.*
Daeth hi o fy nosbarth i.	*She came from my class.*
Daeth hi o dy ddosbarth di.	*She came from your class.*
Daeth hi o'i ddosbarth e.	*She came from his class.*
Daeth hi o'i dosbarth hi.	*She came from her class.*
Daeth hi o'n dosbarth ni.	*She came from our class.*
Daeth hi o'ch dosbarth chi.	*She came from your class.*
Daeth hi o'u dosbarth nhw.	*She came from their class.*

Gêm dis

1 + 6 = Des i o'u parti nhw.

1	fi	1	dy
2	hi	2	ei (g)
3	fe	3	ei (b)
4	ni	4	ein
5	chi	5	eich
6	nhw	6	eu

parti / dosbarth / cwrs / tŷ / cartref

I

Aeth e i'r tŷ.	*He went to the house.*
Aeth e i fy nhŷ i.	*He went to my house.*
Aeth e i dy dŷ di.	*He went to your house.*
Aeth e i'w dŷ e.	*He went to his house.*
Aeth e i'w thŷ hi.	*He went to her house.*
Aeth e i'n tŷ ni.	*He went to our house.*
Aeth e i'ch tŷ chi.	*He went to your house.*
Aeth e i'w tŷ nhw.	*He went to their house.*

Beth fydd Siôn a Siân yn (ei) brynu i'w teulu ac i'w ffrindiau?

e.e. Bydd Siôn yn prynu CD i'w frawd e.

Bydd Siân yn prynu CD i'w brawd hi.

A	CD	A	mam
2	llun	2	tad
3	sanau	3	brawd
4	*Prosecco*	4	chwaer
5	siocledi	5	mam-gu
6	llyfr	6	tad-cu
7	blodau	7	ffrind
8	talc	8	bòs
9	tocyn awyren	9	cymydog
10	tocyn llyfr	10	nith
Jac	tocyn gêm rygbi	**Jac**	nai
Brenhines	menig	**Brenhines**	cariad
Brenin	geiriadur Cymraeg	**Brenin**	tiwtor

Gyda'n gilydd

Aethon ni gyda'n gilydd.	*We went together.*
Aethoch chi gyda'ch gilydd.	*You went together.*
Aethon nhw gyda'i gilydd.	*They went together.*
Aeth y plant gyda'i gilydd.	*The children went together.*

Dilynwch y patrwm:

Dych chi'n mynd ar yr un bws?   Ydyn, 'dyn ni'n mynd gyda'n gilydd.

Dych chi'n teithio ar yr un bws?   ....

Ydyn nhw'n teithio ar yr un bws?   ....

Ydyn nhw'n mynd ar yr un bws?   ....

Dych chi'n mynd ar yr un pryd?   ....

Ydyn nhw'n dysgu ar yr un pryd?   ....

Dych chi'n dysgu ar yr un pryd?   ....

Dych chi'n bwyta ar yr un pryd?   ....

Ydyn nhw'n bwyta ar yr un pryd?   ....

Gwrando – Traeth Abercastell

Dyma un o draethau prydfertha Cymru. Mae llawer o bobl leol ac ymwelwyr yn hoffi dod yma .... i fwynhau ac i ymlacio. Edrychwch ar yr hen ddyn a menyw yn eistedd ar eu cadeiriau nhw. Maen nhw'n ofalus iawn .... pennau nhw, yn gwisgo het a hances rhag ofn iddyn nhw losgi yn yr haul poeth. Mae'r fam-gu'n rhoi lolipop .... hwyres hi. Mae'r tad-cu'n edrych ymlaen at ei hufen iâ e.

Edrychwch ar y dyn ifanc yn gofyn .... gymar e dynnu llun o'r môr, a'r bachgen bach yn dangos y gwylanod .... fam e. Mae un .... tadau'n cario ei fab e ar ei ysgwyddau ac mae'r bachgen yn gofyn .... dad e fynd yn gyflymach.

Mae rhai pobl ar y ffordd i mewn .... môr – mam, tad .... dau blentyn bach nhw, a grŵp o ffrindiau sy'n mynd i mewn i'r dŵr i chwarae pêl .... Mae merch fach yn dangos ei chastell tywod .... mam .... chariad hi.

Dw i'n cerdded gyda fy ffrind .... chi hi. Dw i ar y ffôn yn gofyn i fy mhlant i roi pitsa yn y ffwrn i ni gael swper .... ar ôl i ni gyrraedd adre.

Ymarfer – Egluro

Egluro'r treigladau!

Y Treiglad Meddal			Y Treiglad Trwynol		Y Treiglad Llaes
t > d	d > dd	m > f	t > nh	d > n	t > th
c > g	g > /	rh > r	c > ngh	g > ng	c > ch
p > b	b > f	ll > l	p > mh	b > m	p > ph

Pam mae geiriau'n treiglo? Edrychwch ar y treigladau a dewiswch yr esboniad o'r blwch. Wedyn, gyda'ch partner, rhaid i chi ymarfer y patrwm yma:

Y rheswm am y treiglad meddal/trwynol/llaes yw bod ....

Mae hi'n **dd**iflas.

Mae hi'n athrawes **f**usneslyd.

Dw i'n byw **yng Ngh**aerdydd.

Mae ci a **ch**ath gyda nhw.

Mae e'n dod o **F**eddgelert.

Phrynais i ddim byd.

ansoddair ar ôl enw benywaidd unigol	berf yn treiglo pan mae'n negyddol
gair yn dilyn yr arddodiad (*preposition*) **yn**	gair yn dilyn yr arddodiad **o**
ansoddair ar ôl **yn**	treiglad yn dilyn **a** sy'n golygu *and*

Gwnewch hyn unwaith eto. Y tro yma, does dim help gyda'r esboniadau.

Pob lwc!

Dw i'n mynd i **G**aerdydd.

Mae hi'n golchi ei **ch**ar bob wythnos.

Ddwedais i ddim byd.

Ble mae fy **m**ag i?

Glywoch chi rywbeth?

Mae tri **ch**ant o bobl yn y neuadd.

Gwylio

1. Edrychwch ar y fideo o Eseia Grandis yn egluro sut daeth e i Gymru a sut dysgodd e Gymraeg.

Atebwch:

a) O ba wlad mae Eseia yn dod yn wreiddiol? ....

b) Ers faint mae e'n byw yng Nghymru? ....

c) Ble dysgodd e siarad Cymraeg? ....

ch) Pa mor aml oedd y dosbarth? ....

d) Pa mor hir oedd y dosbarth? ....

Dyma sgript o sgwrs Eseia.

Eseia yw'n enw i. Dw i'n byw yn Llanddarog, yn Sir Gaerfyrddin. **Dan ni'n dod fel teulu o'r Ariannin**, o Batagonia, ochr yr Andes, neu Cwm Hyfryd. (Dan ni'n byw yng Nghymru ers dwy flynedd.) Wnes i ddysgu Cymraeg yn ysgol Gymraeg yr Andes. Wel, dw i'n dod o'r Ariannin, ond dw i'n dod o Ganolbarth yr Ariannin yn wreiddiol, o Córdoba, (talaith o'r enw Córdoba, fel yn Sbaen). Ond symudodd fy nheulu i Batagonia pan o'n i'n bedair oed.) Felly ces i fy magu yn y Wladfa Gymraeg, a wnes i ddysgu Cymraeg yn ysgol Gymraeg yr Andes. Nid ysgol swyddogol, ond canolfan iaith. Ro'n i'n arfer mynd dwywaith yr wythnos, awr a hanner pob dosbarth, ac felly fel 'na wnes i ddysgu'r iaith.

Edrychwch ar y frawddeg 'Dan ni'n dod fel teulu o'r Ariannin'. Codwch ar eich traed a dywedwch wrth bawb yn y dosbarth am eich teulu chi, gan ddechrau gyda 'Dyn ni'n dod fel teulu…'.

Siaradwch – Cadw anifail anwes

Cadw anifail anwes – pethau da	Cadw anifail anwes – pethau drwg

Mae cadw anifeiliaid anwes yn dda i chi.

- Oedd anifail anwes gyda chi pan o'ch chi'n blentyn?

- Oes anifail anwes gyda chi nawr?

- Eglurwch sut a pham mae cadw anifeiliaid anwes yn gwneud pobl yn hapus.

Gwrando – Bwletin Newyddion

1. Beth mae'n rhaid i bobl Port Talbot (ei) wneud?

....

2. Pwy gafodd ei anafu yn y mynyddoedd?

....

3. Am beth roedd y rhan fwya o bobl yn protestio yn Aberystwyth?

....

4. Faint o ysgolion Cymru sy ar gau heddiw?

....

5. Pam mae 60,000 o bobl yn hapus?

....

6. Faint o fedalau enillodd seiclwyr Cymru ym Mhencampwriaethau'r Byd ddoe?

....

7. Ble bydd y tywydd gorau yfory?

....

Gyda'ch partner: Eglurwch un o'r storïau i rywun sy ddim wedi clywed y bwletin.
Ysgrifennwch y stori mewn dim mwy na phedair brawddeg.

....

....

....

....

....

Darllen – Amdani

Nawr, dych chi'n gallu darllen hunangofiant Nigel Owens, *C'Mon, Reff!* Dych chi'n gallu prynu'r llyfr o'ch siop lyfrau Cymraeg leol neu ar www.gwales.com.

Dyma'r clawr ac un paragraff o'r llyfr:

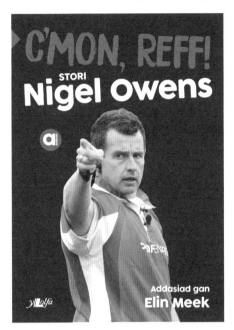

Y gwreiddiau

Ro'n i eisiau ffermio erioed. Pan o'n i'n blentyn bach, ro'n i a fy rheini'n byw mewn tyddyn o'r enw Moultan ym Mynyddcerrig, yng Nghwm Gwendraeth, gyda Mam-gu, Tad-cu ac Wncwl Ken, brawd fy nhad. Roedd 'Nhad yn un saith o blant gaeth eu magu yno. Roedd pawb yn eu nabod nhw fel Teulu Moultan. Roedd Mam-gu a Tad-cu, Wil a Maggie Moultan, yn cadw tair erw o dir, ac yn rhentu wyth erw arall, er mwyn magu ceffylau'n bennaf.

Robin Radio

a) Atebwch:

Faint o arian enillodd Rhian ar y loteri? ....

Pam mae Rhian eisiau symud? ....

Pwy sy'n mynd i gael arian gan Rhian? ....

b) Gwrandewch am:

rhoi'r gorau (i)	*to give up*
Gawn ni weld.	*We shall see.*
Pob hapusrwydd i chi.	*Every happiness to you (lit.)*

c) Cyfieithwch:

I'm very fond of your programme. ....

There is no hurry. ....

how the journey went ....

Help llaw

1. Dysgwch y cywasgiadau:

a	o	i	gyda
a'r	o'r	i'r	gyda'r
a fy	o fy	i fy	gyda fy
a dy	o dy	i dy	gyda dy
a'i	o'i	i'w	gyda'i
a'n	o'n	i'n	gyda'n
a'ch	o'ch	i'ch	gyda'ch
a'u	o'u	i'w	gyda'u

2. Byddwch yn ofalus gyda'r gair 'gilydd'. Rhaid i ni ddweud:

   Maen nhw gyda'**i** gilydd.

3. **Treigladau** – Mae'r treigladau'n aros yr un peth gyda chywasgiadau.

| ei waith e | a'i waith e | o'i waith e | i'w waith e | gyda'i waith e (treiglad meddal) |
| ei champfa hi | a'i champfa hi | o'i champfa hi | i'w champfa hi | gyda'i champfa hi (treiglad llaes) |

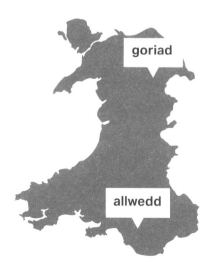

goriad

allwedd

Uned 17 – Mae'r sioe ar yr unfed ar bymtheg

Nod yr uned hon yw:
- **Iaith:** Defnyddio trefnolion *(ordinals)*
- **Ymarfer:** Gwneud cais

Geirfa

adain (adenydd)	*wing(s)*
amrywiaeth(au)	*variety (-ies); variation(s)*
darlith(oedd)	*lecture(s)*
draenen ddu	*blackthorn*
llwy garu (llwyau caru)	*lovespoon(s)*
talcen(ni)	*forehead(s)*
trwydded(au)	*licence(s)*
hanesyddol	*historical*

bawd (bodiau)	*thumb(s)*
cangarŵ(od)	*kangaroo(s)*
cerbyd(au)	*vehicle(s)*
cyfrif(on)	*account(s)*
cylch(oedd)	*circle(s)*
hanesydd (-wyr)	*historian(s)*
maer (meiri)	*mayor(s)*
prydferthwch	*beauty*
pŵer (pwerau)	*power(s)*
rhyw(iau)	*sex(es)*
symbol(au)	*symbol(s)*
teip(iau)	*type(s)*
traddodiad(au)	*tradition(s)*
ymddeoliad(au)	*retirement(s)*

ar y cyfan	*on the whole*
blwyddyn naid	*leap year*
bryd hynny	*at that time*
bwffe bys a bawd	*finger buffet*
Calan Mai	*May Day*
curo dwylo	*to clap, to applaud*
cylch chwarae	*playgroup*
Dydd Ffolant	*Valentine's Day*
eto i gyd	*even so*
llanw a thrai	*tides; ebb and flow*
ymlaen llaw	*beforehand*
yr Oesoedd Canol	*the Middle Ages*

amseru	*to time*
breuddwydio	*to dream*
bwriadu	*to intend*
clebran	*to chatter*
cribo	*to comb*
ffilmio	*to film*
gefeillio (â)	*to twin (with)*
ofni	*to fear*
rhifo	*to count*
rhyddhau	*to release*

Geiriau pwysig i fi...

....

....

Siaradwch

Yn eich grŵp, trafodwch:

Pam mae pobl yn …?

1. dysgu Cymraeg

Yn ôl arolwg diweddar, y tri phrif reswm yw:

• byw mewn cymuned neu ardal lle mae pobl yn siarad Cymraeg bob dydd

• teimlad o berthyn i Gymru a'r diwylliant

• cefnogi plant mewn addysg Gymraeg

Trafodwch gyda'ch partner beth dych chi'n feddwl yw'r rheswm mwya poblogaidd yn yr arolwg, yr ail a'r trydydd.

Beth yw'r farn yn eich dosbarth chi?

Pam mae pobl yn …?

2. dod ar wyliau i Gymru

Mae arolwg arall wedi gofyn i ymwelwyr pam maen nhw'n dewis dod i Gymru ar wyliau. Y tri phrif reswm yw:

• cymryd rhan mewn gweithgareddau yn yr awyr agored

• mwynhau traethau, cefn gwlad a phrydferthwch naturiol Cymru

• ymweld â lleoedd diddorol neu hanesyddol

Beth yw'r farn yn eich dosbarth chi?

Pam mae pobl yn …?

3. defnyddio Facebook/Twitter/Instagram ac ati?

• llenwi amser sbâr

• cadw mewn cysylltiad â ffrindiau

• derbyn newyddion

Beth yw'r farn yn eich dosbarth chi?

Trefnolion

Dych chi'n cofio?

<u>Anne Jones</u> oedd fy nhiwtor Cymraeg cynta i.

<u>Fiesta</u> oedd fy ail gar i.

<u>Golwg y Mynydd</u> oedd enw fy nhrydydd tŷ i.

Treuliais i fy nhrydedd flwyddyn i <u>yn Ffrainc</u>.

Treuliais i fy <u>mhedwaredd</u> flwyddyn i yn Sbaen.

Edrychwch ar y calendr yma:

1af cyntaf	2il ail	3ydd trydydd	4ydd pedwerydd	5ed pumed	6ed chweched	7fed seithfed
8fed wythfed	9fed nawfed	10fed degfed	11eg unfed ar ddeg	12fed deuddegfed	13eg trydydd ar ddeg	14eg pedwerydd ar ddeg
15fed pymthegfed	16eg unfed ar bymtheg	17eg ail ar bymtheg	18fed deunawfed	19eg pedwerydd ar bymtheg	20fed ugeinfed	21ain unfed ar hugain
22ain ail ar hugain	23ain trydydd ar hugain	24ain pedwerydd ar hugain	25ain pumed ar hugain	26ain chweched ar hugain	27ain seithfed ar hugain	28ain wythfed ar hugain
29ain nawfed ar hugain	30ain degfed ar hugain	31ain unfed ar ddeg ar hugain				

1. Beth yw dyddiad dydd Calan?

....

2. Beth yw dyddiad dydd Gŵyl Dewi?

....

3. Beth yw dyddiad dydd San Ffolant?

....

4. Beth yw dyddiad noswyl Nadolig?

....

5. Beth yw dyddiad dydd Nadolig?

....

6. Beth yw dyddiad gŵyl San Steffan?

....

7. Beth yw'r diwrnod arbennig mewn blwyddyn naid?

....

8. Beth yw dyddiad nos Galan?

....

Beth yw dyddiad dy ben-blwydd di?

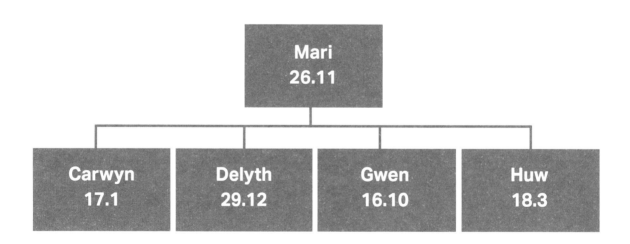

Digwyddiadau hanesyddol:

Gyda'ch partner, cysylltwch y digwyddiad â'r dyddiad.

Hedfanodd y brodyr Wright yr awyren gynta.	a	11.2.1990
Cwympodd Wal Berlin.	b	17.12.1903
Cerddodd dyn ar y lleuad am y tro cyntaf.	c	8.6.632
Saethwyd Mahatma Gandhi.	ch	9.11.1989
Buodd Muhammad farw.	d	20.7.1969
Agorwyd y Senedd yng Nghaerdydd.	dd	1.3.2007
Rhyddhawyd Nelson Mandela.	e	30.1.1948

Dyma galendr o ddigwyddiadau Menter Iaith ardal Abercastell am y flwyddyn nesa.

Yn gynta, rhaid i chi lenwi'r bylchau ym mis Chwefror, mis Mai a mis Awst.

Wedyn, trafodwch gyda'ch partner ble dych chi eisiau mynd ar bob dyddiad.

Oes un digwyddiad dych chi'n bendant **ddim** yn (ei) hoffi?

Dewiswch un digwyddiad dych chi'n cytuno dych chi'n bendant eisiau mynd iddo fe.

25 Ionawr	Noson gynta'r ffilm ramantus *Ar adain breuddwydio*. Bydd Catrin Zara a Rhys ap Rhys yma ar y carped coch! Dewch i weld y ffilm Hollywood a ffilmiwyd yma y llynedd. Sinema Trecastell.	Disgo Santes Dwynwen. Dewch i ddawnsio – caneuon rhamantus yn unig! Gyda'r band lleol 'Atgofion melys'. Bar siampên a choctels. Gwesty'r Castell, Bryncastell.
___ Chwefror	Dewch i weld gêm rygbi Cymru v _____ ar S4C. Clwb Rygbi Trecastell. Cymru am byth!	Cwis Tafarn. Thema: Rygbi'r chwe gwlad. Gwobr: 4 tocyn i gêm nesa Cymru yng Nghaerdydd.
1 Mawrth	Dathlu Dydd Gŵyl Dewi. Cinio yn y Plas, Bryncastell gyda'r teithiwr enwog Hywel Wyn yn siarad am ei daith i Batagonia. Bydd Tegwen Teifi yn canu'r delyn yn ystod y bwyd.	Noson Lawen gyda'r tenor enwog Dafydd Llwyd. Bydd côr plant ysgol Abercastell yn canu hefyd. Neuadd yr ysgol.
1 Ebrill	Noson gomedi Ffŵl Ebrill, gyda 3 ffŵl doniol: Elis Jones, Eilir Owen a Tudur James. Clwb Comedi'r Castell, Gwesty'r Castell. Rhaid bod dros 18 oed!	Cystadleuaeth dweud jôcs yng Nghlwb yr Urdd, Abercastell. Gwobr i'r plentyn a'r oedolyn sy'n dweud y jôc orau.
1 Mai	Cyngerdd Calan Mai yn Neuadd yr Ysgol. Cyfle i'r plant sy'n mynd i Eisteddfod yr Urdd yn _____ ymarfer yr eitemau.	Dawns werin y Cadi Haf *. Gyda dawnswyr Abercastell a'r canwr poblogaidd Ieuan ap Siôn. Dewch i ddathlu Calan Mai yn y ffordd draddodiadol.
21 Mehefin	Gŵyl Ganol Haf gyda'r gantores enwog Catrin Elena a llawer mwy. Dewch â phicnic a'ch diodydd eich hunain. Gerddi Plas Bryncastell.	Disgo drwy'r nos – gyda'r band lleol 'Seimon Swnllyd a'r Llanciau Gwyllt'. Bar ar gael. Clwb Cymdeithasol y Castell, Trecastell.

18 Gorffennaf	Taith Gerdded ar lan y môr. Cyfarfod ger prom Abercastell am 10 y bore. Bydd amseru'r picnic yn dibynnu ar y tywydd a'r amseroedd llanw a thrai.	Sêl cist car. Galwch heibio i brynu bargen! Yn y maes parcio mawr, Bryncastell. Pum punt y cerbyd. Dewch i gefnogi Cylch Chwarae'r Bryn. Barbeciw wedyn.
7 Awst	Bws i'r Eisteddfod Genedlaethol yn _____ . Bws yn gadael gorsaf fysiau Abercastell am 6.30 y bore. Gartre erbyn 11 y nos. Dewch â brechdanau!	Gêm griced flynyddol rhwng tîm criced Abercastell ac ail dîm Morgannwg. Te prynhawn yn y Clwb Criced tan ddiwedd y gêm. Tocynnau: £10 yn cynnwys te ac un gwydraid o *cava*.
12 Medi	Clwb Clonc a Chlebran! Croeso'n ôl – blwyddyn newydd o wersi Cymraeg, cyfle newydd i sgwrsio. Croeso i bawb o'r cwrs Canolradd i fyny, a siaradwyr Cymraeg. Caffi'r Bont, Trecastell.	Noson agored y clwb celf a chrefft – canolfan gymdeithasol yr Aber. Amrywiaeth mawr o gyrsiau eleni – o wneud basgedi i deganau pren a llwyau caru.
31 Hydref	Disgo Calan Gaeaf i blant yr ardal. Gwisg ffansi a gemau hefyd. Neuadd y dre, Abercastell. Cychwyn am 5.30, gorffen am 8.	Noson Carioci gwisg ffansi – oedolion dros 21 yn unig! Clwb y Bryn, Bryncastell. Gwobr i'r wisg ffansi fwya dychrynllyd!
5 Tachwedd	Noson Tân Gwyllt! Parti Guto Ffowc. Dewch â model o Guto Ffowc – gwobr i'r un gorau. Parc Llanbryncastell. Diolch i'r gwasanaeth tân am drefnu!	Darlith hanesyddol – 'Pŵer a Rhyw yn yr Oesoedd Canol'. Hanes anhygoel teulu'r Montforts, Castell Bryncastell. Gyda'r hanesydd enwog Dr. Rhodri Roberts. Neuadd y dref, Bryncastell. Croeso i bawb.
24 Rhagfyr, Noswyl Nadolig	Gwasanaeth carolau Cymraeg yn Eglwys y dre, Llanbryncastell. Dewch i ddathlu'r Nadolig gyda charolau traddodiadol Cymru.	Cinio Nadolig i bobl ddigartref yr ardal. Mae angen twrci, cracyrs ac anrhegion i sach Santa. Cysylltwch ymlaen llaw i ddweud sut gallwch chi helpu.

* Esboniad yn y Gwaith cartref

Ymarfer – Gwneud cais

1. Gwneud cais *(making a request)*

Dych chi eisiau rhywbeth:	Dych chi eisiau i rywun wneud rhywbeth i chi:
Gaf i ofyn cymwynas, os gwelwch chi'n dda?	Wnewch chi ddod â'r llyfrau yn ôl?
Allwn i ofyn cymwynas fach?	Allech chi ddod â'r llyfrau yn ôl?
Fasai ots gyda chi taswn i'n gofyn cymwynas?	Dych chi'n fodlon dod â'r llyfrau yn ôl?
Cytuno i gais:	**Gwrthod cais:**
Wrth gwrs. (Un funud.)	Mae'n flin gyda fi ond dw i ddim yn gallu.
Baswn i'n hapus i helpu.	Hoffwn i ond mae'n amhosib ar hyn o bryd.
O bosib.	Dim o gwbl.

Llenwch y bylchau:

1. _____ i fenthyg beiro os gwelwch chi'n dda?

2. Oes ots gyda chi _____ y ffenest? Mae hi'n dwym yma.

3. _____ taswn i'n gadael yn gynnar?

4. _____ chi gloi'r drws pan dych chi'n gadael?

5. Dych chi'n _____ helpu gyda'r gwaith cartre?

6. _____ chi'n gallu troi'r cawl i fi?

Gyda'ch partner, meddyliwch am ddau ymateb i bob cais – un yn derbyn ac un yn gwrthod.

1. Gaf i gau'r ffenest, os gwelwch chi'n dda?

√   _____

X   _____

2. Fasai ots gyda chi taswn i'n gadael yn gynnar heddiw?

√   _____

X   _____

3. Wnewch chi gario fy mag i, os gwelwch chi'n dda?

√ _____

X _____

4. Dych chi'n fodlon rhoi lifft i fi?

√ _____

X _____

Yn olaf, ysgrifennwch yr isod yn fwy cwrtais:

1. Dw i eisiau help.

....

2. Pasiwch yr halen.

....

3. Dych chi'n gallu talu'r bil?

....

4. Dere 'ma!

....

2. **Gwneud cais** *(making an application)*

A: Wyt ti wedi gwneud cais am y swydd?

B: Ydw, wrth gwrs. Dw i'n barod am newid. Wyt ti?

A: Nac ydw wir, mae digon o waith gyda fi yn y swydd yma.

B: Beth amdanat ti?

C: A dweud y gwir, dw i'n dechrau meddwl am ymddeol!

B: Wel, mae cyfle da gyda fi felly! Pryd mae'r dyddiad cau?

C: Mewn tri diwrnod, ar y pymthegfed o'r mis. Ac wyt ti wedi gweld pa mor hir yw'r ffurflen gais?

A: Pob lwc i ti beth bynnag!

Gwrando – Gwneud cais am drwydded alcohol

Gwrandewch a llenwch y bylchau.

A: Bore da. Cyngor .... Gaf i helpu?

B: Bore da. Dw i'n trefnu .... Allech chi drefnu trwydded alcohol i fi, os gwelwch chi'n dda? Mae'n gas gyda fi lenwi ffurflenni ar y we.

A: Pryd mae'r digwyddiad?

B: ....

A: Faint o docynnau dych chi'n gobeithio (eu) gwerthu?

B: Tua ...., gobeithio .

A: O, dim problem. Trwydded digwyddiad i .... felly.

B: Faint yw'r drwydded os gwelwch chi'n dda?

A: ....

B: Rhesymol iawn, os caf i ddweud. Oes rhaid i fi anfon manylion fy nghyfrif banc?

A: Nac oes. Gallwch chi anfon siec yn y post neu ddod i mewn i swyddfa'r cyngor a thalu â cherdyn.

B: Galwa i yn y swyddfa, os yw hynny'n iawn.

A: Mae hynny'n berffaith achos bydd rhaid i chi lenwi ffurflen hefyd.

B: Diolch o galon i chi am eich help.

A: Croeso.

Nawr, gyda'ch partner, llenwch y bylchau â'ch syniadau chi.

A: Bore da. Cyngor .... Gaf i helpu?

B: Bore da. Dw i'n trefnu .... Allech chi drefnu trwydded alcohol i fi, os gwelwch chi'n dda? Mae'n gas gyda fi lenwi ffurflenni ar y we.

A: Pryd mae'r digwyddiad?

B: ....

A: Faint o docynnau dych chi'n gobeithio (eu) gwerthu?

B: Tua ...., gobeithio .

A: O, dim problem. Trwydded digwyddiad i .... felly.

B: Faint yw'r drwydded os gwelwch yn dda?

A: ....

B: Rhesymol iawn, os caf i ddweud. Oes rhaid i fi anfon manylion fy nghyfrif banc?

A: Nac oes. Gallwch chi anfon siec yn y post neu ddod i mewn i swyddfa'r cyngor a thalu â cherdyn.

B: Galwa i yn y swyddfa, os yw hynny'n iawn.

A: Mae hynny'n berffaith achos bydd rhaid i chi lenwi ffurflen hefyd.

B: Diolch o galon i chi am eich help.

A: Croeso.

Gwrando

1. Pa gamgymeriad wnaeth Elen Mair ar ddechrau'r sgwrs â Jonathan?

    ....

2. Beth oedd y peth **gorau**, a'r peth **gwaetha** am y swydd, yn ôl Jonathan?

    ....

3. Pam roedd llai o blant yn dod i ysgol Llanoged yn y blynyddoedd diwetha?

    ....

4. Beth fydd yn anodd i blant bach ysgol Llanoged y tymor nesa?

    ....

    ****

5. Beth mae Jonathan yn ofni fydd yn digwydd ar ôl cau'r ysgol?

    ....

6. Beth mae'r llun yn (ei) ddweud am hanes yr ysgol?

    ....

7. Beth ddysgodd Wayne Chapman (ei) wneud yn yr ysgol, yn ôl Jonathan?

    ....

8. Pam mae Jonathan eisiau gweld ei deulu e yng Nghanada?

    ....

Robin Radio

a) **Atebwch:**

Pam mae Ceri'n codi arian?   ....

Pryd bydd Ceri'n torri gwallt Robin?   ....

Pam mae Robin yn hoffi gwallt hir?   ....

b) **Gwrandewch am:**

Mae cynnig arbennig gyda ni.	*We have a special offer.*
pymtheg y cant	*fifteen per cent*
Amdani!	*Go for it!*

c) **Cyfieithwch:**

That's the idea.

....

Your hair is quite long.

....

You can wear a hat.

....

Help llaw

Mae dweud y dyddiad (1af i'r 10fed) yn codi yn Uned 24 yn y Cwrs Sylfaen.

1. Rhaid i chi wybod y ffordd draddodiadol o gyfrif i allu dweud y dyddiad.

2. Mae dwy ffordd o ddweud y dyddiad:

Ionawr y cynta	Y cynta o Ionawr
Chwefror yr unfed ar ddeg	Yr unfed ar ddeg o Chwefror
Mawrth yr ugeinfed	Yr ugeinfed o Fawrth
Ebrill y pumed ar hugain	Y pumed ar hugain o Ebrill

(Byddwch chi hefyd yn clywed pobl yn dweud pethau fel **Ebrill dau ddeg pump** neu **Dau ddeg pump Ebrill** felly peidiwch â phoeni gormod.)

3. Mae'r dyddiad yn wrywaidd bob tro, ond cofiwch ddefnyddio trefnolion benywaidd gydag enwau benywaidd, e.e.

y tryd**ydd** bachgen	y **d**ryd**edd** **f**erch
y ped**werydd** bachgen	y **b**ed**waredd** **f**erch

taid a nain

tad-cu a mam-gu

Dates1

Dates2

Uned 18 – Mae hon yn well na honna.

Nod yr uned hon yw:

• **Iaith**: Dysgu hwn, hwnna, hon, honna, y rhain, y rheina
• **Ymarfer:** Caniatâd

Geirfa

archeb(ion)	*order(s)*		**cynghori**	*to advise*
croes(au)	*cross(es)*		**ffrwydro**	*to explode*
llwyaid (llwyeidiau)	*spoonful(s)*		**osgoi**	*to avoid*
Prydeinwraig	*gwraig o Brydain*		**pwyntio**	*to point*
ymdrech(ion)	*effort(s)*		**rhostio**	*to roast*
			sbio	*to look (Gogledd)*
bat(iau)	*bat(s)*		**syllu (ar)**	*to stare (at), to gaze (at)*
bom(iau)	*bomb(s)*		**tagu**	*to splutter; to choke*
catalog(au)	*catalogue(s)*			
ewyn	*foam*		**ymladd**	*to fight*
gostyngiad(au)	*reduction(s)*			
henaint	*old age*			
nerth	*strength*		**botwm bol**	*belly button*
Prydeiniwr (-wyr)	*pobl o Brydain*		**codi pwysau**	*weightlifting*
stordy (stordai)	*storehouse(s)*		**colli gafael (ar)**	*to lose hold (of)*
tennyn	*lead*		**chwant bwyd**	*food craving*
top(iau)	*top(s)*		**dan ei sang**	*full to the rafters*
			llyfr gosod	*set book*
ffodus	*fortunate*		**o dro i dro**	*from time to time*
genedigol	*native*		**syllu'n syn**	*to gaze in amazement*
prydlon	*punctual, prompt*		**ymhlith**	*amongst*

Geiriau pwysig i fi...

....

....

....

Siaradwch

Taflwch y dis bob yn ail. Rhaid i'r person sy'n taflu siarad am bwnc am **bum** munud. Rhaid i'r person sy ddim yn taflu ofyn cymaint â phosib o gwestiynau am y pwnc. Nid sgwrs, ond cyfweliad y tro yma! Peidiwch â siarad am yr un pwnc ddwywaith!

Dylech chi gael **dau** dro yr un.

1.	eich ardal enedigol	2.	diddordebau
3.	dyddiau ysgol a phlentyndod	4.	y teulu/ffrindiau nawr
5.	dysgu Cymraeg	6.	y dyfodol

Adolygu

hwn/hon/y rhain

Mae hwn yn llyfr da.	*This is a good book.*
Mae hwn yn llyfr anodd.	*This is a difficult book.*
Mae hwn yn llyfr hir.	*This is a long book.*
Mae hwn yn llyfr cyffrous.	*This is an exciting book.*
Mae hon yn ffilm dda.	*This is a good film.*
Mae hon yn ffilm ramantus.	*This is a romantic film.*
Mae hon yn ffilm ddoniol.	*This is an amusing film.*
Mae hon yn ffilm drist.	*This is a sad film.*
Mae'r rhain yn ddillad drud.	*These are expensive clothes.*
Mae'r rhain yn ddillad rhad.	*These are cheap clothes.*
Mae'r rhain yn ddillad ffasiynol.	*These are fashionable clothes.*
Mae'r rhain yn ddillad hen ffasiwn.	*These are old-fashioned clothes.*
Mae hwn yn llyfr da ond mae hwnna'n well.	*This is a good book but that one is better.*
Mae hon yn ysgol dda ond mae honna'n well.	*This is a good school but that one is better.*
Mae'r rhain yn dai mawr ond mae'r rheina'n fwy.	*These are big houses but those are bigger.*

Ymarfer

Gyda'ch partner, dewiswch ansoddair o'r blwch i ddisgrifio'r lluniau. Dilynwch y patrwm, e.e. Mae hwn yn adeilad agos, mae hwnna'n bell.

agos	hen	drud	anodd	tenau	hapus	newydd
rhad	hen	pell	ifanc	trist	tew	hawdd

Disgrifio pobl

Mae hwn yn hen.	*This one is old.*
Mae hwn yn ifanc.	*This one is young.*
Mae hwn yn gryf.	*This one is strong.*
Mae hwn yn foel.	*This one is bald.*
Mae hon yn gwisgo sbectol.	*This one is wearing glasses.*
Mae hon yn gwisgo sgarff.	*This one is wearing a scarf.*
Mae hon yn gwisgo jîns.	*This one is wearing jeans.*
Mae hon yn gwisgo siaced binc.	*This one is wearing a pink jacket.*

Disgrifiwch y bobl yn y llun. Pwyntiwch atyn nhw wrth siarad. Cofiwch y patrwm:
Mae gwallt byr gyda hwn./Mae gwallt hir gyda hon.

Sgwrs

Yn y siop chwaraeon.

Chris: Helô, <u>Jo</u>,

Jo: Helô, <u>Chris</u>. Do'n i ddim yn disgwyl cwrdd â ti mewn siop chwaraeon.

Chris: Wel, beth wyt ti'n (ei) feddwl o'r top yma?

Jo: Hm...wyt ti'n gwybod bod hwnna'n dangos dy fotwm bol di?

Chris: Mae hwn i fod i ddangos fy motwm bol i!

Jo: Beth wyt ti'n wneud i gadw'n heini, 'te?

Chris: Dw i wedi dechrau dosbarth <u>codi pwysau</u>! (zwmba/pilates)

Jo: <u>Codi pwysau</u> (zwmba/pilates)? Yn y <u>ganolfan hamdden</u> (campfa/canolfan chwaraeon)? Mae'n gofyn am dipyn o nerth!

Chris: Ydy, ond dw i'n edrych ymlaen! Mae caffi bendigedig yn y ganolfan hamdden (campfa/canolfan chwaraeon) hefyd – gyda <u>choffi cappuccino</u> a <u>chacennau gwych.</u>

Jo: Dw i wedi clywed bod hwnna'n lle da.

Chris: A beth amdanat ti? Pam rwyt ti yma?

Jo: Wel, dw i'n chwarae criced i dîm Bryncastell o dro i dro – a rhaid i fi brynu bat newydd. Mae hwn braidd yn drwm, ond gwnaiff e'r tro.

Chris: Pob hwyl i ti gyda'r criced!

Mae'n well gyda fi...

Dw i'n lico hwn ond mae'n well gyda fi hwnna.	*I like this one but I prefer that one.*
Dw i'n hoffi hon ond mae'n well gyda fi honna.	*I like this one but I prefer that one.*
Dw i ddim yn lico'r rhain – mae'n well gyda fi rheina.	*I don't like these - I prefer those.*

Edrychwch ar y lluniau gyda'ch partner a chymharwch ddwy sgert a siaced, dau drowsus, bag a chrys, a dau bâr o esgidiau. Defnyddiwch y patrwm **mae'n well gyda fi.**

A  B

A  B

Fideo – Caffi'r Egin

1. Beth maen nhw'n (ei) brynu? Pam?

....

....

2. Gyda'ch partner, cyfieithwch:

What about this one? (gwrywaidd)

....

That one's cheaper. (gwrywaidd)

....

This one's good. (benywaidd)

....

That one looks better. (benywaidd)

....

Can we have a piece of that one? (benywaidd)

....

Those are cheaper.

....

We'll have those.

....

We'll have these.

....

Nawr dych chi yn y caffi. Defnyddiwch y llun i benderfynu beth dych chi (ei) eisiau. Trafodwch gyda'ch partner pa gacen yw'r orau.

Eich tro chi i brynu a gwerthu'r cacennau.

Person A: Gofynnwch (e.e):   Faint yw hon?

Faint yw honna?

Gaf i ddwy o'r rhain ac un o'r rheina?

Person B: Penderfynwch chi ar y prisiau!

Ymarfer – Rhoi a gwrthod caniatâd

Gwrando

Rhowch 😊 neu 🙁 ar bwys pob rhif.

1.	2.	3.	4.	5.	6.	7.

Siaradwch

Mae ymarfer corff yn fwy pwysig na bwyta'n iach

Ysgrifennwch dair brawddeg o blaid ymarfer corff a thair brawddeg o blaid bwyta'n iach.

1. ....

2. ....

3. ....

1. ....

2. ....

3. ....

- Sut mae cael pobl i fwyta'n iach ac i wneud mwy o ymarfer corff?
- Ydy hi'n fwy anodd i bobl fwyta'n iach a chadw'n heini y dyddiau yma? Pam?
- Pryd roedd y tro diwetha i chi wneud ymarfer corff?
- Dych chi'n gwneud ymdrech i fwyta'n iach? Dych chi'n llwyddo fel arfer?
- Dych chi'n cytuno? Pam?
- Dych chi'n cytuno bod ymarfer corff yn fwy pwysig na bwyta'n iach? Pam?

Gwrando – Newyddion

1. Pam basai pethau'n waeth tasai'r tân wedi digwydd yn hwyrach?

....

2. Pam bydd hi'n bosib i'r rhan fwya o weithwyr Menig Menai aros yn yr ardal?

....

3. Beth ddylai'r Prydeinwyr sy'n byw yn Nigeria (ei) wneud?

....

4. Beth wnaeth Syr Melfyn Thomas i helpu'r iaith Gymraeg ym Mhorthcawl?

....

5. Faint roedd y wraig wedi (ei) ennill ar y loteri cyn neithiwr?

....

6. Pam na fydd Leigh Johnson yn cael chwarae rygbi dros y misoedd nesa?

....

7. Pam mae angen i bobl fod yn ofalus dros y penwythnos?

....

Darllen

Nawr dych chi'n gallu darllen *Gêm Beryglus* o gyfres Amdani. Dych chi'n gallu prynu'r llyfr yn eich siop Gymraeg leol neu ar www.gwales.com.

Dyma'r clawr a'r paragraffau cynta.

Corff ar y rhos

Aeth y lladd cynta yn dda. Yn berffaith, a dweud y gwir. Ro'n i'n gwybod y basai'n mynd yn iawn. Ro'n i wedi cynllunio'n dda. Ro'n i wedi trefnu a pharatoi – dyna'r pethau dw i'n eu gwneud yn dda. Nawr dw i'n gwybod 'mod i'n dda am ladd hefyd.

Am chwech o'r gloch y bore troais i'r car i'r chwith ar y ffordd tua Thalgarth. Mae tafarn ucha Bannau Brycheiniog yno. Tre farchnad fach sy'n boblogaidd gyda'r twristiaid yn yr haf ydy Talgarth. O gwmpas y dre mae'r wlad yn foel ac yn wyllt. Basai golygfeydd hardd o'r Mynydd Du yn nes ymlaen, wrth i'r haul godi, ond doedd dim diddordeb gyda fi yn hynny.

Robin Radio

a) Atebwch:

I ba dre mae Alejandro ac Anti Mair eisiau mynd?..

Pam mae Robin yn synnu? ....

Beth sy'n digwydd mewn pythefnos?..

b) Gwrandewch am:

Gwell i chi egluro!	*You had better explain!*
syllu'n syn	*to gaze in amazement*
colli gafael ar	*to lose hold of*

c) Cyfieithwch:

That's why I'm here. ....

It is a very romantic place. ....

Let me know. ....

Help llaw

1.   Pan fyddwn ni'n defnyddio enw, mae'n llawer haws defnyddio **yma** ac
     yna ar gyfer *this* a *that*:

this class	=	y dosbarth yma
that class	=	y dosbarth yna
this lesson	=	y wers yma
that lesson	=	y wers yna

2. a)   Wrth ddefnyddio *this* ar ei ben ei hun, mae'n rhaid cyfeirio at y peth dych chi'n
        siarad amdano.

   e.e.   *I don't like this (one).*
   >   Dw i ddim yn lico **hwn**.   (e.e. crys = gwrywaidd/*masculine*)
   >   Dw i ddim yn lico **hon**.   (e.e. sgert = benywaidd/*feminine*)

   b)   I ddweud *that*, mae'n rhaid cyfeirio at y peth dych chi'n siarad amdano eto.

   e.e.   *I like that.*
   crys   Dw i'n hoffi **hwnna**. (gwrywaidd)
   cot   Dw i'n hoffi **honna**. (benywaidd)

c) Y gair am *these* yw **y rhain**; *those* yw **y rheina**.

e.e.   *I don't like these.*   Dw i ddim yn lico**'r rhain**.
        I don't like those.   Dw i ddim yn lico**'r rheina**.

ch) Dych chi'n gallu dweud "Pwy yw hwnna/honna/y rheina?" os dych chi ddim yn gwybod pwy yw'r person neu'r bobl.

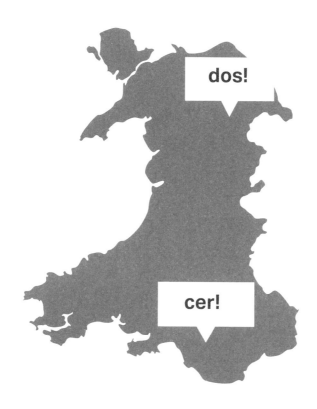

Uned 19 – Adolygu ac ymestyn

Nod yr uned hon yw...
• **Iaith:** Adolygu'r cwrs ac ymarfer
• **Ymarfer:** Trafod y dyfodol

Geirfa

Gwyddeles	merch o Iwerddon
arwr (-wyr)	hero(es)
barnwr (-wyr)	judge(s)
colur	make-up
copi (copïau)	copy (-ies)
cyffro	excitement
Gwyddel(od)	dyn (pobl) o Iwerddon
murlun(iau)	mural(s)
rhos(ydd)	heath(s), moor(s)
Rhufeiniaid	Romans
rhwystr(au)	obstacle(s)
trysor(au)	treasure(s)
ysbryd(ion)	ghost(s), spirit(s)

curo	to beat
effeithio (ar)	to affect
staffio	to staff
uno (â)	to unite (with)
efydd	bronze
ofnus	fearful; frightened
Prydeinig	British
ar hyd a lled	the length and breadth
ar osod	for rent
cael gwared ar	to get rid of
codi llaw (ar)	to wave (to)
dal ati	to keep at it, to persevere
yn ôl pob sôn	apparently

Geiriau pwysig i fi...

....

....

....

Gêm adolygu berfau

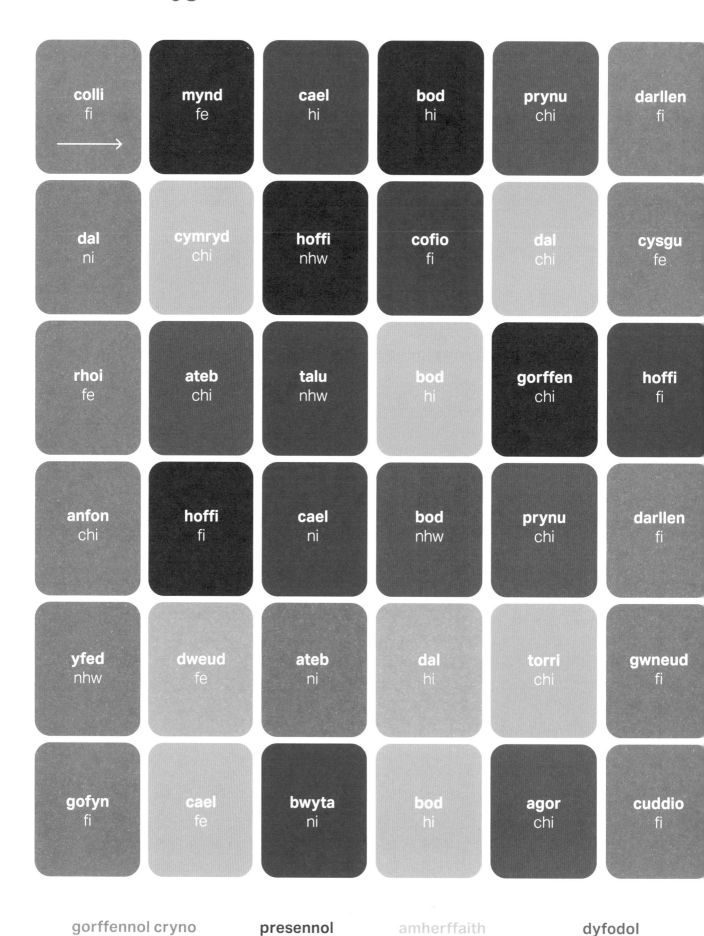

colli fi →	**mynd** fe	**cael** hi	**bod** hi	**prynu** chi	**darllen** fi
dal ni	**cymryd** chi	**hoffi** nhw	**cofio** fi	**dal** chi	**cysgu** fe
rhoi fe	**ateb** chi	**talu** nhw	**bod** hi	**gorffen** chi	**hoffi** fi
anfon chi	**hoffi** fi	**cael** ni	**bod** nhw	**prynu** chi	**darllen** fi
yfed nhw	**dweud** fe	**ateb** ni	**dal** hi	**torri** chi	**gwneud** fi
gofyn fi	**cael** fe	**bwyta** ni	**bod** hi	**agor** chi	**cuddio** fi

gorffennol cryno   **presennol**   amherffaith   **dyfodol**

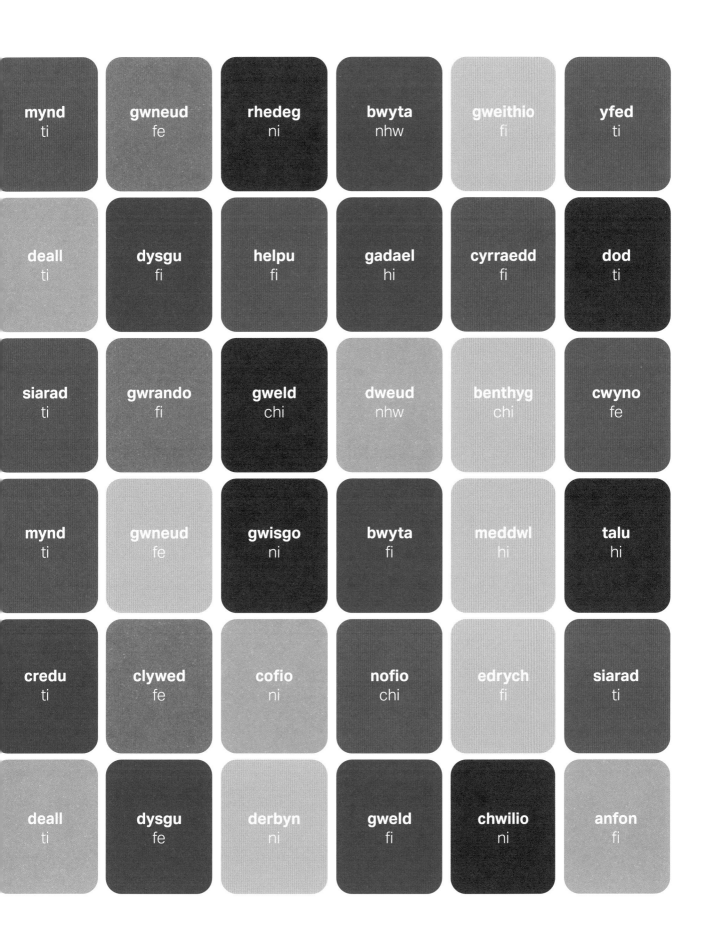

mynd ti	**gwneud** fe	**rhedeg** ni	**bwyta** nhw	**gweithio** fi	**yfed** ti
deall ti	**dysgu** fi	**helpu** fi	**gadael** hi	**cyrraedd** fi	**dod** ti
siarad ti	**gwrando** fi	**gweld** chi	**dweud** nhw	**benthyg** chi	**cwyno** fe
mynd ti	**gwneud** fe	**gwisgo** ni	**bwyta** fi	**meddwl** hi	**talu** hi
credu ti	**clywed** fe	**cofio** ni	**nofio** chi	**edrych** fi	**siarad** ti
deall ti	**dysgu** fe	**derbyn** ni	**gweld** fi	**chwilio** ni	**anfon** fi

amodol   eich dewis chi!

Adolygu – Gêm o Gardiau

	♠	♦	♣	♥
A	Fasech chi'n hoffi mynd i'r gofod?	Pa wlad sy yn y newyddion ar hyn o bryd?	Disgrifiwch eich ardal enedigol chi mewn dwy frawddeg.	Beth yw dyddiad dy ben-blwydd di?
2	Pa archfarchnad yw'r orau yn yr ardal? Pam? (Defnyddiwch **taw**.)	Pryd aethoch chi ar fws ddiwetha? I ble?	Ble byddwch chi'n mynd nesa i siarad Cymraeg?	Oes hoff elusen gyda chi? Pam?
3	Pam mae pobl yn defnyddio *Twitter*, *Facebook* ac ati?	Dych chi'n berson da am drefnu?	Disgrifiwch eich prif ddiddordeb mewn dwy frawddeg.	Ydy'r tywydd yn effeithio ar eich hwyliau chi? Sut?
4	Beth ddylech chi fod wedi (ei) wneud dros y penwythnos?	Disgrifiwch yr ardal ble dych chi'n byw nawr mewn dwy frawddeg.	Beth oedd y rhaglen deledu orau pan o'ch chi'n blentyn/yn ifanc? (Defnyddiwch **taw**.)	Dych chi'n rhoi pethau i siopau elusen?
5	Oes hoff amgueddfa neu oriel gyda chi? Pam?	I ble basech chi'n symud, tasai rhaid i chi symud ardal?	Dych chi'n hoffi defnyddio *Twitter*?	Beth ddylech chi (ei) wneud i wella eich Cymraeg chi?
6	Ble mae'r lle hardda yn yr ardal?	Pa un yw eich hoff ystafell chi yn y tŷ? Pam?	Dych chi wedi cael trafferth gyda thywydd gwael erioed?	Dych chi'n defnyddio trafnidiaeth gyhoeddus?
7	Disgrifiwch eich gwyliau diwetha chi mewn dwy frawddeg.	Beth fasech chi'n (ei) wneud tasech chi'n ennill y loteri?	Yn yr ardal yma, pa leoedd sy'n ddiddorol i dwristiaid? Pam?	Oes hoff anifail anwes gyda chi? Pam?
8	Pryd ro'ch chi ar draeth ddiwetha? Pa draeth oedd e?	Beth yw'r peth gorau am ddysgu Cymraeg?	Pa mor aml dych chi'n cerdded i'r dre/i'r gwaith/i'r dosbarth?	Disgrifiwch eich gwaith (diwethaf os dych chi wedi ymddeol) mewn dwy frawddeg.
9	Dych chi'n defnyddio *Facebook*?	Gyda phwy fasech chi'n hoffi cael pryd o fwyd arbennig? Pam?	Disgrifiwch aelod o'r teulu sy/oedd yn bwysig i chi mewn dwy frawddeg.	Beth fydd yn digwydd yn y dyfodol agos yn eich bywyd chi?
10	Dych chi'n meddwl bod cadw anifail anwes yn dda i bobl?	Disgrifiwch eich prif ddiddordeb chi pan o'ch chi'n blentyn mewn dwy frawddeg.	Beth brynoch chi ddiwetha fel anrheg i rywun?	Dych chi'n ceisio ailgylchu gwastraff?
Jac	Dych chi wedi trefnu digwyddiad erioed?	Dych chi'n bwyta llai o gig nag ro'ch chi ddeg mlynedd yn ôl?	Gyda phwy fasech chi'n hoffi cael sgwrs yn Gymraeg? Pam?	Pam dechreuoch chi ddod i ddosbarth Cymraeg?
Brenhines	Ble aethoch chi ar eich gwyliau diwetha chi, a sut aethoch chi?	Tasech chi'n cael mynd am bryd o fwyd i unrhyw le, i ble basech chi'n mynd?	Fasech chi'n dweud eich bod chi'n "berson gwyrdd"? Pam?/Pam lai?	Disgrifiwch ffrind da mewn dwy frawddeg.
Brenin	Tasech chi'n cael treulio penwythnos yn rhywle, i ble basech chi'n hoffi mynd?	Pryd aethoch chi ar drên ddiwetha? I ble?	Beth oedd yr anrheg ddiwetha gaethoch chi?	Dych chi'n ceisio prynu bwyd lleol?

Dyma Robin Radio!

Dych chi wedi bod yn gwrando ar ei lais e ers blynyddoedd – felly nawr dyma gyfle i chi roi wyneb i'r llais. Dyma Gwyn Elfyn sy'n actio Robin ers dechrau'r cwrs Mynediad.

O ble rwyt ti'n dod yn wreiddiol?

Ces i fy ngeni ym Mangor ond symudais i i Drefach yng Nghwm Gwendraeth yn wyth oed a dw i'n dal i fyw yn y cwm. Es i i Ysgol Gynradd Drefach ac Ysgol Ramadeg y Gwendraeth, ac yna i'r brifysgol yn Aberystwyth.

Ble dechreuodd dy ddiddordeb di mewn actio?
Yn yr ysgol – cymryd rhan mewn dramâu ac yn nramâu'r capel hefyd.

Beth wyt ti'n feddwl o Robin Radio fel person?
Tipyn o gymeriad, sengl a hapus!

Dy hoff beth a dy gas beth?

Hoff beth – bod yng nghwmni teulu a ffrindiau.
Cas beth – Cymry sy'n gwneud drwg i'w gwlad nhw a'u hiaith nhw.

Beth wyt ti'n mwynhau (ei) wneud yn dy amser hamdden?

Gwylio rygbi a phêl-droed.

Beth yw'r peth mwya doniol sy wedi digwydd i ti?

Roedd criw pêl-droed Pobol y Cwm ar daith yn Waterford, Iwerddon ac wedi cael *vase* wydr ddrud o Waterford Crystal yn anrheg gan y Gwyddelod. Es i ma's o'r ystafell i wneud galwad ffôn, a phan ddes i'n ôl, roedd y bechgyn yn taflu'r bocs oedd yn cynnwys yr anrheg o un i'r llall. Roedd rhaid i fi geisio eu stopio nhw!

Gollyngwyd y bocs wrth gwrs a chlywyd sŵn gwydr yn torri. Fi oedd y capten ac ro'n i'n teimlo'n gyfrifol am yr anrheg. Ond pan agorais i'r bocs, roedd y bechgyn wedi newid y *vase* am ddwy botel fach o Lucozade!

Pa un yw dy hoff gân di?

'Y Cwm' - Huw Chiswell.

Ble mae dy hoff le di yn y byd?

De Ffrainc.

Taset ti'n cael pryd o fwyd gydag unrhyw un (byw neu farw), pwy fasai fe/ hi a pham?

George Best, am ei fod e'n gymaint o arwr i mi wrth i mi dyfu i fyny.

Oes unrhyw neges gyda ti i ddysgwyr y Gymraeg?

Daliwch ati!

Nawr atebwch **chi'r** cwestiynau sy mewn print trwm.

Gwylio – Y Dyfodol

Gwrandewch ar y bobl yma'n trafod y dyfodol.

Mae saith person yn sôn am bedwar peth. Beth yw'r pedwar pwnc?

1. ....
2. ....
3. ....
4. ....

Rhowch y pynciau yn eu trefn o ran pwysigrwydd i **chi**.

Trafodwch gyda'ch partner – beth dych chi'n gobeithio fydd yn digwydd yn y dyfodol – yn yr ardal, yng Nghymru, yn y byd?

Geirfa

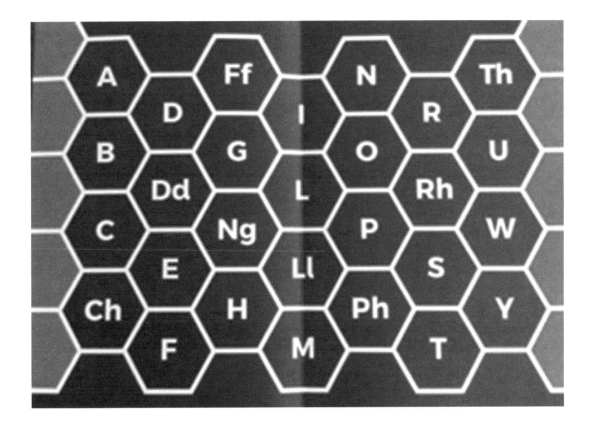

Darllen
Chwedl o Gymru - Mantell Aur yr Wyddgrug

Amser maith yn ôl, roedd bryn ger yr Wyddgrug o'r enw Bryn yr Ellyllon (*ghouls*). Roedd llawer o bobl yn credu bod ysbrydion yn byw yn yr ardal ac yn osgoi cerdded heibio'r bryn.

Unwaith, yn ôl pob sôn, gwelodd merch o'r enw Nansi ddyn enfawr yn sefyll ar ben y bryn. Roedd e'n gwisgo mantell aur. Ond yn sydyn, diflannodd y cawr. Doedd neb yn credu Nansi, wrth gwrs.

Wedyn, yn 1830 roedd hen wraig yn cerdded heibio Bryn yr Ellyllon, yn y nos. Roedd hi wedi clywed storïau ysbrydion am yr ardal ond doedd hi ddim yn teimlo'n ofnus achos roedd hi'n cerdded yma yn aml yn y dydd.

Yn sydyn, gwelodd hi berson ifanc yn croesi'r ffordd. Roedd y person ifanc yn gwisgo mantell aur. Cerddodd y person ifanc i mewn i'r bryn a diflannu!

Yn 1833, penderfynodd cyngor y dre farchnad brysur fod rhaid gwneud y ffordd i mewn i'r dref yn fwy. Roedd gweithwyr yn gweithio ger Bryn yr Ellyllon. Un diwrnod, ffeindion nhw fedd yn y bryn, ac yn y bedd roedd sgerbwd a mantell aur hardd.

I ddechrau, roedd pobl yn meddwl bod y fantell yn dod o gyfnod y Rhufeiniaid ac felly roedden nhw'n credu bod y bedd yn perthyn i Benlli Gawr, brenin lleol o'r cyfnod. Mae mynydd yn ardal yr Wyddgrug o'r enw Moel Fenlli wedi ei enwi ar ei ôl e.

Mae hen blac o flaen y tŷ sy ar y safle yn dweud y stori yma yn Saesneg.

Erbyn hyn, mae archaeolegwyr yn gwybod bod y fantell yn hen iawn – o'r Oes Efydd, tua 3,700 mlynedd yn ôl. Maen nhw'n credu taw merch oedd yn arfer gwisgo'r fantell achos ei bod hi'n rhy fach i ddyn. Mantell ar gyfer seremoni fasai hon, achos ei bod hi mor hardd.

Ym mis Ionawr 2017, roedd llun y fantell aur mewn cyfres o stampiau yn dangos prif drysorau hynafol Prydain.

Mae'r fantell yn arbennig iawn. Does dim un debyg yn Ewrop ac felly mae hi yn yr Amgueddfa Brydeinig yn Llundain nawr. Os dych chi'n sefyll tu ôl i'r fantell mae'n bosib edrych fel tasech chi'n ei gwisgo hi!

Mae copi yn llyfrgell yr Wyddgrug, ac yn y dre mae'n hawdd gweld taw dyma gartref y Fantell Aur – mae arwydd ar y ffordd i mewn i'r dre, a murlun a thafarn yn y dre.

Ond mae llawer o bobl yn meddwl bod angen i'r fantell ddod adre i Gymru – i'r Amgueddfa Genedlaethol yng Nghaerdydd, efallai. Dyma 'Elgin Marbles' Cymru – beth dych chi'n ei feddwl?

1. Beth yw'r geiriau Saesneg yma yn Gymraeg?

cloak	*huge*	*disappear*	*giant*
skeleton	*archaeologists*	*ancient*	

2. Rhowch y lluniau yn eu trefn ar ôl darllen y stori.

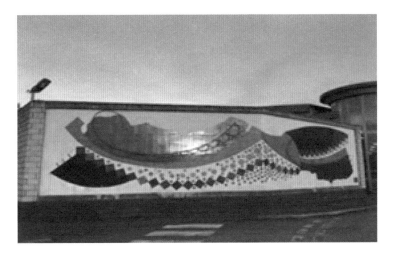

1. Gosodwch y digwyddiadau yn y drefn gywir.

Ffeindion nhw fedd.	
Cerddodd y person i mewn i'r mynydd.	
Roedd sgerbwd a mantell aur yn y bedd.	
Roedd hen wraig yn cerdded ar ffordd ger Bryn yr Ellyllon.	
Heddiw, mae'r fantell aur yn yr Amgueddfa Brydeinig.	
Roedd gweithwyr yn gweithio ger Bryn yr Ellyllon.	
Gwelodd Nansi rywun yn croesi'r ffordd.	

Gêm y bylchau

1	2	3	4	5	6
7	8	9	10	11	12
13	14	15	16	17	18
19	20	21	22	23	24

Gwrando

Atebwch y cwestiynau.

1. Pam dewisodd Anwen wneud y diploma yn Llundain?

....

2. Rhowch ddau reswm pam daeth Anwen yn ôl i Gymru.

....

3. Pam roedd y swydd gyda'r cwmni teledu'n gyfleus i Anwen?

....

4. Beth sy'n profi bod Anwen yn mwynhau bod yn athrawes?

....

****

5. Sut roedd aelodau'r côr yn nabod Anwen, cyn iddi hi ddod yn arweinydd?

....

6. Sut mae'r côr yn paratoi'n arbennig i ganu yn yr Eisteddfod?

....

7. Pwy sy'n perthyn i Anwen yn Awstralia?

....

8. Beth fydd ddim ar y rhaglen deledu am daith y côr?

....

9. Mae Anwen yn dweud ei bod hi'n arweinydd 'côr cymysg'. Sut mae dweud:

male voice choir ....

ladies' choir ....

children's choir ....

Gêm Amdani

Cofiwch eich bod chi'n gallu prynu'r llyfrau yma o'ch siop Gymraeg leol neu ar www.gwales.com. Neu, beth am alw yn eich llyfrgell leol?

Robin Radio

a) Atebwch:
Ble bydd Anti Mair dydd Nadolig nesa? ....

Ble bydd hi mis Awst nesa? ....

Ble bydd Anti Mair ac Alejandro yn byw? ....

b) Gwrandewch am:
ar osod	*for rent*
Wnei di fod yn was priodas?	*Will you be best man?*
codi llaw	*to wave*

c) Cyfieithwch:
coming and going ....

It's my son who farms there. ....

On with the show... ....

tyrd!

dere!

Arholiad Canolradd

Nod yr uned hon yw...

Deall beth yw Arholiad Canolradd

Geirfa

anfantais (anfanteision)	disadvantage(s)	beiciwr (-wyr)	cyclist(s)
esiampl(au)	example(s)	cadeirydd(ion)	chairperson(s)
gymnasteg	gymnastics	cefndir(oedd)	background(s)
mantais (manteision)	advantage(s)	cwr (cyrion)	edge(s), fringe(s)
		cyfwelydd (-wyr)	interviewer(s)
proses(au)	process(es)	cyhuddiad(au)	charge(s), accusation(s)
syrcas(au)	circus(es)		
system(au)	system(s)	gwall(au)	error(s)
		gwraidd (gwreiddiau)	root(s)
		gwrandäwr (gwrandawyr)	listener(s)
arwain	to lead	project(au)	project(s)
cadarnhau	to confirm	protestiwr (-wyr)	protestor(s)
cyffroi	to excite	sbardun(au)	spur(s)
gwasanaethu	to serve	syrpréis(ys)	surprise(s)
penodi	to appoint	ysgrifennydd (ysgrifenyddion)	secretary (-ies)
pwysleisio	to emphasise		

a bod yn onest	to be honest	deniadol	attractive
ar gyhuddiad o	accused of	economaidd	economic; economical
ar gyrion	on the outskirts of		
fesul un	one by one	teg	fair
pwyntiau bwled	bullet points		

Geiriau pwysig i fi.

....

....

Dych chi wedi bod yn ymarfer gwaith arholiad ers i chi ddechrau'r lefel yma. Ond dyma gyfle i chi weld beth fydd angen i chi ei wneud os dych chi'n penderfynu sefyll yr arholiad.

Tasg arbennig – Sgwrs 5 munud (15% o'r marciau)

Cyn diwedd mis Ebrill, bydd angen i chi gael sgwrs yn Gymraeg gyda rhywun rhugl (nid eich tiwtor) am unrhyw beth. Rhaid i chi recordio'r sgwrs. Rhaid i chi sgwrsio am bum munud – ac mae'n bwysig iawn taw chi sy'n **arwain** y sgwrs ac yn siarad cymaint â'r person arall. Gwrandewch ar beth mae'r person arall yn ei ddweud a gofynnwch gwestiynau sy'n gwneud synnwyr. Peidiwch â sgriptio na pharatoi gormod – mae eisiau sgwrs mor naturiol â phosib.

I ymarfer, ffeindiwch bartner. Penderfynwch pwy yw A a phwy yw B.
Person A: Gofynnwch i berson B am beth fasai'n hoffi siarad, e.e. diddordeb arbennig / gwyliau arbennig / y gwaith / y teulu.

Rhaid i A holi B. Bydd y tiwtor yn canu cloch pan mae'r 5 munud wedi dod i ben. Dechreuwch fel hyn:

"Helô, ... dw i. Dw i'n siarad â .... Dw i'n nabod .... achos .... Heddiw, 'dyn ni'n mynd i siarad am ....

Pan mae'r tiwtor yn dweud "Stopiwch!", gorffennwch y sgwrs drwy ddweud "Diolch yn fawr, ..., am y sgwrs".

Wedyn rhaid i B holi A.

Bydd popeth arall yn digwydd ar un diwrnod ym mis Mehefin.
Byddwch chi'n dechrau yn y bore.

1. Darllen a deall, a Llenwi bylchau (15% o'r marciau)

Dych chi wedi bod yn ymarfer y tasgau yma ers dechrau'r cwrs. Ond dyma enghraifft o beth fydd angen i chi ei wneud mewn un awr (60 munud):

Rhan 1 - Erthygl (5%)

Darllenwch y darn isod. Yna, atebwch y cwestiynau yn Gymraeg, yn eich geiriau eich hun lle bydd hynny'n bosibl.

Diwedd y siop leol

Yfory, bydd unig siop leol tref Aberwylan yn cau ei drysau am y tro ola. Mae Iestyn Huws – siopwr a pherchennog 'Siop y Gornel' Aberwylan – wedi penderfynu cau'r siop ar ôl dros 50 mlynedd o wasanaethu'r ardal. Yn ôl Iestyn, mae'n anodd iawn iddo gystadlu yn erbyn archfarchnad fawr Troffco a agorodd ar gyrion y dre ddwy flynedd yn ôl. Dim ond y dafarn sy ar ôl erbyn hyn.

'Pan agorais i Siop y Gornel,' meddai Iestyn, 'roedd pump neu chwech o siopau eraill yn y dre – cigydd, siop fara, siop gwerthu pysgod, ac yn y blaen. Ar ben hynny, roedd pob siop fel canolfan gymdeithasol fach. Roedd pob siopwr yn nabod y cwsmeriaid i gyd yn bersonol ac yn fodlon treulio amser yn siarad â nhw. Dych chi ddim yn gallu gwneud hynny yn yr archfarchnad.'

Roedd Iestyn yn cytuno bod costau parcio yng nghanol Aberwylan wedi bod yn broblem fawr yn ddiweddar ac roedd yn well gan lawer o bobl yrru i Troffco lle roedd digon o leoedd parcio am ddim.

'Maen nhw'n hoffi'r ffaith eu bod nhw'n gallu prynu popeth yn yr un lle – bwyd, dillad, petrol ac alcohol. Doeddwn i byth yn agor Siop y Gornel ar ddydd Sul ond mae Troffco ar agor drwy'r wythnos wrth gwrs.'

Yn ddiweddar, mae Troffco wedi dechrau gwasanaeth lle mae'r cwsmeriaid yn gallu siopa ar y we. Mae Troffco'n fodlon mynd â phopeth i gartrefi eu cwsmeriaid ar amser maen nhw'n ei ddewis.

'Roedd hen fan Mini gyda fi,' meddai Iestyn, 'ond dim ond ar brynhawn Sadwrn roeddwn i'n gallu mynd â bwyd i gartrefi pobl. Roedd llawer o hen bobl Aberwylan yn hoff iawn o'r gwasanaeth yma ac yn dibynnu arno. Y dyddiau yma, mae'n well gan bobl system 24 awr a doeddwn i ddim yn gallu cynnig hynny iddyn nhw.'

Felly, mae cyfnod wedi dod i ben yn Aberwylan, a bydd y stryd fawr yn llai diddorol a deniadol o achos hynny.

**

Nodwch sut mae pethau'n wahanol yn y ddwy siop, gan gyfeirio at yr isod. Cofiwch sôn am sut mae pethau yn Siop y Gornel, a sut mae pethau yn archfarchnad Troffco. Byddwch chi'n colli marciau am gynnwys ffeithiau amherthnasol (*irrelevant*).

e.e. **Lleoliad**

Mae Siop y Gornel yng nghanol Aberwylan, ond mae archfarchnad Troffco tu allan i'r dre.

1. Ers faint o amser maen nhw yn Aberwylan.

_____

_____

2. Nabod y cwsmeriaid.

_____

_____

3. Parcio.

_____

_____

4. Pa ddiwrnodau maen nhw ar agor.

_____

_____

5. Y gwasanaeth dosbarthu *(delivery)*.

_____

_____

Rhan 2 – Negeseuon Ebost [5%]

Oddi wrth: Llew Prys

At: Cwmni Syrcas Pen Mawr

Testun: Syrcas Aberheli 28 Mai

_____

Annwyl Gyfaill,

Des i a'r teulu i'ch syrcas yn Aberheli nos Wener 28 Mai. Roedd y plant wedi bod yn edrych ymlaen yn fawr ar ôl gweld eich posteri lliwgar ym mhob man ac roedd fy rhieni wedi'u cyffroi hefyd achos dyma'r tro cynta iddyn nhw fod mewn syrcas ers dros chwe deg mlynedd.

Rhaid i mi ddweud bod yr acrobats yn ardderchog a bod y clowns yn ddoniol iawn, ond ar y cyfan roedd hi'n noson siomedig am sawl rheswm. I ddechrau, roedd eich posteri chi yn Gymraeg, ond chlywon ni ddim gair o Gymraeg yn ystod y sioe. Hefyd, dydy fy nhad i ddim yn cerdded yn dda, ond roedd ein seddi ni'n uchel yng nghefn y babell. Doedd dim help ar gael o gwbl i bobl anabl. Ond y siom fwya oedd bod dim anifeiliaid yn y sioe o gwbl. Roedd pob math o anifeiliaid – mwncïod, eliffantod, teigrod ac ati – ar eich posteri: dyna'r prif reswm pam daethon ni i'r sioe.

Dw i ddim yn teimlo eich bod chi wedi hysbysebu'r noson yn deg, felly dw i'n meddwl dylen ni gael ein harian yn ôl.

Yn gywir,

Llew Prys

Oddi wrth: Cwmni Syrcas Pen Mawr

At: Llew Prys

Testun: Syrcas Aberheli 28 Mai

Annwyl Mr. Prys,

Diolch am eich neges. Ga' i ymateb i'ch pwyntiau chi fesul un:

a) Mae ein sioe ni'n ddwyieithog fel arfer, ond mae'r acrobat sy'n siarad Cymraeg wedi torri ei goes a'r clown sy'n siarad Cymraeg wedi torri ei drwyn mewn damwain anffodus. Fyddan nhw ddim yn medru perfformio eto am rai misoedd.

b) Tasech chi wedi dweud wrthon ni fod eich tad yn anabl pan wnaethoch chi brynu'r tocynnau, mi fasen ni wedi rhoi seddi i chi wrth y drws.

c) Mae anifeiliaid gynnon ni fel arfer, ond yn ddiweddar, mae rhai pobl wedi bod yn protestio am y ffordd mae anifeiliaid syrcas yn cael eu trin. Dw i'n gwybod bod anifeiliaid ein syrcas ni'n hapus wrth deithio o le i le ac wrth berfformio yn y babell. Tasai gynnon ni anifeiliaid efo ni yn Aberheli, roeddwn i'n poeni efallai basai protestwyr yn achosi problemau i ni. Beth tasen nhw'n tynnu'r babell i lawr yn y nos, neu'n gadael yr anifeiliaid allan? Doedden ni ddim eisiau cymryd y risg. Fe weloch chi acrobats ardderchog a chlowns doniol, felly dw i'n teimlo eich bod chi wedi cael gwerth eich arian.

Yn gywir,

Coco Goch

Syrcas Pen Mawr

Nodwch yr ateb mwya priodol (*appropriate*) o'r brawddegau isod drwy roi llythyren yn y blwch.

1. Pam roedd rhieni Llew'n edrych ymlaen at fynd i'r syrcas?

a. Roedden nhw eisiau mwynhau noson efo'r wyrion.

b. Roedden nhw'n arfer gweithio mewn syrcas.

c. Doedden nhw ddim wedi bod mewn syrcas ers blynyddoedd.

ch. Roedd yr acrobats mor gyffrous.

d. Doedden nhw ddim wedi bod mewn syrcas o'r blaen.

2. Ble roedd hi'n bosib gweld neu glywed y mwya o Gymraeg?

a. Gan y clowns.

b. Ar y posteri.

c. Gan y protestwyr.

ch. Yn y swyddfa docynnau.

d. Dydy'r syrcas byth yn defnyddio'r Gymraeg.

3. Pam mae Llew eisiau arian yn ôl?

a. Doedd y posteri ddim yn dweud y gwir.

b. Doedd dim lle i eistedd.

c. Roedd y tocynnau'n rhy ddrud.

ch. Wnaeth yr anifeiliaid ddim perfformio'n dda.

d. Roedd y babell yn beryglus.

4. Pam doedd tad Llew ddim yn eistedd wrth y drws?

a. Doedd o ddim eisiau eistedd ar ei ben ei hun.

b. Roedd hi'n rhy oer.

c. Roedd damwain wedi digwydd yno.

ch. Roedd y protestwyr yno.

d. Doedd pobl y syrcas ddim yn gwybod ei fod o'n anabl.

5. Mae Coco Goch yn dweud ei fod o'n hollol siŵr...

a. bod y clowns yn mynd i siarad Cymraeg yn y sioe nesa.

b. bod protestwyr yn mynd i achosi trafferth yn Aberheli.

c. bod ei anifeiliaid yn mwynhau bywyd y syrcas.

ch. bod y posteri'n dweud y gwir.

d. bod pawb arall yn hapus efo'r sioe yn Aberheli ar 28 Mai.

Rhan 3 – Llenwi bylchau [5%]

Llenwch y bylchau yn y darn yma gan ddefnyddio'r geiriau mewn cromfachau (*brackets*) lle bydd yn briodol (*appropriate*).

Papur Newyddion Ysgol Aberheli

Roedd hi'n braf gweld Miss Nia Price yn ôl yn y gwaith yng _____ (cegin) yr ysgol, ar ôl bod yn yr ysbyty am _____ (3) wythnos. Mae Nia eisiau diolch i bawb, ac yn diolch am y cerdyn gafodd hi oddi _____ y plant.

Bydd Mrs Mari Probert yn ein gadael ni ar ddiwedd y tymor, achos ei bod hi'n ymddeol ar ôl dau ddeg pum _____ (blwyddyn) o wasanaeth i'r ysgol. Pob hwyl _____ (i) hi ar ei hymddeoliad.

Mis Rhagfyr oedd un o fisoedd _____ prysur y flwyddyn i gôr yr ysgol. _____ (canu) y plant mewn pedwar cyngerdd Nadolig gwahanol! _____ (cael) nhw syrpréis yng Nghartref Henoed Hafod Deg, achos bod camerâu teledu o'r rhaglen *Heno* yno, i ffilmio Mrs Carol Jones. Roedd hi'n dathlu _____ phen-blwydd hi yn gant oed y diwrnod hwnnw. Doedd hi ddim yn gwybod _____ y criw ffilmio'n dod i'r cartref, felly roedd hi'n noson arbennig iawn.

Gwnaeth tri o blant Blwyddyn 5 yn dda iawn yn rownd gyntaf y gystadleuaeth 'Coginio i Ysgolion'. Byddan nhw'n mynd i'r _____ (2) rownd y mis nesa, ac yn cystadlu yn erbyn plant o bob rhan o _____ (Cymru). Bydd rhaid iddyn nhw goginio pryd o _____ i bedwar person a gwneud hynny mewn llai _____ dwy awr. Pob lwc.

Daeth y chwaraewr rygbi, Martyn Thomas, i'r ysgol i siarad _____ 'r plant am fwyta'n iach ac am _____ 'n heini. Roedd llawer o storïau gyda fe am ei amser yn chwarae i dîm Cymru hefyd, ac roedd y plant a'r _____ (athro) i gyd wedi mwynhau. Roedd Martyn yn arfer bod yn ddisgybl _____ Ysgol Aberheli.

Enillodd Gareth Tomos Blwyddyn 6 gystadleuaeth gymnasteg fawr yng Nghaerdydd. Gareth oedd y _____ (da) allan o 30 o fechgyn yn y gystadleuaeth. Mae Gareth a'i frawd Tomos yn gwneud yn dda iawn ym maes gymnasteg, a bydd y ddau _____ (o) nhw'n cystadlu dros Gymru yn yr haf.

2. Y papur Ysgrifennu (15% o'r marciau)

Yn yr arholiad mae angen ysgrifennu llythyr. Bydd dewis o bedwar pwnc.

Mae pob llythyr yn Gymraeg yn dechrau gyda'r gair **Annwyl**… ac yna mae'n dibynnu ar y pwnc. Yn aml byddwch chi'n gweld **Annwyl gyfaill** … sy'n fwy ffurfiol na'r cyfieithiad *Dear friend*… Mae hwn yn ddechrau addas i unrhyw lythyr at rywun pan dych chi ddim yn gwybod ei (h)enw. Y ffordd orau i orffen llythyr fel hwn yw gyda **Yn gywir** (*Yours sincerely*).
Os dych chi'n ysgrifennu at aelod o'r teulu, ffrind neu rywun dych chi'n ei nabod yn eitha da, rhowch yr enw wrth gwrs, e.e., **Annwyl Gareth**, a gorffennwch gyda **Cofion gorau**.

Cofiwch eich bod chi'n ysgrifennu **at** berson bob amser, felly rhaid i chi gofio :

Diolch am ysgrifennu **ata i/aton ni**.

Dw i'n ysgrifennu **atat ti/atoch chi**.

Ysgrifennais i **ato fe/ati hi/atyn nhw**.

Mae awr a chwarter/75 munud i wneud 2 beth: ysgrifennu llythyr a llenwi ffurflen:

Os dych chi'n gallu, trïwch ysgrifennu'r ddwy dasg mewn tua 75 munud pan dych chi'n gwneud eich gwaith cartref.

1. Ysgrifennu llythyr (7%)
Ysgrifennwch un o'r llythyrau yma (tua 100 o eiriau).
Naill ai *(Either):*

1. Ysgrifennwch ateb i'r llythyr yma:
Swyddfa'r Cyngor Cymuned
Llanaber
Annwyl Bobl Llanaber,
Yng nghyfarfod diwetha'r Cyngor, clywon ni fod swm mawr o arian wedi cael ei adael i'r pentre gan rywun oedd yn arfer byw yn yr ardal. Rhaid i ni wario'r arian ar brojectau fydd yn cadw plant a phobl ifanc yr ardal yn hapus ac yn brysur. Wnewch chi ysgrifennu aton ni gyda'ch syniadau?
Diolch yn fawr,
Sioned Llwyd (Cadeirydd)

neu:

2. Mae rhywun o'ch teulu chi wedi cael gofal da yn yr ysbyty yn ddiweddar. Ysgrifennwch at y staff i ddiolch iddyn nhw.

neu:

3. Mae eich cwmni chi'n mynd i agor swyddfa newydd mewn gwlad arall. Ysgrifennwch at eich pennaeth yn gofyn am gael mynd yno am chwe mis.

neu:

4. Chi ydy ysgrifennydd y clwb pêl-droed lleol. Ysgrifennwch lythyr i drefnu gêm â chlwb mewn ardal arall, gan esbonio'r trefniadau.

2. Llenwi ffurflen (8%)

Mae rhaglen newydd ar S4C o'r enw *Help Llaw*. Yn y rhaglen, maen nhw'n siarad am bobl sy wedi helpu pobl eraill yn yr ardal. Dych chi'n nabod rhywun addas? Fasech chi'n barod i enwebu (*nominate*) y person yma?

i. Eich cyfeiriad ebost **chi:** _____

ii. Enw'r person y basech chi'n hoffi ei enwebu: _____

iii. Sut dych chi'n nabod y person yma? (tua 50 gair)

_____
_____
_____
_____
_____
_____
_____
_____

iv. Disgrifiwch y person yma, e.e. cefndir, teulu, gwaith, diddordebau. (tua 50 gair)

_____
_____
_____
_____
_____
_____
_____
_____

v. Disgrifiwch **ddau** beth y mae'r person wedi eu gwneud i helpu pobl eraill yn yr ardal. (tua 50 gair)

_____

_____

_____

_____

_____

_____

_____

_____

3. Gwrando (15% o'r marciau)

Hyd y prawf yw tua 40 munud.

Mae dwy ran i'r prawf:
Mae dwy dasg: Yn gyntaf, mae eitem sgwrs o raglen radio. Dych chi wedi bod yn ymarfer y rhain yn y dosbarth.
Dyma beth sy ar y papur:

1. Deialog (8%)
• Dych chi'n mynd i wrando ar ddeialog. Yn gyntaf, cewch chi 1 funud i edrych ar y cwestiynau.

• Yna, byddwch chi'n clywed y ddeialog i gyd ac yn cael 2 funud i ysgrifennu.

• Yr ail dro, byddwch chi'n cael toriad o 1 funud yn y canol ac 1 funud ar y diwedd.

• Y trydydd tro, byddwch chi'n clywed y ddeialog i gyd eto ac yn cael 2 funud i ysgrifennu.

• Dylech chi ateb y cwestiynau yn Gymraeg. Does dim rhaid ysgrifennu brawddegau llawn.

• Fyddwch chi ddim yn colli marciau am wallau iaith neu sillafu.

1.   Sut mae'r tywydd wedi bod yng Nghymru yn ddiweddar?

....

2.   Beth oedd yn poeni Endaf a'i wraig am eu hen swyddi?

....

3.   Beth ydy cysylltiad plant Endaf â Chaerdydd a Bangor?

....

4.   Sut roedd ei wraig wedi defnyddio ei Sbaeneg, wrth brynu tŷ yn Sbaen?

....

****

5.   Pam mae tai'n rhatach yn yr ardal lle mae Endaf yn byw?

....

6.   Pam does dim angen car arnyn nhw erbyn hyn?

....

7.   Pam mae hi'n anodd i Endaf gymysgu â'r bobl leol?

....

8.   Pam bydd hi'n fwy anodd iddyn nhw yn Malaga o dymor yr hydref ymlaen?

....

Yna, mae **bwletin Newyddion**. Dych chi wedi bod yn ymarfer y rhain yn y dosbarth hefyd. Gwrandewch ar y tiwtor yn dweud y brawddegau a dwedwch nhw yn uchel fel cyflwynydd rhaglen newyddion:

Mae newyddion yn dod i law am ddamwain ar yr M4.
Mae newyddion yn ein cyrraedd ni am ddamwain ar yr A55.
Credir bod storm ar y ffordd.
Mae'n debyg bod streic awyrennau yr wythnos nesaf.
Roedd damwain ddifrifol mewn ffatri yn Abertawe y bore 'ma.
Newyddion tramor nesa...
Mae llifogydd wedi achosi problemau yn ardal Pontypridd.
Daethpwyd o hyd i gar yn yr afon.
Digwyddodd y ddamwain yn gynnar y bore 'ma.
Does neb wedi cael ei ladd.
Anafwyd naw o bobl yn y ddamwain.
Aethpwyd â saith o blant i'r ysbyty.
Daw rhagor o newyddion yn ystod y dydd.
Dywedodd llefarydd ar ran y cwmni bydd y ffatri'n cau ar ddiwedd y flwyddyn.
Mae llawer o bobl yn dioddef o feirws.
Mae'r heddlu'n rhybuddio bod lladron yn yr ardal.
Mae'r ffatri'n cau achos y problemau economaidd yn y wlad.
Cafodd dau leidr eu harestio y tu allan i'r banc.
Cafwyd y lladron yn euog gan Lys y Goron.
Mae lefelau diweithdra'n codi ar draws Cymru.
Daeth y tîm achub o hyd i gwch.
Mae pawb yn fyw ac yn iach ar ôl y ddamwain ar y mynydd.
Doedd y cerddwyr ddim yn gwisgo esgidiau addas.
Penodwyd cadeirydd newydd am ddwy flynedd.
Bydd dau ddyn yn ymddangos o flaen y llys yn y bore.
Maen nhw yn y llys ar gyhuddiad o ddwyn pum mil o bunnau.
Bu farw'r actor John Jones yn ei gartref.
Mae hi'n gadael gŵr a dau o blant.
Gêm gyfartal oedd hi rhwng Caerdydd ac Abertawe neithiwr.
Enillodd Wrecsam o dair gôl i ddwy.
Enillodd Casnewydd o ddwy gôl i un.
Roedd hi'n ddi-sgôr ar yr egwyl.
A'r tywydd i gloi...
Mae rhybudd o storm dros nos.
Disgwylir tywydd gwlypach dros y penwythnos.
Bydd tywydd sefydlog dros y penwythnos.
Bydd hi'n braf ledled Cymru.

Geirfa

Dyma lawer o eiriau sy'n codi yn y newyddion i gyd mewn un lle i chi. Maen nhw i gyd yn y cwrs ond defnyddiwch y rhestr yma i'ch helpu chi i baratoi i wrando ar y Bwletin Newyddion.

Cyffredinol	General
adroddiad	report
arolwg	survey
ar ran	on behalf of
arweinydd	leader
bu farw	died
bwriadu	to intend
canrif	century
claf	a patient
cleifion	patients
cyfle	chance, opportunity
cyfrifol	responsible
cynghori	to advise
cyhoeddi	to announce, to publish
cynllun	plan
cynnal	to hold (e.e. streic, protest)
cynnig	an offer
cysylltiad	connection
datblygu	to develop
degau	tens
dianc	to escape
diflannu	to disappear
digwyddiad	incident, event
dioddef	to suffer
disgwyl	to expect
dod i ben	to come to an end
dod i law	coming in
er gwaethaf	despite
galw am	to call for
i gloi	to finish
maes	field
llefarydd	spokesperson
llwyddiannus	successful
o hyn ymlaen	from now on
oherwydd	because
para/parhau	to continue
penawdau	headlines
penderfyniad	decision
perygl	danger
peryglus	dangerous
profiad	experience
rhybudd	warning
rhybuddio	to warn
safle	site
sefydlu	to establish

siom	disappointment
siomedig	disappointing
swyddogion	officers
taro	to hit
teg	fair
trafnidiaeth	transport
trafferthion	difficulties
tramor	abroad, foreign
ymchwil	research
ymddiheuro	to apologise
ymddiswyddo	to resign
yn dilyn	following
yn ddiweddar	recently
yn ôl...	according to...
yn ystod	during
y wasg	the press

Argyfyngau	Emergencies
ar goll	lost
achub	to save
aethpwyd â	was taken
ambiwlans awyr	air ambulance
anafiadau	injuries
anafu	to injure
bad achub	lifeboat
corff	body
damwain	accident
difrifol	serious, grave
dinistrio	to destroy
ffrwydro	to explode
hofrennydd	helicopter
hwylio	to sail
llifogydd	floods
llosgi	to burn
marw	to die
suddo	to sink
tagfa	traffic jam
tagfeydd	traffic jams
triniaeth	treatment

Trosedd	Crime	Gwleidyddiaeth	Politics
apelio	to appeal		
carcharu	to imprison	dyled	debt
cyfraith	law		
daethpwyd o hyd i	was found	llywodraeth	government
dwyn	to steal	plaid	political party
		pleidleisio	to vote
lladd	to kill	Senedd	Senate, Parliament
		treth	tax
oherwydd	because of	**Chwaraeon**	
rhyddhau	to free	ar y blaen	in the lead
saethu	to shoo		
		gêm gyfartal	drawn game
ymladd	to fight	gôl (goliau)	goal(s)
ymddangos	to appear	pencampwriaeth	championship
		rownd gyn-derfynol	semi-final
		rownd derfynol	final
		tyrfa/torf	crowd

Byd gwaith/Yr Economi		Tywydd	
arbed	to save (arian, swyddi)	chwythu	to blow
colled	loss		
creu	to create	ledled	throughout
		lledu	to spread
cyflogi	to employ	mellt	lightning
diswyddo	to dismiss, to sack		
		taran	thunder
y cant	per cent		

Dyma beth sy ar y papur arholiad:

Bwletin Newyddion (7%)

- Dych chi'n mynd i wrando ar fwletin newyddion. Yn gyntaf, cewch chi 1 funud i edrych ar y cwestiynau.
- Yna, byddwch chi'n clywed y bwletin i gyd ac yn cael 2 funud i ysgrifennu.
- Yr ail dro, byddwch chi'n cael toriad o 1 funud rhwng pob eitem ac 1 funud ar y diwedd.
- Y trydydd tro, byddwch chi'n clywed y bwletin i gyd ac yn cael 2 funud i ysgrifennu.
- Dylech chi ateb y cwestiynau yn Gymraeg. Does dim rhaid ysgrifennu brawddegau llawn.
- Fyddwch chi ddim yn colli marciau am wallau iaith neu sillafu.

1.   Pam roedd hi wedi cymryd amser hir i ddod o hyd i'r awyren?

_____

2.   Beth roedd rhaid i bobl Aberheli ei wneud cyn heddiw?

_____

3.   Faint o bobl gafodd eu lladd yn y ddamwain?

_____

4.   I bwy roedd Martha Evans yn ysgrifennu fel arfer?

_____

5.   Pam roedd Helen Thomas yn tyfu canabis?

_____

6.   Sawl gwaith roedd y gystadleuaeth i feicwyr wedi bod yng Nghymru cyn eleni?

_____

7.   Pam mae'n bosib bydd y gwynt yn beryglus i yrwyr ceir?

_____

4. Cyfweliad (40% o'r marciau)

Yn y prynhawn, byddwch yn cael apwyntiad gyda'r cyfwelydd.
Dych chi wedi bod yn ymarfer hyn hefyd drwy'r cwrs.

Yn gyntaf, byddwch yn trafod pwnc am tua phum munud.

Wedyn, byddwch chi'n cael sgwrs gyffredinol – gwrandewch yn ofalus ar gwestiynau'r cyfwelydd. Mae'n bosib bydd un neu fwy o'r pynciau yma'n codi yn y sgwrs:

eich gwaith / teulu / diddordebau / cefndir / gwyliau / teulu / y dyfodol.

Ymarfer

Dewiswch un o'r pynciau yma.

Yn yr arholiad, byddwch chi'n cael **20 munud** i baratoi. Heddiw dych chi'n cael 10 munud.
Cewch chi wneud pwyntiau bwled ar bapur ond **dim** sgript.

A: Trafod pwnc (10%)

Rhaid i chi ddewis **un** o'r pynciau trafod yma:

Pwnc 1:
Mae ffrindiau'n bwysig iawn.

Pwnc 2:
Dylai pawb ddysgu coginio yn yr ysgol.

Pwnc 3:
Mae gormod o chwaraeon ar y teledu.

B: Sgwrs (30%)

Person A: Chi sy'n cyfweld. Ceisiwch arwain sgwrs am tua 15 munud. Cewch chi drafod un neu fwy (neu bob un!) o'r pynciau yma:

eich gwaith / teulu / diddordebau / cefndir / gwyliau / teulu / y dyfodol.

Mae cwestiynau i'ch helpu yma. Taflwch ddis i benderfynu gyda pha gwestiwn dych chi'n dechrau! Yna, ewch ymlaen mewn trefn o'r rhif hwnnw. Cofiwch wrando ar yr atebion yn ofalus a gofyn cwestiynau sy'n dilyn.

1. Ble dych chi'n byw? Pa fath o ardal yw hi? Pa fath o dŷ sy gyda chi?

2. Oes teulu gyda chi? Ble maen nhw'n byw? Ble mae eich gwreiddiau chi?

3. Dych chi'n gweithio? Beth yw/oedd y peth gorau am eich swydd? A'r gwaetha? Beth oedd eich swydd gynta erioed?

4. Sut dych chi'n ymlacio? Beth yw'ch prif ddiddordebau chi? Ers pryd dych chi'n...? Beth fyddwch chi'n wneud nesa gyda...? Fasech chi'n hoffi gwneud rhywbeth arbennig gyda...?

5. Aethoch chi ar wyliau y llynedd? Pam dewis y lle yna? Ble basech chi'n hoffi mynd nesa?

6. Ers faint dych chi'n dysgu Cymraeg? Beth dych chi'n ei gofio am ddechrau dysgu? Ble dych chi'n defnyddio'r Gymraeg ar hyn o bryd? Sut byddwch chi'n datblygu eich Cymraeg ar ôl hyn?

Person B: Atebwch y cwestiynau a dwedwch gymaint â phosib. Cofiwch wrando'n ofalus ar y cwestiynau.

Pan mae'r tiwtor yn dweud "Newidiwch", rhaid i berson B ddechrau gyda'r pwnc nesaf ar y rhestr a holi person A.

Pob hwyl!

Gwaith cartref

Gwaith cartref – Uned 1

1. Ysgrifennwch gwestiwn gan ddefnyddio pob un o'r geiriau yma ac yna atebwch y cwestiwn:

	Cwestiwn	Ateb
enw		
byw		
dod o		
dysgu Cymraeg		
gweithio		
bwyta		
yfed		
gwyliau		
siopa		

2. Disgrifiwch berson enwog (rhwng 5 a 10 brawddeg) heb enwi'r person.
Bydd y dosbarth yn ceisio dyfalu pwy yw/oedd y person yn y wers nesa.

3. Ysgrifennwch gyflwyniad ar gyfer pob sefyllfa.
Write an appropriate introduction for each situation.

i. mewn parti

....

ii. mewn cyfarfod

....

iii. yn y swyddfa

....

iv. mewn ysbyty

....

4. Darllenwch y darn ac atebwch y cwestiynau:

Helo Bryn,

Gwelais i eich hysbyseb ar y wefan 'Ffeindio cariad Cymraeg' a dw i'n meddwl baswn i'n hoffi'ch cyfarfod chi. Mae llawer o ddiddordebau tebyg gyda ni– nofio, gwylio chwaraeon, darllen am bobl enwog yn y papurau newydd a mynd i'r theatr. Fel chi, mae dau o blant gyda fi ond maen nhw wedi tyfu a dydyn nhw ddim yn byw gartre erbyn hyn. Mae'n unig yn y tŷ weithiau a dw i'n chwilio am gwmni. Yn anffodus, dydy'r ci ddim yn gallu siarad. Dw i'n bum troedfedd a thair modfedd, mae llygaid glas gyda fi, roedd fy ngwallt i'n ddu ac mae fy nannedd fy hun gyda fi. Dw i ddim yn gweithio ond ro'n i'n arfer gweithio fel nyrs mewn ysbyty. Ro'n i wrth fy modd gyda'r cleifion ar y ward. Dych chi'n gweithio?

Os byddwn ni'n trefnu mynd allan, fasech chi'n gallu dod i'r tŷ i roi lifft i mi? Dw i ddim yn gyrru ers i mi gael fy mhen-glin newydd i. Parciwch mor agos â phosibl at y tŷ achos dw i ddim yn symud mor dda ers cael fy mhen-blwydd i'n naw deg oed. Dw i'n edrych ymlaen at glywed oddi wrthoch chi.

Gwen

Ateb:

Annwyl Gwen,

Diolch yn fawr am eich neges, ond fydda i ddim yn gallu'ch cyfarfod chi achos bydda i'n hedfan i weithio yn Barcelona am y pythefnos nesaf. Dw i'n mynd i ddechrau ar fy ffilm newydd. Dw i'n hoffi nofio fel chi, ond yn y môr bydda i'n nofio – bob dydd os ydy hi'n bosibl. O ran y theatr, gweithio yn y theatr dw i, nid mynd i wylio dramâu. Dw i'n prynu papurau newydd i ddarllen amdana i fy hun, ddim am bobl eraill. Mae fy mhlant i'n bedair a chwech oed ac maen nhw'n byw gyda fi, ond achos fy mod i'n teithio cymaint, mae Maria o Batagonia yn byw gyda ni hefyd. Mae hi'n hapus achos ei bod hi'n gallu ymarfer ei Chymraeg hi a dw i'n hapus achos ei bod hi'n gofalu am y plant ac yn fy helpu i gyda fy Sbaeneg i. Dw i'n chwe throedfedd a chwe modfedd, mae gen i lygaid brown ac mae fy ngwallt i'n ddu.

Er eich bod chi'n swnio'n berson hyfryd, Gwen, dw i'n dri deg oed ac mae ein bywydau ni'n wahanol iawn. Pob dymuniad da.

Bryn

Atebwch y cwestiynau (dewiswch y llythyren):

1. Mae Gwen wedi darllen am Bryn...

a. yn y papur newydd.

b. ar y cyfrifiadur.

c. ar hysbysfwrdd mewn canolfan hamdden.

ch. mewn taflen.

d. yn y llyfrgell.

2. Mae Gwen yn byw gyda...

a. ei phlant hi.

b. neb.

c. ei nyrs hi.

ch. ei chi hi.

d. ei phlant hi a'i chi hi.

3. Mae gan Gwen broblem...

a. gyda'i dannedd.

b. yn ysgrifennu.

c. gyda'i chi hi.

ch. yn parcio.

d. yn cerdded.

4. Mae Bryn yn gweithio fel...

a. nofiwr proffesiynol.

b. peilot.

c. actor.

ch. newyddiadurwr.

d. meddyg.

5. Mae Maria'n...

a. gofalu am y plant.

b. dysgu Cymraeg i'r plant.

c. coginio ac yn glanhau.

ch. dysgu Sbaeneg i'r plant.

d. teithio i Sbaen gyda Bryn.

5. Dych chi eisiau trefnu parti pen-blwydd arbennig yn Nant Gwrtheyrn. Llenwch y ffurflen archebu arlein:

Enw: ....

Cyfeiriad: ....

....

Ebost: ....

Digwyddiad: ....

....

....

....

....

....

....

....

Pa fath o fwyd (e.e bwffe/poeth): ....

....

....

....

....

Bwyd i faint: ....

Faint o bobl fydd yn aros dros nos yn y Nant? ....

Anghenion eraill (disgo, grŵp, cacen ben-blwydd...):

....

....

....

....

Gair gan y tiwtor:

Gwaith cartref – Uned 2

1. Llenwch y bylchau gyda **byth** neu **erioed.**

i. Dw i .... yn smocio.

ii. Dw i .... wedi smocio.

iii. Dw i .... wedi bod mewn disgo.

iv. Dw i .... yn dawnsio mewn disgo.

v. Dw i .... wedi sgio.

vi. 'Dyn ni .... eisiau mynd ar wyliau sgio eto.

2. **Darllenwch y darn ac atebwch y cwestiynau.**

Beth sy'n gwneud gwyliau da?

Mae Dafydd a Siân Roberts yn ŵr a gwraig, a'r ddau'n athrawon yn Ysgol Caereglwys. Byddan nhw'n pacio bagiau, ac yn gadael y wlad ar ddiwrnod cyntaf gwyliau'r haf. Ond maen nhw'n wahanol i bobl eraill, achos dydyn nhw **byth** yn mynd ar wyliau gyda'i gilydd. Bydd y ddau'n teithio yn y car i faes awyr Bryste, ond ar ôl gadael Siân yno i ddal awyren i Malta, bydd Dafydd yn ôl yn y car ac yn gyrru i Dover cyn croesi'r môr ar y fferi i Ffrainc. Dyw e **erioed** wedi bod ar awyren – mae ofn hedfan arno fe. Ond i Siân, dyna'r unig ffordd o deithio i'r haul.

Ar ôl cyrraedd Malta, bydd Siân yn mynd yn syth i'w gwesty pum seren, ac yno bydd hi'n aros am y pythefnos nesa. Bydd hi'n dilyn yr un drefn bob dydd – ar ôl brecwast wedi ei goginio, bydd hi'n eistedd wrth bwll nofio'r gwesty trwy'r bore, yn mynd i'r traeth i orwedd yn yr haul yn y prynhawn ac yn cael ffrwyth neu rywbeth i de, ac ar ôl swper bydd hi'n mwynhau'r sioe yn y gwesty. Ar y llaw arall, bydd Dafydd yn mynd â'i babell i rywle gwahanol bob dydd wrth deithio o gwmpas de Ffrainc neu'r arfordir. Fydd e **byth** yn cael dim i frecwast, heblaw am baned o de, ond os bydd e'n lwcus, bydd e wedi dal pysgodyn i'w goginio ar y tân bach nwy i ginio... pan fydd e'n gallu aros yn agos i draeth. Cyn iddi dywyllu, mae'n well gyda fe ddarllen llyfrau taith na dim byd arall; yn sicr, fasai fe **byth** yn mwynhau gwrando ar ganu mewn gwesty mawr.

Mae Dafydd a Siân yn briod ers ugain mlynedd ac yn hapus iawn gyda'i gilydd. Dim ond unwaith aethon nhw ar wyliau gyda'i gilydd, ac roedd y profiad mor ofnadwy, dydyn nhw **erioed** wedi bod wedyn. Cytunon nhw i drefnu gwyliau ar wahân bob blwyddyn ers hynny! 'Do'n i **byth** yn mwynhau aros mewn gwesty mawr drud,' meddai Dafydd, 'ond dyna mae Siân eisiau'i wneud: ymlacio a chael gwasanaeth da. Mae gweld byd natur a'r môr yn fwy pwysig i fi.'

Mae Dafydd yn hoff o ddysgu tipyn o'r iaith leol, ac yn mynnu siarad â phobl yn eu hiaith nhw, pan fydd e yn Ffrainc. Mae'n well gan ei wraig beidio â phoeni am bethau fel hynny, ac mae hi'n mynd i Malta achos dydy hi **byth** yn cael trafferth i ffeindio pobl sy'n gallu siarad Saesneg â hi. Wedi dweud hynny, mae'r ddau'n falch o gael sgwrs ar y ffôn neu'r cyfrifiadur yn Gymraeg bron bob dydd, os bydd ffôn Dafydd yn gweithio, wrth gwrs!

Cwestiynau

Nodwch sut mae gwyliau Dafydd a Siân yn wahanol, gan gyfeirio (*refer*) at yr isod. Cofiwch sôn am wyliau'r **ddau** yn eich atebion.

e.e. Sut byddan nhw'n teithio yno?

Bydd Siân yn hedfan, ond bydd Dafydd yn mynd yn y car ac ar y fferi.

i. Ym mha fath o le byddan nhw'n aros?

....

....

ii. Beth fyddan nhw'n (ei) wneud **gyda'r nos**?

....

....

iii. Beth fyddan nhw'n (ei) wneud ar lan y môr?

....

....

iv. Pa fath o frecwast byddan nhw'n (ei) gael fel arfer?

....

....

v. Pa ieithoedd byddan nhw'n (eu) siarad yn ystod y gwyliau?

....

....

....

3. Llenwch y bylchau yn y llythyr cwyno yma.

.... Gynghorydd Jones

Rhaid i fi ysgrifennu .... chi i gwyno am y problemau parcio yn y dref – mae'n ofnadwy ac yn mynd o ddrwg i waeth. Does neb yn hapus i dalu £1.50 yr awr i barcio yn y .... parcio. Felly, mae pawb yn ceisio parcio yn y stryd, ar y llinellau .... dwbl hyd yn oed. Mae'n broblem yn ystod y .... a gyda'r nos pan fydd pawb yn dod i brynu sglodion, pitsas .... gyrri.

Felly, dw i'n cwyno achos dw i ddim yn .... parcio o flaen fy nhŷ i. Ond dw i hefyd yn poeni bydd damwain achos mae'n anodd croesi'r .... Os .... chi'n dda, ydy hi'n bosib meddwl eto am eich polisi chi o godi £1.50 yr awr i barcio?
.... chi'n creu problemau mawr i'r dre. ....
neb eisiau dod i siopa yma achos y problemau parcio.

Dw i'n deall ei .... hi'n anodd i'r cyngor ar hyn o bryd a dw i ddim yn hoffi cwyno, ond os gwelwch chi'n dda, gwnewch rywbeth i'n helpu ni cyn bydd hi'n rhy hwyr.

Yn gywir
....

4. Cawsoch chi broblem yn ddiweddar ar eich gwyliau. Wnewch chi lenwi'r holiadur yma i'n helpu ni i wella ein gwasanaeth, os gwelwch chi'n dda? Diolch.

i. Enw llawn: ....

ii. Cyfeiriad ebost: ....

iii. Rhowch fanylion eich gwyliau (e.e. Ble, Pryd, Pa mor hir, ac ati). (tua 50 gair)

....

....

....

....

iv. Beth oedd y problemau mwyaf am y gwyliau? (tua 50 gair)

....

....

....

....

v. Oedd unrhyw beth yn dda am y gwyliau? (tua 50 gair)

....

....

....

....

Fasech chi'n fodlon i ni eich ffonio chi i drafod hyn? ....

Gair gan y tiwtor:

....

....

....

....

....

....

....

....

....

....

....

....

....

....

....

....

....

Gwaith cartref – Uned 3

1. Llenwch y bylchau:

i. Efallai .... y gath yn y goeden.

ii. Mae hi'n gobeithio .... ni'n gallu mynd ar wyliau y flwyddyn nesa.

iii. Dw i wedi clywed .... y capten wedi torri ei goes.

iv. Roedd S4C yn dweud ei .... hi'n wyntog iawn ar gopa'r Wyddfa ar hyn o bryd.

v. Wyt ti'n meddwl fy .... i wedi pasio'r prawf?

vi. Dw i'n gwybod .... mam-gu'n falch pan wyt ti'n ffonio.

vii. Dw i'n credu .... i'n flinedig ar ôl rhedeg Marathon Caerdydd yr wythnos nesa.

viii. Ro'n i'n meddwl .... y dosbarth yn ddiddorol heddiw.

2. Atebwch gyda "Yes" a brawddeg yn dechrau gyda "dw i'n meddwl/dw i'n siŵr".

e.e. Ydy Gwyn yn gweithio heno?   Ydy, dw i'n meddwl ei fod e.

i. Oedd y pennaeth yn y parti? (hi) ....

ii. Ydy'r plant yn y parc? ....

iii. Fydd hi'n bwrw eira yfory? ....

iv. Faset ti'n hoffi gwylio'r ffilm? ....

v. Oedd hi'n brysur yn y bore coffi? ....

vi. Wyt ti'n deall popeth? ....

3. Darllenwch y ddwy neges ebost ac atebwch y cwestiynau.

Oddi wrth: Mrs Nia Rees
At: Mr Jones (Cynghorydd)
Pwnc: Casglu ysbwriel

....

Annwyl Mr Jones,

Rhaid i mi ysgrifennu atoch chi i gwyno am sefyllfa'r ysbwriel. Beth yn y byd ydy'r polisi newydd yma o gasglu'r ysbwriel unwaith y mis? Os bydda i ar fy ngwyliau ar ail ddydd Mercher y mis, bydd rhaid i mi aros am ddau fis! Mae'r gŵr a fi'n ailgylchu popeth a 'dyn ni wedi dysgu'r plant i ailgylchu hefyd, ond mae'r bin yn dal i lenwi'n eitha cyflym. Erbyn hyn, mae fy mam-yng-nghyfraith yn byw gyda ni, felly mae saith o bobol yn y tŷ. Dw i'n deall bod rhaid i'r Cyngor arbed arian, a bod yn rhaid i bobl ddysgu ailgylchu mwy, ond dydy eich polisi newydd chi ddim yn deg i deuluoedd mawr. Byddwch chi'n dweud wrth bobol am beidio â chael mwy o blant nesa!

Yn gywir,
Mrs Nia Rees

Oddi wrth: Mr Jones (Cynghorydd)
At: Mrs Nia Rees
Pwnc: Casglu ysbwriel

....

Annwyl Mrs Rees,

Diolch yn fawr i chi am eich neges chi. Oes wir, rhaid i'r Cyngor arbed arian. 'Dyn ni ddim eisiau cau llyfrgelloedd a chanolfannau hamdden, felly 'dyn ni'n edrych yn ofalus ar ein casgliadau ysbwriel a phopeth arall.

Ble cawsoch chi eich gwybodaeth am y system newydd? Dw i'n meddwl eich bod chi wedi darllen am y sefyllfa yn y papur lleol ond roedd yr erthygl yn y papur yr wythnos diwetha'n anghywir. Tasech chi wedi edrych ar wefan y cyngor, basech chi'n gweld bod teuluoedd o dros bump yn gallu gwneud cais i gael yr ysbwriel wedi'i gasglu bob pythefnos. I wneud hynny, llenwch y ffurflen gais fydd yn dod gyda phapur y Cyngor wythnos nesa. Os oes rhywbeth dych chi ddim yn ei ddeall, galwch yn eich llyfrgell leol chi a byddan nhw'n gallu helpu.

Gobeithio bod y neges yn ateb eich cwestiynau chi ac os gwelwch chi'n dda, peidiwch â chredu popeth dych chi'n ei ddarllen yn y papur. Ffoniwch os oes rhagor o gwestiynau gyda chi. Mae chwech o blant gyda fi felly dw i ddim yn gallu dweud wrth neb am beidio â chael rhagor o blant!

Yn gywir,
Tom Jones (Cynghorydd Tref Aberheli)

Nodwch yr ateb mwya priodol (*appropriate*) o'r brawddegau isod drwy roi llythyren yn y blwch, e.e. ch.

1. Prif reswm Nia Rees dros ysgrifennu at Mr Jones y Cynghorydd yw...
a. Mae ei bin ysbwriel yn llenwi'n eithaf cyflym.
b. Mae ei phlant yn hoffi ailgylchu.
c. Dydy hi ddim yn hoffi ei mam-yng-nghyfraith.
ch. Dydy pobl ddim yn ailgylchu digon.
d. Mae'r cyngor yn mynd i gasglu ysbwriel unwaith y mis yn unig.

2. Yn byw yn nhŷ Mrs Rees mae...
a. Mr a Mrs Rees a phump o blant.
b. Mr a Mrs Rees, tri o blant a mam Mr Rees.
c. Mr a Mrs Rees, pedwar o blant a mam Mr Rees.
ch. Mr a Mrs Rees, tri o blant a rhieni Mrs Rees.
d. Mr a Mrs Rees, pedwar o blant a thad Mrs Rees.

3. Mae'r Cynghorydd Jones yn meddwl bod Nia Rees yn gwybod am y polisi newydd ar ôl...

a. gweld papur newydd lleol.

b. gweld gwefan y cyngor.

c. clywed hysbyseb radio.

ch. darllen taflen trwy'r drws.

d. gweld poster yn y ganolfan hamdden.

4. Bydd y cyngor yn hapus i gasglu ysbwriel Nia Rees bob yn ail wythnos achos...

a. Mae hi'n gofalu am hen berson.

b. Mae ei bin hi'n llenwi'n gyflym.

c. Maen nhw'n deulu mawr.

ch. Mae hi'n hapus i dalu.

d. Mae'r teulu'n ailgylchu popeth.

5. I drefnu casgliad ysbwriel bob pythefnos, rhaid i Nia Rees...

a. ffonio Mr Jones.

b. llenwi ffurflen.

c. ysgrifennu neges at Mr Jones.

ch. galw yn y llyfrgell.

d. ffonio swyddfa'r cyngor.

4. Llenwch y ffurflen hon:

Mae Cwmni Teledu'r Castell Coch yn chwilio am barau o ffrindiau / aelodau o'r teulu i gystadlu mewn cwis arbennig ar S4C lle dych chi'n gallu ennill £10,000. Rhaid i chi lenwi'r ffurflen gais yma i fod ar y rhaglen.

i. Eich enw llawn chi: ....

ii. Cyfeiriad ebost: ....

iii. Pa fath o raglenni cwis dych chi'n (eu) hoffi ar y teledu? (tua 50 gair)

....

....

....

....

....

iv. Pwy fydd eich partner yn y cwis? Pam dych chi'n dewis y person yma? (tua 50 gair)

....

....

....

....

....

v. Tasech chi'n ennill y £10,000, beth fasech chi'n (ei) wneud gyda'r arian? (tua 50 gair)

....

....

....

....

....

Pob lwc gyda'r cais i fod ar y cwis!

Gair gan y tiwtor:

....

....

....

....

....

....

....

....

....

....

Gwaith cartref – Uned 4

1.   Atebwch mewn brawddegau llawn:
i.   Beth weli di ar y teledu yr wythnos yma?

....

ii.   Â phwy siaradwch chi yn Gymraeg nesa?

....

iii.   Pryd gorffenniff y cwrs yma?

....

iv.   Beth ddysgiff y plant yn yr ysgol?

....

v.   Pwy enilliff y gêm rygbi nesa?

....

2.   Llenwch y bylchau:
i.   .... ni'r ffilm yn y sinema nos Sadwrn nesa.
ii.   .... di siampên yn y briodas?
iii.   .... ni bob gair o'r eirfa erbyn yr wythnos nesa.
iv.   Caf i'r bil ond .... i ddim yn syth.
v.   .... hi ddim ar y draffordd cyn pasio'r prawf.

3. Ysgrifennwch ebost byr yn gofyn i rywun eich helpu chi (cydweithiwr neu gymydog) ac atebwch yn derbyn neu'n gwrthod.

4. Llenwch y ffurflen hon:

Mae Cyngor Cymuned Abercastell yn chwilio am bobl i helpu gyda'r henoed yn yr ardal. Dych chi'n gallu llenwi'r ffurflen isod i ddweud sut dych chi'n gallu helpu?

i. Eich enw llawn chi: ....

ii. Cyfeiriad ebost: ....

iii. Disgrifiwch y person hynaf (hena) yn eich teulu chi. Sut dych chi wedi ei helpu e/hi? (tua 50 gair)

....

....

....

....

iv. Beth allwch chi (ei) gynnig i helpu gyda'r prosiect? (tua 50 gair)

....

....

....

v. Mae arian ar gael i fynd ar un wibdaith diwrnod ar fws. Ble yn yr ardal dylen ni fynd â'r henoed, yn eich barn chi, a pham? (tua 50 gair)

....

....

....

Diolch i chi am eich help!

Gair gan y tiwtor:

....

....

....

....

....

....

....

Gwaith cartref – Uned 5

1. **Atebwch:**

i. O ble mae eich teulu chi'n dod?

....

ii. Beth fasech chi'n hoffi (ei) wneud dydd Sul?

....

iii. Beth dych chi'n (ei) feddwl o eira?

....

iv. Beth o'ch chi'n (ei) feddwl o'r newyddion yr wythnos yma?

....

v. Beth fasech chi byth yn (ei) fwyta?

....

vi. Ble dych chi erioed wedi bod yng Nghymru?

....

vii. Pryd chwaraeiff tîm rygbi Cymru nesa?

....

2. **Llenwch y bylchau:**

a	Rhaid i ni .... plastig a phapur i warchod y byd.
b	Ces i ddiwrnod .... yn y gwaith heddiw – cyfarfod anodd iawn!
c	Mae'r .... yn yr ysbyty i gyd yn aros i weld y meddyg.
ch	Ych a fi! Mae'r coffi yma'n .... iawn.
d	Peidiwch â ...., blant! Rhaid i chi fod yn ffrindiau!
dd	Mae'r glaw yn gwneud i fi deimlo'n ...., ble mae'r haul?
e	Ydy hi'n bwrw eira? Ydy hi'n glawio? Nac ydy, mae hi'n bwrw ....
f	Mae hi'n byw dwy .... o'r dosbarth.
ff	Dw i ddim yn gallu ....'r car newydd 'na.
g	Dych chi'n gallu .... am y gath pan fydda i ar wyliau?
ng	Mae fy .... i'n lân, golchais i fe y bore 'ma.
h	Ble dych chi'n gweithio ar .... o bryd?
i	Roedd yr .... dân yn swnllyd iawn!
l	Pan aethon ni i Ffrainc ar wyliau, roedd rhaid i ni .... car.
ll	Mae'r ffordd yn .... iawn ar ôl yr eira.
m	Dw i wrth fy .... yn darllen y llyfr yma.
n	Y gair Cymraeg am afon fach yw ....
o	Yn yr.................................. mân, yng nghanol y nos, mae hi'n dywyll iawn.
p	Peth .... yw dringo'r Wyddfa mewn fflip-fflops.
ph	Caiff yr actores Oscar am ei .... gwych.
r	Noson .... iawn eto – 'dyn ni'n cael mis Ionawr oer!
rh	Beth yw'r .... am y sŵn mawr?
s	Dw i'n .... bod y plant yn cysgu'n barod! Dim ond wyth o'r gloch yw hi!
t	Dych chi'n talu eich .... bob mis neu bob blwyddyn?
th	Mae ffordd hir a .... yn mynd drwy'r goedwig.
u	Mae Hollywood yn yr .... Daleithiau.
w	Mae'r .... i gyd yn llawn, does dim un gwely ar gael.
y	Ar ddechrau'r flwyddyn .... pedwar person newydd â'r dosbarth.

3. Darllenwch y darn ac atebwch y cwestiynau.

Daeth cystadleuaeth 'Gwesty Gorau Cymru' i ben ddoe, mewn seremoni fawr yn Aberystwyth. Roedd dau westy wedi cyrraedd y rownd olaf, sef Gwesty'r Bryn yn Llandudno a Gwesty'r Wylan ger Porthcawl. Roedd y panel beirniaid yn edrych ar sawl peth: yr ystafelloedd, y bwyd, y cyfleusterau, y gost ac yn fwy na dim, pa fath o groeso oedd i'w gael yno. Cystadleuaeth rhwng gogledd a de felly! Roedd y ddau yn y categori 'gwesty bach', gyda dim ond deuddeg ystafell yng Ngwesty'r Bryn, a dwy yn llai yng Ngwesty'r Wylan. Aeth y beirniaid i aros yn y ddau le yn ystod y flwyddyn, ond heb ddweud wrth neb eu bod nhw yno i roi marciau i'r gwesty, wrth gwrs.

Aethon nhw i Westy'r Bryn yn gyntaf, ac roedden nhw'n dweud bod y safon yn uchel iawn. Pâr ifanc, Jac a Mair Evans, sy'n rhedeg y lle nawr, a choginio ydy diddordeb mwya Jac. Mae'r fwydlen yn llawn bwyd o Gymru. Gall y bobl sy'n aros yn y gwesty ddefnyddio'r cwrs golff am ddim, ac mae'r plant yn hoff iawn o'r llwybr sy'n mynd o'r gwesty i'r traeth. Cafodd y gwesty ei godi ddeg mlynedd yn ôl, felly mae popeth fel newydd o hyd yng Ngwesty'r Bryn, a'r croeso'n gynnes bob amser gan y perchnogion.

Giovanni a Maria Parizzi sy'n rhedeg Gwesty'r Wylan ger Porthcawl. Er gwaetha'r enwau Eidalaidd, nid bwyd Eidalaidd sy ganddyn nhw yn eu tŷ bwyta hyfryd, ond bwyd môr. Does dim pwll nofio ganddyn nhw (does dim pwll gan Westy'r Bryn 'chwaith), ond mae cwrt tennis drws nesa i Westy'r Wylan, at ddefnydd y cwsmeriaid. Os ydy chwarae tennis yn ormod o waith caled, mae'r ffair enwog yn ddigon agos ac yn siŵr o gadw'r ymwelwyr ifancaf yn hapus. Mae Gwesty'r Wylan yn ffermdy o Oes Fictoria, sy'n gant a hanner oed o leiaf, ac mae Giovanni a'i wraig yn barod i siarad am hanes y lle. Maen nhw hefyd yn barod iawn eu croeso. Er hynny, dim ond chwe deg punt y noson am ystafell ydy'r gost yng Ngwesty'r Wylan, sy ugain punt yn rhatach na Gwesty'r Bryn.

Felly, pa westy aeth â'r wobr gynta? Wel, Gwesty'r Wylan aeth â'r wobr o fil o bunnoedd neithiwr, mewn cystadleuaeth agos iawn. Llongyfarchiadau iddyn nhw.

Nodwch sut mae pethau'n wahanol yn y ddau westy gan gyfeirio at yr isod:
Cofiwch sôn am sut mae pethau yng Ngwesty'r Bryn a sut mae pethau yng Ngwesty'r Wylan.

e.e. **Nifer yr ystafelloedd**
Mae deuddeg ystafell yng Ngwesty'r Bryn a deg ystafell yng Ngwesty'r Wylan.

i. Bwyd

....

....

ii. Cyfleusterau (*facilities*) chwaraeon

....

....

iii. Pethau sy'n apelio at blant

....

....

iv. Oed yr adeilad

....

....

v. Y pris

....

....

4. Llenwch y ffurflen:

Mae Croeso Cymru eisiau perswadio mwy o bobl o Gymru i fynd ar eu gwyliau mewn rhannau eraill o Gymru, yn lle mynd dros y môr. Wnewch chi lenwi'r holiadur yma i'n helpu ni, os gwelwch chi'n dda?

i. Enw llawn:

....

ii. Cyfeiriad ebost:

....

iii. Rhowch fanylion eich gwyliau diwetha, (e.e. Ble, Pryd, Pa mor hir, ac ati). (tua 50 gair)

....

....

....

....

....

iv. Beth oedd y pethau gorau a'r pethau gwaetha am y gwyliau hynny?
(tua 50 gair)

....

....

....

....

....

v. Pa mor dda dych chi'n nabod rhannau eraill o Gymru? (tua 50 gair)

....

....

....

....

....

....

vi. Fasech chi'n hoffi derbyn gwybodaeth am dwristiaeth yng Nghymru
drwy ebost?

....

....

Gair gan y tiwtor:

Gwaith cartref – Uned 6

1.   Atebwch y cwestiynau:

i.   Gyda phwy dych chi'n byw?

....

ii.   Ar beth edrychoch chi ar y teledu dros y penwythnos?

....

iii.   At bwy anfonoch chi ebost neu neges ddiwetha?

....

iv.   Am faint o'r gloch codoch chi y bore 'ma?

....

v.   Ym mha fis cawsoch chi/gaethoch chi eich geni?

....

2.   Llenwch y bylchau:

i.   Gofynnwch .... hi helpu yn y ffair.

ii.   Edrychais i .... nhw'n chwarae pêl-droed
      dydd Sadwrn.

iii.   Anfonwch ebost .... i pan dych chi'n gwybod pryd mae'r
      Sadwrn Siarad nesa.

iv.   Gwenodd y babi .... ni am y tro cynta heddiw.

v.   Dangosais i .... fe sut i wneud y gwaith.

vi.   Darllenais i .... ti'n ennill y gystadleuaeth yn y papur
      bro!

vii. Dw i'n dweud .... chi, mae hyn yn bwysig!

viii. Dw i ddim yn ymddiried .... nhw.

ix. Dw i wedi edrych dros y gwaith yn barod, ond wnei di edrych
.... fe?

x. Sori, ond does dim diddordeb gyda fi .... ti!

3. **Darllenwch y ddau ebost yma ac atebwch y cwestiynau:**

Oddi wrth: Alwen Lewis
At: Cyfeillion Theatr y Bont
Pwnc: Ailagor y Theatr

....

Annwyl Gyfeillion,

Dw i'n ysgrifennu atoch chi gyda'r newyddion da bod Theatr y Bont
yn mynd i ailagor ym mis Gorffennaf. Erbyn hyn, mae'r fynedfa a'r caffi
newydd yn barod. Un peth fydd ddim wedi newid ydy'r croeso cynnes
byddwch chi'n ei gael gan y staff i gyd wrth i chi ddod i'r Theatr. Bydd
rhaglen arbennig iawn dros y mis cyntaf ar ôl i ni ailagor, gan gynnwys
cyngerdd arbennig gyda'r canwr enwog Emyr Teifi. Gallwch chi weld
manylion y rhaglen ar ein gwefan www.theatrybont.com yn barod.

'Dyn ni eisiau diolch i chi am eich cefnogaeth ac am helpu i godi arian i
wella'r adeilad. Felly trwy fis Gorffennaf, bydd hi'n bosib i aelodau
Cyfeillion Theatr y Bont brynu tocynnau am hanner pris. Archebwch drwy
ebost neu ffoniwch y Theatr ar 02103 342342. Dw i'n edrych ymlaen at
eich gweld chi yn y Theatr unwaith eto cyn bo hir.

Pob hwyl,
Alwen

Oddi wrth: Huw Morys

At: Alwen Lewis

Pwnc: Ailagor y Theatr (eto)

Annwyl Alwen,

Diolch yn fawr am y neges. Dw i'n edrych ymlaen at fwynhau perfformiadau yn Theatr y Bont unwaith eto a gweld sut mae'r adeilad wedi gwella. Hoffwn i brynu wyth tocyn i gyngerdd Emyr Teifi. Dw i wrth fy modd bod Emyr yn dod adre i ganu yn yr ardal yma a dw i eisiau dod â fy nheulu i gyd i'r cyngerdd. Roedd Emyr yn yr un dosbarth â fi, a dw i ddim wedi ei weld yn canu ers iddo ennill cystadleuaeth yn eisteddfod yr ysgol.

Wnewch chi anfon manylion cost y tocynnau ata i os gwelwch chi'n dda? Fydda i'n cael wyth am bris pedwar?

Diolch yn fawr,

Huw Morys

Nodwch yr ateb mwya priodol (*appropriate*) o'r brawddegau isod drwy roi llythyren yn y blwch.

1. **Prif neges Alwen Lewis yw/ydy...**

   a.   bod y theatr yn mynd i gau.

   b.   bod gwefan newydd gyda/gan y theatr.

   c.   bod y theatr yn mynd i agor eto.

   ch.   bod dim byd wedi newid yn y theatr.

   d.   bod angen staff ar y theatr.

2. **I gael gwybodaeth am berfformiadau yn Theatr y Bont...**

   a.   dylech chi edrych yn y papur lleol.

   b.   dylech chi anfon amlen â stamp arni.

   c.   rhaid i chi aros tan fis Gorffennaf.

   ch.   dylech chi edrych ar wefan y theatr.

   d.   dylech chi ddod i'r caffi.

3.   **Bydd 'Cyfeillion y Theatr' yn cael...**

a.   coffi am ddim.
b.   tocynnau rhatach.
c.   perfformio yn y theatr.
ch.   tocynnau am ddim.
d.   seddi gwell.

4.   **Prif neges Huw Morys i Alwen yw/ydy...**

a.   ei fod eisiau tocynnau i gyngerdd Emyr Teifi.
b.   ei fod wedi gweld Emyr Teifi yn y theatr.
c.   ei fod wedi prynu pedwar tocyn i'r cyngerdd.
ch.   ei fod ddim eisiau dod i'r theatr eto.
d.   bod y theatr wedi gwella llawer.

5.   **Roedd Huw Morys ac Emyr Teifi...**

a.   yn arfer canu gyda/efo'i gilydd.
b.   yn ddau frawd.
c.   yn yr ysgol gyda/efo'i gilydd.
ch.   yn gweithio yn y theatr.
d.   wedi ennill cystadleuaeth yn yr eisteddfod.

4.   **Ysgrifennwch ebost at Alwen Lewis yn cynnig helpu yn y cyngerdd (tua 100 gair).**

Gair gan y tiwtor:

....
....
....
....
....
....
....
....
....

Gwaith cartref – Uned 7

1. Atebwch y cwestiynau. Dilynwch y patrwm.

Defnyddiwch: **rhai/y rhan fwyaf/pob un/neb/llawer**

Faint o Aelodau o Senedd Cymru sy'n siarad Cymraeg?   Rhai ohonyn nhw.

i. Faint o bobl yn eich teulu chi sy'n siarad Cymraeg?

....

ii. Faint o dîm rygbi Cymru sy'n siarad Cymraeg?

....

iii. Faint o bobl yn y dosbarth sy'n gyrru car?

....

iv. Faint o bobl yn y dosbarth sy'n gweithio amser llawn?

....

2. Atebwch yn y negyddol, gyda brawddegau llawn:

e.e.   Weloch chi'r ffilm?   Welais i mohoni hi

i. Gaeth e'r parsel?   .... (fe)

ii. Glywaist ti'r rhaglen radio?   .... (hi)

iii. Ddealloch chi'r ddrama?   .... (hi)

iv. Glywaist ti fi'n siarad Cymraeg ar y ffôn? .... (ti)

v. Welodd e chi?   .... (ni)

vi. Bryni di'r Porsche?   .... (fe)

vii. Atebiff hi gwestiynau'r plismon?.. (nhw)

viii. Dalaist ti'r bil treth?   .... (fe)

3. Atebwch y cwestiynau ar ôl darllen y ddau ebost:

Oddi wrth: Gwyn James
At: Tracy Williams
Testun: Codi pres

Annwyl Tracy Williams,

Diolch yn fawr i chi am gymryd rhan yn ein cyngerdd codi pres neithiwr. Mi wnaethon ni tua phum cant o bunnoedd ar y drws, felly dan ni hanner ffordd at gyrraedd ein targed. Mae'n anodd i bentre bach godi cymaint o bres! Nid dyna'r rheswm dros gysylltu efo chi mewn gwirionedd. Y digwyddiad nesa yn ein calendr ni ydy ocsiwn fawr, lle byddwn ni'n gwerthu llawer o bethau. Oes rhywbeth y basech chi'n fodlon ei gyfrannu? Mi fasai llun ohonoch chi'n canu'n wych. Dw i'n gwybod bod blynyddoedd wedi mynd heibio ers i chi adael y pentre, ac mai Llundain ydy'ch cartre chi erbyn hyn. Ond mae pobl y pentre a gorllewin Cymru i gyd yn meddwl amdanoch chi fel merch o Gwm Du. Mae'r artist lleol Meirion Tomos wedi rhoi llun, a'r chwaraewr pêl-droed Malcolm Edwards wedi anfon crys. Mi fasai llun o'r gantores enwog Tracy Williams yn help mawr.

Ymddiheuriadau am eich poeni unwaith eto.
Gwyn James

Oddi wrth: Tracy Williams
At: Gwyn James
Testun: Codi pres

Annwyl Gwyn,

Diolch yn fawr am eich neges. Mi wnes i fwynhau'r cyngerdd neithiwr, yn enwedig cyfarfod hen ffrindiau. Oni bai am yr eira, dw i'n siŵr y basai mwy wedi dod; does dim byd y gallech chi fod wedi'i wneud am hynny. Dw i ddim yn meddwl bod £10 y tocyn yn ormod i'w ofyn. Wrth gwrs y baswn i'n hapus i gyfrannu at yr ocsiwn, yn enwedig gan fod Malcolm wedi anfon rhywbeth. Dw i'n ei gofio fo o'r ysgol er ei fod o'n ifancach na fi. Mi fydda i'n anfon neges ar Facebook ato fo rŵan.
Gobeithio byddwch chi'n codi llawer o bres.

Cariad mawr,
Tracy

Nodwch yr ateb mwya priodol (*appropriate*) o'r brawddegau isod drwy roi llythyren yn y blwch.

e.e. ch.

1. Mae pwyllgor Cwm Du eisiau codi...

a. £100

b. £500

c. £1,000

ch. £1,500

d. £10,000

2. Prif reswm Gwyn James dros ysgrifennu at Tracy yw/ydy...

a. gofyn am rywbeth i'r ocsiwn.

b. ymddiheuro.

c. gofyn iddi gymryd rhan mewn cyngerdd.

ch. diolch iddi.

d. gosod targed.

3. Mae Tracy'n byw...

a. yng ngorllewin Cymru.

b. yng Nghaerdydd.

c. yng Nghwm-du.

ch. yn Llandinam.

d. yn Llundain.

4. Doedd y neuadd ddim yn llawn neithiwr achos...

a. yr eira.

b. bod Tracy'n canu.

c. bod y tocynnau'n ddrud.

ch. bod pobl ddim yn hoffi Tracy.

d. ei bod hi'n rhy boeth.

5. Roedd Tracy'n nabod Malcolm achos...

a. ei fod e'n enwog.

b. ei fod e ar Facebook.

c. eu bod nhw yn yr ysgol gyda'i gilydd.

ch. eu bod nhw'n gariadon yn yr ysgol.

d. eu bod nhw'n perthyn.

4. Edrychwch eto ar y llun o'r bar gwin. Ysgrifennwch ddeialog rhwng dau o'r bobl sy yn y llun.

Gair gan y tiwtor:

....

....

....

....

....

....

....

....

....

....

....

Gwaith cartref – Uned 8

1. Llenwch y bylchau:

i. Taflais i'r bêl a rhedodd y ci ar ei .... hi.

ii. Wyt ti'n mynd i gyrraedd y dosbarth ar fy .... i?

iii. Ydy Twm yn byw ar eu .... nhw?

iv. Dere i sefyll ar fy .... i.

v. Cer di – dof i ar dy .... di.

2. Cyfieithwch:

i. *I went after them.*

....

ii. *You started learning after us.*

....

iii. *I used to sit beside him at work.*

....

iv. *I used to live close to them.*

....

3. Ysgrifennwch baragraff: Ar bwys fy nhŷ i...

....

....

....

....

....

....

....

....

4. Darllen a deall: Darllenwch y darn ac atebwch y cwestiynau.
   Does unman yn debyg i gartref

Chwe mis yn ôl, mi wnaeth Ceri Llwyd ymddeol o'i swydd mewn banc yng nghanol Llundain a symud i hen fwthyn ym mhentref bach Morfa yng Ngogledd Cymru. Mae'n siŵr bod hyn yn sioc fawr iawn i'r system, ond mae hi wedi setlo yn ei chartref newydd yn gyflym iawn. Mae 'na reswm da iawn am hynny...

"Teimlad od iawn oedd cerdded i mewn i'r tŷ am y tro cynta," meddai Ceri. "Dyma lle roedd fy nain yn byw, a dw i'n cofio dod yma'n aml pan oeddwn i'n blentyn bach. Mae'r tŷ'n edrych yn wahanol iawn o'r tu allan, yn enwedig achos y ffenestri dwbl mawr lle roedd y ffenestri bach efo fframiau pren. Ond pan gerddais i i mewn i'r ystafell fyw, roedd hi fel mynd yn ôl chwe deg mlynedd. Heblaw am y ffaith ein bod ni wedi rhoi'r teledu lle roedd y cloc mawr yn arfer bod, mi fasai'r ystafell yn union fel dw i'n ei chofio."

Mae Ceri'n byw yn y bwthyn efo'i phartner Eryl, sy newydd ymddeol o'i waith fel athro yn Llundain hefyd. "Achos bod y ddau ohonon ni gartre rŵan, mae'r tŷ'n teimlo'n fach iawn. Dydyn ni ddim wedi arfer bod efo'n gilydd drwy'r dydd bob dydd. Mae'n anodd meddwl sut roedd Nain yn byw yma pan oedd hi'n blentyn. Roedd gan ei rhieni hi – fy hen nain a fy hen daid – wyth o blant, a dim ond dwy ystafell wely sy yn y tŷ! Ble roedd pawb yn cysgu? Beth roedd pawb yn ei wneud gyda'r nos? Dw i wir ddim yn gwybod."

Mae Ceri ac Eryl wrth eu bodd yn garddio ac maen nhw'n edrych ymlaen at ddechrau clirio'r ardd yn fuan. "Pan oedd Nain yn byw yma, roedd yr ardd bob amser yn llawn llysiau. Doedd dim byd gwell na thatws newydd yn syth o'r ardd. Ond does neb wedi cymryd diddordeb yn yr ardd ers blynyddoedd rŵan. Roedd y bobl oedd yn byw yma cyn i ni symud i mewn yn cadw hen geir a beiciau modur. Roedden nhw'n defnyddio'r ardd fel maes parcio!"

Er bod llawer o waith i'w wneud, mae Ceri ac Eryl wrth eu bodd yn eistedd yn yr ardd (neu'r maes parcio!) ar noson braf o haf yn edrych allan dros y môr. "Dan ni'n gweld traeth mawr hyfryd y pentref yn glir o'r tŷ. Treuliais i oriau yn chwarae ar y traeth yma pan oeddwn i'n blentyn. Yn anffodus, dan ni'n gallu gweld rhan o'r ffordd newydd sy'n rhedeg ar hyd ochr y traeth. Ond pan fydd y traffig yn tawelu gyda'r nos, does dim byd gwell nag eistedd yma efo gwydraid o win yn gwylio'r haul yn mynd i lawr dros y môr. Nefoedd ar y ddaear."

Nodwch sut mae pethau'n wahanol i Ceri.
Cofiwch sôn am sut **roedd** pethau a sut **mae** pethau erbyn hyn.
e.e. Ble mae hi'n byw: Roedd Ceri Llwyd yn byw yn Llundain, ond nawr/rŵan mae hi'n byw yng Ngogledd Cymru.

i. Sut mae'r tŷ'n edrych o'r tu allan

....

....

ii. Yr ystafell fyw

....

....

iii. Faint o bobl sy'n byw yn y tŷ

....

....

iv. Yr ardd

....

....

v. Yr olygfa

....

....

Gair gan y tiwtor:

Gwaith cartref – Uned 9

1. Atebwch:

i. Beth ddylech chi (ei) wneud heddiw?

....

ii. Beth ddylech chi fod wedi (ei) wneud ddoe?

....

iii. Beth hoffech chi (ei) wneud yfory?

....

iv. Beth hoffech chi fod wedi (ei) wneud dros y penwythnos tasai digon o arian gyda chi?

....

v. Beth allech chi fod wedi (ei) wneud dros y penwythnos tasai digon o amser gyda chi?

....

2. Cyfieithwch:

i. *We should recycle more.*

....

ii. *I would like to have contributed.*

....

iii. *He shouldn't have laughed at the tutor.*

....

iv. *I could have looked over the work.*

....

v. *They should have apologised.*

....

vi. *You wouldn't have liked to be there.*

....

3. Darllen

Darllenwch y negeseuon ebost ac atebwch y cwestiynau.

Oddi wrth: Nerys Williams

At: Dafydd Roberts

Testun: Gwyliau Cyfnewid Tai Cymru/*House Exchange Wales*

....

Annwyl Mr Roberts,

Dw i'n chwilio am wyliau i fy nheulu i. Ar ôl gwastraffu oriau ar y we, galw yn y siop deithio a mynd drwy'r papurau, daeth taflen am ddim drwy'r drws heddiw gan Gwyliau Cyfnewid Tai Cymru. 'Dyn ni eisiau gwyliau mewn dinas brysur. Dw i wedi trio chwilio am fwthyn neu fflat, ond mae pob un yng nghefn gwlad neu ar lan y môr. Achos ein bod ni'n byw yng nghanol y wlad ac yn mynd i'r traeth bob penwythnos, does neb o'r teulu eisiau gwyliau fel yna! Mae pawb eisiau mynd i siopa, mynd i weld ffilmiau a bwyta allan. 'Dyn ni'n grŵp mawr: fi a'r gŵr, saith o blant a dau gi, felly basai aros mewn gwesty'n rhy ddrud. Mae eich tŷ chi'n swnio'n berffaith. Dw i'n gweld bod y tŷ'n agos i ganol dinas Caerdydd, ond efo gardd fawr yn y cefn lle mae'r plant yn medru chwarae. Dw i'n deall bod gynnoch chi deulu mawr hefyd... saith o blant rhwng pedair a deuddeg oed, ia? Os oes gynnoch chi ddiddordeb mewn cyfnewid tai am wythnos yn yr haf, basai unrhyw bryd rhwng canol mis Gorffennaf a diwedd mis Awst yn bosib i ni.

Pob hwyl,
Nerys Williams

Oddi wrth: Dafydd Roberts

At: Nerys Williams

Testun: Gwyliau Cyfnewid Tai Cymru/*House Exchange Wales*

....

Annwyl Mrs Williams,

Diolch yn fawr am eich ebost. Mae eich tŷ chi'n swnio'n braf iawn. Basai'r teulu wrth eu bodd yn cael gwyliau mor agos i'r traeth. Yr unig amser mae fy mhartner a fi'n gallu cymryd gwyliau ar yr un pryd ydy wythnos ola mis Gorffennaf. Dyna'r amser druta yn y flwyddyn i logi bwthyn ar lan y môr, felly dyna pam 'dyn ni wedi cysylltu â chwmni Gwyliau Cyfnewid Tai Cymru. Roedd popeth yn swnio'n berffaith nes i chi sôn am eich cŵn chi. Mae alergedd gan fy merch ifanca i gŵn, felly yn sicr 'dyn ni ddim yn gallu cael eich cŵn chi yn ein tŷ ni. Dw i'n poeni hefyd y basai hi'n mynd yn sâl yn eich cartref chi. Trueni mawr am hyn, dw i'n siomedig iawn. Diolch am gysylltu, a mwynhewch eich gwyliau.

Dafydd Roberts

Nodwch yr ateb mwya priodol (*appropriate*) o'r brawddegau isod drwy roi llythyren yn y blwch.

1. Clywodd Nerys Williams am gwmni Gwyliau Cyfnewid Tai Cymru gynta...

a. drwy'r cyfrifiadur.

b. mewn siop deithio.

c. pan ddaeth y manylion drwy'r drws.

ch. mewn papur dydd Sul.

d. mewn siop bapurau.

2. Dydy teulu Nerys Williams ddim eisiau gwyliau ar lan y môr achos...

a. aethon nhw ar wyliau ar lan y môr llynedd.

b. maen nhw'n mynd i'r traeth yn aml.

c. mae'r traethau'n rhy brysur yn yr haf.

ch. dydy'r tywydd ddim yn ddigon braf.

d. mae pob gwesty'n llawn.

3. Mae teuluoedd Nerys a Dafydd yn debyg o ran...

a. eu diddordebau nhw.

b. eu gwaith nhw.

c. lle mae eu tŷ nhw.

ch. faint o blant sy yn y teulu.

d. beth maen nhw'n ei fwyta.

4. Mae teulu Dafydd yn gallu cymryd gwyliau...

a. ar ddiwedd mis Gorffennaf.

b. yn ystod wythnos ola'r tymor ysgol.

c. pan mae hi'n dawel yn y gwaith.

ch. pan mae'r prisiau'n rhesymol.

d. unrhyw bryd.

5. Ydy Nerys a Dafydd yn cytuno i gyfnewid tai?

a. Ydyn, os bydd eu partneriaid nhw'n hapus.

b. Ydyn, os bydd hi'n bosib trefnu bod y cŵn yn mynd i rywle arall.

c. Nac ydyn, achos bod dim amser sy'n gyfleus i'r ddau deulu.

ch. Nac ydyn, achos bod y cŵn ddim yn mynd i fod yn hapus mewn dinas.

d. Nac ydyn, achos bod gan un o'r plant broblem.

4. Llenwi ffurflen

Dyma wefan Gwyliau Cyfnewid Tai Cymru. Llenwch y ffurflen i wneud cais i fod ar y system.

Enw llawn: ....

Cyfeiriad: ....

Sut clywoch chi am y wefan? ....

....

Ysgrifennwch ddisgrifiad byr o'r tŷ dych chi eisiau ei gyfnewid. (tua 50 gair)

....

....

....

....

Beth sy'n arbennig am yr ardal lle mae eich tŷ chi i ymwelwyr? (tua 50 gair)

....

....

....

....

Ble basech chi'n hoffi mynd i aros yng Nghymru, a pham? (tua 50 gair)

....

....

....

....

Faint o bobl fydd yn aros yn y tŷ cyfnewid? ....

Oes amser pan fyddwch chi ddim yn gallu cyfnewid eich tŷ chi yn y deuddeg mis nesa?

....

Pob hwyl gyda ffeindio partner 'Tŷ Cyfnewid'! Byddwn ni'n cysylltu'n ôl mor fuan â phosib.

Gair gan y tiwtor:

....

....

....

Gwaith cartref – Uned 10

1. **Ysgrifennwch 10 brawddeg am eich diddordebau** – pan o'ch chi'n blentyn, yn eich arddegau, yn eich ugeiniau a nawr (os dych chi'n henach na 30!):

....

....

....

....

....

....

....

....

....

....

....

2. **Llenwch y bylchau:**

a	Pan dych chi'n colli dosbarth dych chi'n cael eich marcio'n ....
b	.... fy merch yw gyrru trên o Gaergybi i Gaerdydd.
c	.... yw prifddinas yr Alban.
ch	Mae .... mawr ym Mlaenau Ffestiniog ac ym Methesda.
d	Dw i'n .... o ben tost ar ôl bod yn y cyngerdd roc trwm neithiwr.
dd	Mae pawb yn y dosbarth yma'n ...., yn gallu siarad Cymraeg a Saesneg.
e	Dych chi wedi bod yn .... gadeiriol Llandaf yng Nghaerdydd?
f	Dewch yma ar ....! Mae'r cacennau bron â mynd!

ff	Mae'r .... yn gweithio bob dydd Sadwrn, rhag ofn bod pobl yn dost.
g	Rhaid i fi gael .... dros y penwythnos, dw i wedi blino'n lân!
ng	O na! Mae fy .... wedi torri, ac mae llawer o waith pwysig arno fe!
h	.... yn hyn, mae popeth yn mynd yn dda yn y cyfarfod.
i	Ro'n i'n mwynhau mynd i'r clwb .... pan o'n i'n ifanc!
l	Ces i .... ar fy nhroed i yn yr ysbyty yr wythnos diwetha.
ll	Mae'r côr wedi .... i gyrraedd llwyfan yr Eisteddfod!
m	.... o amgylch y byd fasai'r gwyliau perffaith i fi.
n	Rhaid i fi ysgrifennu .... at athro fy mhlant i – yn Gymraeg!
o	Mae lluniau bendigedig yn .... yr Amgueddfa Genedlaethol yng Nghaerdydd.
p	Mae'n syniad da .... pawb yn y dosbarth i fynd i weld y ddrama.
ph	Mae fy mam-gu yn hoff iawn o arddio – ei .... mwya hi yw tyfu llysiau.
r	Ces i .... gan ffrind fod camera cyflymder newydd ar y ffordd ger y swyddfa.
rh	Dw i ddim yn berson .... iawn, dw i byth yn prynu blodau i fy mhartner i!
s	Mae'r gwasanaeth o .... uchel yn y gwesty yma, ond mae e'n ddrud!
t	Person .... iawn sy wedi ennill y gystadleuaeth.
th	Bydd y gwasanaeth bws yn ddefnyddiol i bobl leol a .... dros yr haf.
u	Ble mae fy sbectol? Yn .... ble gadawaist ti hi!
w	Gwisgodd Ceri siwmper .... i fynd ma's i wneud dyn eira gyda'r plant.
y	Peidiwch ag ...., dw i'n hoffi clywed roc trwm am saith o'r gloch y bore!

3.   Atebwch y cwestiynau ar ôl darllen y darn:
Dau frawd a dau efell

Mae Daniel a John yn ddau frawd ac yn efeilliaid. Daniel ydy'r hyna, ond dim ond deg munud sy rhwng y ddau. Maen nhw'n edrych yn union yr un peth, ac mae eu rhieni nhw, sy'n rhedeg fferm ger Aberystwyth, yn cael trafferth gwybod pwy ydy pwy weithiau. Mae Daniel yn defnyddio'i law chwith i wneud popeth, a John yn defnyddio'i law dde. Dyna oedd yr unig ffordd o ddweud y gwahaniaeth, pan oedden nhw'n fach.

Ond, wrth iddyn nhw gyrraedd un deg saith oed, mae'r gwahaniaethau rhwng y ddau yn dod yn fwy clir. Mae Daniel yn gapten ar dîm rygbi'r ysgol ac wrth ei fodd yn yr awyr iach yn cerdded neu'n dringo. Ei freuddwyd ydy dilyn ei dad i'r busnes. Fydd e byth yn mynd i goleg, a dydy e ddim yn mwynhau gwaith ysgol o gwbl.

Ar y llaw arall, dim ond cyfrifiaduron sy'n mynd ag amser John, ddydd a nos. Bob awr ginio, pan fydd ei frawd e ar y cae chwarae, mae trwyn John yn ei gyfrifiadur e. Mae e'n gallu chwarae rygbi'n dda, ond mae e'n casáu bod allan yn y tywydd gwlyb. Fasai fe byth yn gallu bod yn ffermwr. Ond er bod y ddau frawd yn wahanol, maen nhw'n ffrindiau mawr.

Eleni, byddan nhw'n cymryd rhan mewn project ar efeilliaid, sy'n cael ei gynnal gan brifysgol yn America. Bydd John yn mynd i America am fis, a Daniel yn aros gartre. 'Mae'n broject cyffrous,' meddai John, sy eisiau mynd i'r coleg i astudio i fod yn feddyg y flwyddyn nesa. 'Mae'r project yn mynd i astudio beth sy'n digwydd pan fyddwn ni ar wahân. Bydd rhaid i ni gadw dyddiadur manwl o beth 'dyn ni'n wneud bob dydd,' meddai.

Ond beth ydy pwrpas y project? 'Mae'n swnio fel gwastraff amser i fi,' meddai Daniel, 'ond o leia bydd fy mrawd i'n cael taith i America ym mis Gorffennaf.' Mae John yn edrych ymlaen. 'Yn aml iawn, dw i'n gwybod beth sy'n mynd drwy feddwl Daniel a beth mae e'n ei wneud, ond sut bydd hynny'n newid pan fyddwn ni mor bell oddi wrth ein gilydd?'

Cymharwch Daniel a John o safbwynt y cwestiynau yma.
Cofiwch sôn am y **ddau** frawd wrth ateb pob cwestiwn:
e.e. **Sut maen nhw'n ysgrifennu**
Mae **Daniel** yn defnyddio'i law chwith, a **John** yn defnyddio'i law dde.

i. Eu diddordebau nhw yn yr ysgol.

....

....

ii. Eu cas bethau nhw.

....

....

iii. Beth maen nhw eisiau (ei) wneud ar ôl gadael yr ysgol.

....

....

iv. Eu barn nhw am y project.

....

....

v. Ble byddan nhw dros yr haf.

....

....

4. **Canolfannau Hamdden Cymru**

Mae **Canolfannau Hamdden Cymru** eisiau gwybod beth ydy barn pobl am eu canolfan hamdden leol. Wnewch chi lenwi'r ffurflen hon os gwelwch chi'n dda?

i. Enw llawn: ....

ii. Cyfeiriad: ....

iii. Pa mor bell dych chi'n byw o'r ganolfan hamdden agosa?

....

iv. Pam mae'r ganolfan hamdden yn bwysig i'r ardal? (tua 50 gair)

....

....

....

....

v. Faint o ddefnydd dych chi wedi (ei) wneud o'ch canolfan hamdden leol yn y gorffennol? (tua 50 gair)

....

....

....

vi. Sut basech chi'n cael mwy o bobl i ddefnyddio eich canolfan hamdden leol? (tua 40 gair)

....

....

....

vii. Fasech chi'n fodlon i ni anfon gwybodaeth drwy'r post atoch chi am ganolfannau hamdden Cymru?

....

....

Gair gan y tiwtor:

....

....

....

....

....

....

....

....

....

....

Gwaith cartref – Uned 11

1. Cyfieithwch:

i. *The car was driven out of the car park.*

....

ii. *I was taught by Siwan Jones.*

....

iii. *They were made in Wales.*

....

iv. *The play was written by Shakespeare.*

....

v. *The workers were paid last week.*

....

2. Atebwch:

i. Ble cawsoch chi eich geni?   ....

ii. Ble cafodd eich tad ei fagu?   ....

iii. Ble cafodd eich mam ei magu?   ....

iv. Gan bwy cafodd y lleidr ei arestio?   ....

v. Gan bwy cafodd y llyfr ei ysgrifennu?   ....

vi. Gan bwy cafodd y gân ei chanu?   ....

3. Ffordd dda iawn i ymarfer Cymraeg yw edrych ar wefannau *BBC Cymru Fyw* a *Golwg 360*. Mae botwm **Vocab** sy'n ddefnyddiol iawn os dych chi ddim yn gwybod/cofio gair –cliciwch ar y gair i weld y cyfieithiad.

Edrychwch ar yr erthygl o wefan *Cymru Fyw* am y Ffoaduriaid yn dysgu Cymraeg a **llenwch y bylchau**: https://www.bbc.co.uk/cymrufyw/48193017

i. .... y dosbarth ei .... yng ....

ii. ....y dosbarth ei .... am .... ym mis ....

iii. .... plant y menywod .... gwarchod mewn ....

4. Disgrifiwch eich lolfa chi yn fanwl. Ble prynoch chi eich celfi?

- Beth yw eich hoff beth yn yr ystafell?
- Oes pethau ail-law gyda chi yn y lolfa?
- Beth fasech chi'n hoffi (ei) newid?

Byddwch chi'n disgrifio'r lolfa i rywun yr wythnos nesa.

....

....

....

....

....

....

....

....

....

....

....

....

....

....

....

....

....

....

....

....

....

....

5. Llenwch y ffurflen:

Mae cwmni 'Sut mae Byw?' yn gwneud holiadur am sut mae bywyd plant wedi newid dros y blynyddoedd, a beth yw barn pobl am hynny. Does dim ots os nad oes plant gyda chi – mae eich barn chi'n bwysig i ni.

i. Enw llawn: ....

ii. Cyfeiriad ebost: ....

iii. Ble cawsoch chi eich magu? ....

iv. Sut mae bywyd plant heddiw wedi newid o'r amser pan o'ch chi'n blentyn? (tua 50 gair)

....
....
....
....
....

v. Ydy plant heddiw yn cael gormod o ryddid (*freedom*)? (tua 50 gair)

....
....
....
....
....

vi. Sut basech chi'n newid pethau, tasech chi'n cael cyfle? (tua 50 gair)

....
....
....
....
....

Gair gan y tiwtor:

....

....

....

....

....

....

....

....

....

....

....

....

....

....

....

....

....

....

....

....

....

....

....

....

....

....

....

....

Gwaith cartref – Uned 12

1. Trowch y brawddegau yma i'r amhersonol:
e.e. Cafodd y gân ei chanu gan Twm Terfel. > Canwyd y gân gan Twm Terfel.

i. Cafodd y ddrama ei pherfformio gan Gwmni'r Bont.

....

ii. Cafodd y llanc ei arestio neithiwr yn y dref.

....

iii. Cafodd y dyn ei weld yn dringo i mewn i'r siop.

....

iv. Cafodd protest ei chynnal yng nghanol y ddinas.

....

v. Cafodd John Jones ei anafu yn ystod hanner cyntaf y gêm.

....

2. Trowch y brawddegau yma o'r amhersonol i iaith anffurfiol:
e.e. Arestiwyd y bachgen. > Cafodd y bachgen ei arestio.

i. Ysgrifennwyd y llyfr gan Daniel Owen.

....

ii. Gwelwyd y ffilm gan filoedd o bobl.

....

iii. Dysgwyd Anthony Sheen yn yr ysgol gan Mrs Roberts, Port Talbot.

....

iv. Ganwyd cant o fabanod yn yr ysbyty eleni.

....

v. Cynhaliwyd cyfarfod pwysig yn y Senedd heddiw.

....

3. Ysgrifennwch ateb i'r llythyr yma: (tua 100 o eiriau)

Gwesty'r Ddraig
Llanaber

Annwyl Mr a Mrs Smith,

Mae'n ddrwg gen i fy mod i ddim yn y gwesty y penwythnos diwetha pan oeddech chi'n aros yma. Dw i'n deall oddi wrth staff y ddesg nad oeddech chi'n rhy hapus am nifer o bethau. Dw i'n ymddiheuro am hyn.
Mae'n bwysig i ni fod pob cwsmer yn mwynhau aros yn y gwesty ac yn cael gwasanaeth da. Baswn i'n hoffi gwybod pa broblemau gawsoch chi yn ystod y penwythnos: wnewch chi roi'r manylion ar bapur i mi os gwelwch chi'n dda? Byddwn ni'n gwneud ein gorau i wneud yn siŵr y bydd popeth yn iawn y tro nesa y byddwch chi'n dod i aros yn y gwesty.

Yn gywir,
Mrs Mona Jones, rheolwraig Gwesty'r Ddraig.

neu:

Annwyl Gyfaill,

Dw i'n ysgrifennu atoch chi i ddweud y bydd rhaid i ni newid oriau agor y feddygfa yng Nghwm Glas y mis nesa. Yn y gorffennol, mae'r feddygfa wedi bod ar agor o ddydd Llun tan ddydd Gwener (o 8.00 tan 8.00) ac ar fore Sadwrn.
Yn anffodus, dim ond o 9 tan 5 yn ystod yr wythnos byddwn ni ar agor o hyn ymlaen, a fyddwn ni ddim ar agor ar fore Sadwrn o gwbl.
Rydyn ni'n ymddiheuro am hyn, ond mae un meddyg wedi ymddeol, a fyddwn ni ddim yn gallu cael neb yn ei le, yn anffodus.

Yn gywir,
Glyn Parri (Rheolwr y Feddygfa)

4. Darllenwch y darn ac atebwch y cwestiynau.

Hanes yr Ysgol

Tua blwyddyn yn ôl, roedd Gareth Rees yn gweithio fel adeiladwr yn Ysgol Cwm Ifan. Wrth iddo fe weithio ar do'r ysgol, edrychodd e drwy dwll a gweld rhyw hen focs mewn cornel dywyll yn yr atig. Ar unwaith roedd Gareth yn gwybod ei fod e wedi dod o hyd i rywbeth hen iawn.

'Cafodd Ysgol Cwm Ifan ei hadeiladu dros gan mlynedd yn ôl i roi addysg i blant ffermwyr lleol,' meddai Gareth. 'Ond mae'r ffermydd wedi diflannu erbyn hyn ac mae'r rhieni'n gweithio yn y ffatrïoedd newydd yn Llanaber. Mae'r ysgol yn dal i fod yn rhan bwysig o'r pentre. Does dim llawer wedi newid y tu mewn i'r ysgol ers iddi hi gael ei chodi, heblaw am yr estyniad newydd yn y cefn. Yno mae pawb yn bwyta y dyddiau hyn, yn lle'r hen neuadd. Ond, ro'n i'n synnu bod neb wedi bod yn yr atig ers blynyddoedd... os o gwbl.'

Yn y bocs, daeth Gareth o hyd i nifer o eitemau diddorol iawn. 'Gwelais i lawer o bapurau oedd wedi troi'n felyn; roedden nhw'n edrych fel hen lyfrau ysgrifennu plant. Hefyd roedd nifer o hen luniau o'r ysgol.' Gan fod Gareth a'i deulu wedi byw yn yr ardal ers blynyddoedd, roedd e eisiau gwybod mwy am sut roedd yr ysgol amser maith yn ôl. 'Ces i sioc wrth weld yr hen luniau,' meddai. 'Roedd blaen yr adeilad yn debyg, er bod y ffenestri modern yn edrych yn wahanol i'r hen rai pren. Rhywbeth diddorol arall oedd gwisg y plant: pob un ohonyn nhw'n gwisgo dillad du, a'r bechgyn yn gwisgo capiau. Fasai'r plant heddiw ddim yn hapus o gwbl – maen nhw'n cwyno bod y crysau-T coch sy ganddyn nhw'n rhy hen ffasiwn, a fasai'r bechgyn byth yn gwisgo cap ysgol! Un peth ro'n i wedi anghofio amdano oedd sut roedd yr ardal o gwmpas yr ysgol wedi newid. Yr adeg honno, dim ond caeau oedd yno, yn wahanol iawn i heddiw. Mae llawer o dai newydd yno erbyn hyn.'

Yn ogystal â'r lluniau, roedd llyfrau ysgrifennu plant yr ysgol yn y bocs hefyd. Un peth a synnodd Gareth oedd bod y rhain i gyd yn Saesneg, er bod rhan fwya o bobl yr ardal yn siarad Cymraeg ar y pryd. Y dyddiau hyn, mae'n bosib bod wyrion neu wyresau ganddyn nhw yn yr un ysgol, ond mae plant heddiw yn ysgrifennu yn Gymraeg. Mae Gareth yn gobeithio bydd y lluniau a'r llyfrau'n cael eu dangos yn yr ysgol y tymor nesa. Bydd diddordeb mawr gan bobl yr ardal, mae'n siŵr.

Nodwch sut mae pethau wedi newid gan gyfeirio at yr isod:

Cofiwch sôn am sut **roedd** pethau a sut **mae** pethau erbyn hyn.

e.e. **Beth dych chi'n gallu'i weld o gwmpas yr adeilad.**

Dim ond caeau oedd yn arfer bod yno, ond erbyn hyn dych chi'n gweld llawer o dai newydd o gwmpas yr ysgol.

i. Gwaith y bobl leol

....

....

ii. Lle mae'r plant yn bwyta cinio

....

....

iii. Sut mae blaen yr ysgol yn edrych

....

....

iv. Gwisg y plant

....

....

v. Gwaith y plant

....

....

Gair gan y tiwtor:

....

....

....

Gwaith cartref – Uned 13

1. Atebwch (dilynwch y patrwm):

Beth sy ar S4C heno?   *Pobol y Cwm* sy ar S4C heno.

i. Pwy sy'n byw yn eich tŷ chi?

....

ii. Pwy oedd eich tiwtor Cymraeg cyntaf chi?

....

iii. Pwy sy'n dysgu'r dosbarth Cymraeg?

....

iv. Pwy fydd ar flaen y papur newydd yfory?

....

v. Pa ffilm sy yn y sinema ar hyn o bryd?

....

2. Darllenwch y ddwy neges ebost ac atebwch y cwestiynau.

Oddi wrth: Gwyn Morgan
At: Elinor Tomos

Testun: Pêl-droed
Annwyl Gyfaill,
Dw i'n ysgrifennu ar ran clwb pêl-droed Llanaber. Mae'r clwb yn gwneud yn dda ar hyn o bryd, ond yn gobeithio tyfu ymhellach. Mae gynnon ni dîm dan ddeuddeg, tîm dan un deg chwech, a dau dîm o oedolion. Fi sy'n gyfrifol am hyfforddi'r tîm dan ddeuddeg, a dyna pam dw i'n ysgrifennu atoch chi. Dw i'n gwybod bod eich merch Gwenno ym mlwyddyn 5: fasai hi eisiau chwarae? Mae digon o fechgyn yn y tîm yn barod. Basai rhaid ymarfer bob nos Fercher efo fi a chwarae gêm bob bore Sadwrn. Fasai dim angen i chi roi pres, bod ar y pwyllgor na dim, (er, mi fasai'n braf tasai mwy'n dod i gefnogi'r tîm efo fi ar ddydd Sadwrn!) Wnewch chi a Gwenno feddwl am y peth? Mae timau Llanaber i gyd yn gwneud yn dda ar hyn o bryd, ac enillodd y tîm dan un deg chwech gwpan y sir eleni. Mae'n gyfle i'r plant redeg ac ymarfer, a dyna'r peth mwya pwysig. Maen nhw'n cael mwynhad wrth gymdeithasu ar yr un pryd, wrth gwrs.

Dw i'n edrych ymlaen at glywed oddi wrthoch chi.
Gwyn Morgan

Oddi wrth: Elinor Tomos
Testun: Pêl-droed

Annwyl Gwyn,
Diolch am eich neges. Oes, mae diddordeb gen i. Dw i wedi trio cael Gwenno i wneud pethau yn y ganolfan hamdden fel nofio neu chwarae badminton, ond dydy hi ddim eisiau gwneud pethau felly. Dw i'n poeni ei bod hi'n treulio cymaint o amser o flaen sgrin... problem i rieni dros y byd, dw i'n siŵr! Mi faswn i'n hapus i ddod nos Fercher yma i'r hyfforddi, ond mae'r car yn y garej. Dw i ddim yn nabod neb fasai'n gallu dod â hi yn fy lle i. Bydda i'n trafod efo Gwenno, ond fydd dim dewis ganddi... o leia bydd hi'n gyfle iddi siopa am sgidie pêl-droed! Gobeithio eich gweld chi cyn bo hir.

Pob hwyl,
Elinor

Nodwch yr ateb mwya priodol (*appropriate*) o'r brawddegau isod drwy roi llythyren yn y blwch.

1. Mae Gwyn Morgan yn chwilio...
a. am bobl i fod ar bwyllgor y clwb.
b. am arian.
c. am rywun i fod yn reff.
ch. am fechgyn i chwarae yn y tîm.
d. am ferched i chwarae yn y tîm.

2. Fel arfer, mae Gwyn Morgan yn gweld y tîm...
a. bob nos.
b. unwaith yr wythnos.
c. ddwywaith yr wythnos.
ch. dair gwaith yr wythnos.
d. unwaith y mis.

3. Yn ôl Gwyn Morgan, y prif reswm dros chwarae ydy...
a. mae'n gyfle i wneud ffrindiau.
b. mae'n gyfle i gadw'n heini.
c. bod y tîm yn gwneud yn dda.
ch. bod llawer o ferched yn y tîm.
d. bod tîm y plant wedi ennill y cwpan.

4. Diddordeb mwya Gwenno ar hyn o bryd ydy...

a. chwarae gemau cyfrifiadur.

b. nofio.

c. chwarae badminton.

ch. chwarae pêl-droed.

d. gwylio'r teledu.

5. Fydd Gwenno ddim yn yr ymarfer achos...

a. does dim lifft gyda hi.

b. dydy hi ddim yn hoffi pêl-droed.

c. dydy ei mam hi ddim eisiau.

ch. does dim dewis gyda hi.

d. does dim esgidiau addas gyda hi.

3. Llenwch y ffurflen yma:

Cynllun i ddysgwyr

Mae teuluoedd Cymraeg ledled Cymru yn barod i groesawu dysgwyr i aros yn eu cartrefi am wythnos er mwyn ymarfer eu Cymraeg. Os oes diddordeb gyda chi, llenwch y ffurflen.

i.   Enw llawn: ....

ii.   Cyfeiriad neu ebost: ....

iii. Lleoliad eich dosbarth Cymraeg: ....

iv. Lefel eich dosbarth: ....

v.   Sut dych chi wedi dysgu Cymraeg? (tua 40 o eiriau)

....

....

....

....

vi. Pam basech chi'n hoffi treulio wythnos gyda theulu Cymraeg? (tua 40 gair)

....

....

....

....

....

....

vii. Ble dych chi'n defnyddio'ch Cymraeg tu allan i'r dosbarth? Disgrifiwch beth wnaethoch chi yn y mis diwetha. (tua 40 gair)

....

....

....

....

viii. Pryd fasai hi **ddim** yn bosib i chi fynd i aros gyda theulu?

....

....

4. Ysgrifennwch lythyr (tua 100 gair)
Cwmni Teledu Bleddyn
Llanaber

Annwyl gyfaill,
Mae Cwmni Teledu Bleddyn yn gwneud rhaglen am bobl ddiddorol sy'n byw mewn gwahanol ardaloedd yng Nghymru. Oes rhywun arbennig o ddiddorol yn eich ardal chi? Pam mae'r person yma'n ddiddorol? Sut dych chi'n nabod y person yma?
Anfonwch eich syniadau ata i i'r cyfeiriad uchod, os gwelwch chi'n dda. Dw i'n edrych ymlaen at glywed oddi wrthoch chi.
Yn gywir,
Robert Owen
neu:
Mae ffrind i'r teulu wedi anfon £1,000 atoch chi ar eich pen-blwydd chi. Ysgrifennwch lythyr yn diolch iddo/iddi gan ddweud sut byddwch chi'n gwario'r arian.
neu:
Does dim lle i barcio yn y dre. Ysgrifennwch lythyr i'r cyngor i gwyno am hyn.
neu:
Chi sy'n trefnu trip y dosbarth eleni. Ysgrifennwch at bawb yn dweud beth ydy'r trefniadau.

Gair gan y tiwtor:

....

....

....

Gwaith cartref – Uned 14

1. Cyfieithwch:

i.   *I know that you are the boss.*

_____

ii.   *I think that red is the colour of the car.*

_____

iii.   *I'm sure that Wales is the best team!*

_____

iv.   *I know that he is the driver.*

_____

2. Atebwch (gan ddefnyddio **taw**)

i.   Pwy yw'r canwr gorau?

_____

ii.   Beth yw mynydd ucha Cymru?

_____

iii.   Pwy yw eich Aelod Seneddol chi?

_____

iv.   Pa un yw'r orsaf drên agosa i'r dosbarth?

_____

3. Ysgrifennwch lythyr (tua100 gair)

i. Atebwch y llythyr yma:
Theatr y Bont
Llanaber

Annwyl Gyfaill,

Fel dych chi'n gwybod, mae Theatr y Bont wedi agor yn y dre o'r diwedd. Mae'r theatr yn ysgrifennu at bobl yr ardal yn gofyn am eu barn. Pa fath o bethau hoffech chi eu gweld yn digwydd yn y theatr? Fasech chi'n barod i gymryd rhan neu helpu?

Diolch am eich cefnogaeth.
Ifor Evans (Rheolwr y Theatr)

neu:

ii. Dych chi'n trefnu trip i'ch ffrindiau er mwyn mynd o gwmpas yr ardal lle gaethoch chi eich geni. Ysgrifennwch at eich ffrindiau'n dweud beth ydy'r trefniadau.

neu:

iii. Dych chi wedi cael swydd newydd. Ysgrifennwch at eich pennaeth presennol yn esbonio pam dych chi'n gadael.

neu:

iv. Fyddwch chi ddim yn cael parcio yn ymyl eich coleg lleol o'r flwyddyn nesa ymlaen. Ysgrifennwch at bennaeth y coleg i gwyno am hyn.

4.
Dych chi wedi clywed am y rhaglen deledu boblogaidd *Dr Who*? Mae Tardis gyda *Dr Who* – hen flwch glas sy'n gallu mynd â fe a'i ffrindiau yn ôl neu ymlaen mewn amser. Meddyliwch ble basech chi'n hoffi mynd yn ôl (neu ymlaen), yna ysgrifennwch baragraff o stori gan ddechrau:
"Amser maith yn ôl…" neu "Ymhell yn y dyfodol…."
a gorffen "…A dyna ddiwedd y stori".

5. Darllenwch y ddwy neges ebost:

Oddi wrth: Delyth Mair
At: Mr Evans
Testun: Cwrs Sbaeneg

Annwyl Mr Evans,

Roedd rhaid i fi ysgrifennu atoch chi am y cwrs Sbaeneg sy newydd orffen yn eich coleg chi. Dyma'r trydydd cwrs i mi ei ddilyn yn eich coleg chi a dyma'r gwaetha, o ddigon. Mi es i ar y cwrs achos bod fy merch i'n meddwl mynd i fyw yn Madrid, a phan welais i'r hysbyseb ar y wal yn y coleg, ro'n i wrth fy modd. Fel arfer, dw i'n mynd i'r bingo ar nos Iau, ond penderfynais i fod rhaid dysgu Sbaeneg eleni. Fodd bynnag, do'n i ddim mor hapus gyda'r tiwtor, Pedro Gonzalez. Roedd y bobl eraill yn y dosbarth yn hyfryd, ond roedd Pedro'n ofnadwy. Roedd o'n hwyr i bob gwers, doedd o byth yn marcio'r gwaith cartre ac roedd o'n siarad Sbaeneg drwy'r amser heb esbonio dim. Erbyn diwedd y tymor, dim ond tri ohonon ni oedd ar ôl allan o ddosbarth o bymtheg.

Dw i'n gwybod eich bod chi'n dibynnu ar staff rhan-amser i ddysgu, ond dw i ddim yn credu bod Señor Gonzalez yn addas i ddysgu dosbarthiadau oedolion. Dw i'n edrych ymlaen at glywed sut byddwch chi'n delio â'r mater, neu bydda i'n mynd yn ôl i'r bingo bob nos Iau.

Diolch yn fawr,
Delyth Mair

Oddi wrth: Mr Evans
At: Delyth Mair
Testun: Cwrs Sbaeneg

Annwyl Delyth Mair,

Diolch yn fawr am eich neges. Mae'n ddrwg gen i glywed eich bod chi ddim wedi mwynhau'r cwrs Sbaeneg. Roedd y coleg wedi cael cwynion am Mr Gonzalez o'r blaen, ac wedi trefnu bod staff profiadol yn mynd i'w weld yn dysgu, felly mae'n ddrwg gen i glywed bod y broblem wedi para. Mae'n dda gen i ddweud bod Mr Gonzalez wedi mynd yn ôl i fyw yn Sbaen, erbyn hyn. Yn anffodus, fedrwn ni ddim cynnig eich ffi yn ôl i chi, ond mae'n bosib i chi fynd ar gwrs arall yn y coleg y flwyddyn nesa, a dim ond hanner can punt fydd y gost (yn lle'r can punt arferol). Dw i'n edrych ymlaen at eich gweld mewn dosbarth arall ym mis Medi.

Yn gywir,
Mr Evans

Nodwch yr ateb mwya priodol (*appropriate*) o'r brawddegau isod drwy roi llythyren yn y blwch, e.e. ch. Mae 4 marc am bob cwestiwn.

1. Prif reswm Delyth Mair dros anfon y neges yw...
a. diolch.
b. cwyno.
c. siarad am ei theulu.
ch. siarad am ei gwaith.
d. gofyn am help.

2. Roedd Delyth Mair yn gwybod am y cwrs ar ôl...
a. gweld poster yn y coleg.
b. siarad â ffrind yn y bingo.
c. cael neges ebost.
ch. mynd ar wefan y coleg.
d. siarad â'i merch.

3. Y brif broblem oedd...
a. y noson.
b. gwaith cartre anodd.
c. y dysgwyr eraill yn y dosbarth.
ch. siarad yr iaith.
d. y tiwtor.

4. Fydd hyn ddim yn broblem eto, achos...
a. mae staff eraill yn mynd i wylio'r dosbarth.
b. mae llai o bobl yn y dosbarth.
c. mae llai o waith cartre.
ch. mae'r tiwtor wedi gadael.
d. mae'r coleg yn cymryd cwynion o ddifri.

5. Bydd y coleg yn...
a. talu ffi'r cwrs yn ôl i Delyth Mair.
b. rhoi cwrs arall iddi am hanner pris.
c. rhoi £25 iddi.
ch. stopio cynnig cyrsiau Sbaeneg o hyn ymlaen.
d. diswyddo'r tiwtor.

Gair gan y tiwtor:

....

....

....

Gwaith cartref – Uned 15

1. Llenwch y bylchau

A	Os bydd tân, chwiliwch am yr .... dân ar unwaith!	
B	Mae rhai'n dweud taw .... y ddraig goch yw'r orau yn y byd!	
C	Mae .... yn y bil! Dyw e ddim yn chwe deg punt!	
Ch	Mae'r adran cynnal a .... yn fwy prysur yn y gaea ac ar ôl stormydd.	
D	Mae'r swyddog iechyd a .... yn bwysig ar noson Tân Gwyllt!	
Dd	Ro'n i mewn tipyn o .... gyda'r cerdyn credyd ar ôl y Nadolig.	
E	"Bore da, ga i .... 273 os gwelwch chi'n dda?"	
F	Dyw Huw ddim yn hoffi rhannu ei .... personol gyda neb.	
Ff	Roedd hi'n anodd .... â'r ferch pan aeth hi i ffwrdd i'r coleg.	
G	Gêm .... oedd hi rhwng Caerdydd ac Abertawe – un gôl yr un.	
Ng	Mae Myrddin ap Dafydd yn gweithio yng .... Carreg Gwalch.	
H	Doedd dim car gyda fi pan o'n i'n byw yn Llundain. Felly, dw i wedi colli .... a ddim eisiau gyrru.	.
I	Mae'n well gyda fi fwyd .... na rwtsh fel creision a siocled.	
L	Mae ....'r parseli adeg y Nadolig yn cymryd mwy o amser na'r agor!	
Ll	Mae'r .... yn ofnadwy yn y swyddfa yma, does neb byth yn glanhau.	
M	Yr Urdd yw'r .... ieuenctid i blant a phobl ifanc sy'n siarad Cymraeg.	
N	Mae .... o bobl wedi ymuno â'r dosbarth ers iddo fe ddechrau.	
O	Gair arall am "achos..." yw "...............".	
P	Roedd y ....Weinidog ar newyddion S4C o'r Senedd neithiwr.	
Ph	Roedd llawer o weiddi a .... y tu allan i'r Senedd!	
R	Cafodd y rhaglen ei .... yn yr Eisteddfod Genedlaethol.	
Rh	Clymwch y .... yn iawn neu bydd y cwch yn mynd gyda'r tonnau.	
S	Mae'n braf cael tywydd.................... os dych chi'n mynd i wersylla!	
T	Beth yw'r .... ar gyfer y cyfarfod?	
Th	Roedd llawer o fellt a .... neithiwr yn ystod y storm.	
U	Mae pob .... yn y dosbarth yn bwysig.	
W	Mae llawer o .... diddorol iawn yn y gwersyll gwyliau.	
Y	.... y lleidr o flaen y llys.	

2. Mae cwmni 'Cymru ar Waith' wedi anfon holiadur am swyddi pobl. Llenwch y ffurflen yma os gwelwch yn dda:

i.   Enw llawn: _____

ii.   Cyfeiriad ebost: _____

iii. Disgrifiwch eich swydd gynta erioed (tua 50 gair)

_____

_____

_____

_____

_____

_____

iv. Beth ydy teitl eich swydd bresennol chi/Beth oedd teitl eich swydd ddiwetha chi?

_____
_____
_____
_____
_____

v. Beth yw/oedd y peth gorau a'r peth gwaethaf am y swydd (tua 50 gair)?

_____
_____
_____
_____
_____

vi. Beth fasech chi'n hoffi/wedi hoffi (ei) newid am y swydd? (tua 50 gair)

_____
_____
_____
_____
_____

vii. Fasech chi'n hoffi crynodeb _(summary)_ o ganlyniadau'r holiadur?_____

Diolch am eich help.

3. Darllenwch yr ebyst ac atebwch y cwestiynau.

Oddi wrth: Aled ap Hywel

At: Staff y Coleg

Testun: Clwb y Staff

_____

Annwyl gyfeillion,

Diolch i bawb sy wedi bod yn cefnogi clwb y staff dros y flwyddyn ddiwethaf. Fel mae pawb yn gwybod yn barod, mae Rheinallt Morgan, rheolwr amser llawn y clwb, wedi ymddeol yn gynnar. Roedd hi'n braf cael cyfle i ddiolch iddo mewn noson arbennig yn y clwb y mis diwetha. Byddwn ni'n hysbysebu yn y papur newydd i gael rhywun arall i reoli'r clwb yr wythnos yma.

Ond hoffwn ofyn heddiw a oes gan un ohonoch chi ddiddordeb mewn gwaith gyda'r nos ac ambell benwythnos – mae angen rhywun i helpu tu ôl i'r bar ac i helpu'r rheolwr. Os oes, cysylltwch efo fi. Cofiwch fod y wybodaeth ddiweddara' am bopeth sy ymlaen yma ar wefan y clwb; mae'n debyg fod camgymeriad yn y wybodaeth ym mhapur y coleg a'r posteri yn y bwyty.

Diolch,

Aled

Oddi wrth: Ifan Tomos

At: Aled ap Hywel

Testun: Clwb y Staff

_____

Annwyl Aled,

Diolch am y neges a'r wybodaeth. Mae gen i ddiddordeb yn swydd y rheolwr, nid yn y gwaith arall. Dw i'n gwybod bydd hysbyseb yn y papur cyn hir, ond ro'n i'n meddwl y basech chi'n medru helpu. Ar hyn o bryd, dw i'n gweithio yn llyfrgell y coleg, ond mae'r pennaeth yno'n gwneud bywyd yn anodd i'w staff i gyd. Basai unrhyw swydd arall yn well! Dw i ddim yn poeni cymaint am faint o dâl sydd na pha fath o waith ydy o. Dw i'n drefnus iawn, yn gyrru, ac wedi arfer rheoli pobl ac arian. Faswn i ddim yn medru gweithio gyda'r nos, gan fod gen i deulu ifanc... ydy'r swydd yn gofyn am hynny? Do'n i ddim eisiau gwastraffu amser yn gwneud cais heb wneud hynny'n glir.

Baswn i'n ddiolchgar tasech chi ddim yn dweud wrth awdurdodau'r coleg na'r llyfrgell mod i wedi dangos diddordeb... am y tro beth bynnag. Wnewch chi fy ffonio ar 07937 118909 am sgwrs os gwelwch chi'n dda, neu adael neges?

Cofion gorau,

Ifan Tomos

Nodwch yr ateb mwya priodol (appropriate) o'r brawddegau isod drwy roi llythyren yn y blwch.

1. Prif reswm Aled ap Hywel dros anfon neges yw/ydy...

a. diolch i Rheinallt Morgan.

b. hysbysebu am reolwr newydd.

c. chwilio am bobl i weithio'n rhan-amser.

ch. dweud beth sy ymlaen yn y clwb.

d. gofyn am ebost.

2. I gael gwybodaeth gywir am ddigwyddiadau'r clwb, dylai pobl...

a. edrych ar y we.

b. ddarllen papur y coleg.

c. edrych ar y posteri.

ch. alw heibio.

d. gysylltu ag Aled.

3. Mae Ifan yn chwilio am swydd newydd achos...

a. mae e eisiau gweithio yn y clwb.

b. dydy e ddim eisiau gweithio yn y llyfrgell.

c. mae e'n ddi-waith.

ch. mae teulu ifanc gyda fe.

d. dydy e ddim eisiau gyrru'n bell.

4. Mae Ifan eisiau gwybod...

a. pa fath o waith ydy hwn.

b. oes rhaid rheoli pobl ac arian.

c. pryd bydd yr hysbyseb yn y papur.

ch. beth yw'r cyflog.

d. beth yw'r oriau gwaith.

5. Mae Ifan eisiau gwneud yn siŵr fod ei bennaeth...

a. yn ffonio 07937 118909.

b. ddim yn derbyn cais.

c. ddim yn clywed ei fod eisiau gadael.

ch. yn cael y neges.

d. ddim yn trin ei staff yn ddrwg.

4. Ysgrifennwch lythyr (tua 100 gair)

i.

Tŷ Bwyta Halen a Phupur

Aberheli

Annwyl gyfaill,

Diolch am ddod i gael swper yn ein tŷ bwyta ni nos Sadwrn diwetha. Dw i wedi darllen beth ysgrifennoch chi ar y we, ac mae'n ddrwg gen i ddeall eich bod chi ddim wedi mwynhau. Wnewch chi anfon llythyr yn esbonio pam gwnaethoch chi roi sgôr o 1 allan o 5 i ni? Oedd problem gyda'r bwyd neu'r gwasanaeth?

Dw i'n edrych ymlaen at glywed oddi wrthoch chi.

Yn gywir,

Lois Dafydd (Rheolwr)

neu:

ii.   Mae ffrindiau o dramor yn dod i aros gyda chi am wythnos ym mis Awst. Ysgrifennwch atyn nhw'n sôn am ddau le y byddwch chi'n ymweld â nhw yn ystod yr wythnos.

neu:

iii.   Dych chi'n trefnu taith gerdded i godi arian. Ysgrifennwch lythyr yn gofyn i bobl gymryd rhan, ac yn dweud beth yw'r trefniadau.

neu:

iv.   Mae rhywun wedi cysylltu â chi'n gofyn am eich barn am gydweithiwr *(colleague)*, sy wedi ceisio am swydd arall. Ysgrifennwch lythyr yn dweud pam basai eich cydweithiwr chi'n addas i wneud y swydd.

5. Chwilair

Ceisiwch ffeindio'r geiriau yn y grid ac yna ysgrifennwch 5 pennawd newyddion yn defnyddio rhai o'r geiriau.

L	O	F	I	R	F	I	D	I	W	E	I	TH	D	R	A	N
A	B	L	O	F	I	R	F	Y	C	C	T	C	A	CH	CH	E
D	M	Y	LL	A	D	R	A	D	D	Â	E	R	N	D	O	W
C	A	S	Y	LL	A	D	R	O	N	DD	E	N	E	A	S	Y
I	Y	M	E	LL	T	A	E	N	F	S	N	L	E	FF	LL	DD
L	R	H	W	G	N	P	H	O	T	F	D	S	U	DD	O	I
A	E	T	O	A	P	E	L	I	O	E	W	D	S	Y	S	O
T	I	F	A	E	I	L	O	T	L	LL	Y	O	G	R	G	N
R	M	F	Y	NG	DD	N	N	S	O	Ô	N	R	Ô	A	I	U
A	U	P	PH	RH	FF	I	N	Y	M	Ê	G	F	R	F	R	N
F	C	A	R	CH	A	R	U	T	R	I	N	I	A	E	TH	O
Y	A	TH	E	A	R	D	O	W	Y	LL	LL	D	RH	LL	S	D
C	U	DD	E	R	E	H	M	Y	T	A	R	A	N	A	U	A
T	R	A	M	O	R	T	TH	U	DD	Y	W	E	N	D	A	N
E	U	O	G	U	S	I	A	C	Y	N	U	LL	I	A	D	Y
Y	M	DD	I	H	E	U	R	O	D	A	I	L	O	TH	E	W

achos	adnewyddu	anafu	apelio	arestio
cais	carcharu	cas	cyfartal	cyfrifol
cyhoeddi	cynulliad	damwain	difrifol	difrod
diweithdra	dwyn	etholiad	euog	ffin
gêm	ledled	lladrad	lladron	lladd
llanc	llefarydd	llosgi	llym	llys
llywodraeth	mellt	newyddion	ofn	rhyfel
sgôr	suddo	tân	taranau	tramor
triniaeth	tymheredd	tystion	ymddiheuro	ynadon

1. ....

2. ....

3. ....

4. ....

5. ....

Gair gan y tiwtor:

....

....

Gwaith cartref – Uned 16

1. Atebwch

i. Ble byddwch chi'n mynd gyda'ch ffrind gorau nesa? (Defnyddiwch **gilydd** yn yr ateb.)

....

ii. Ble aethoch chi gyda'ch ffrind gorau ddiwetha? (Defnyddiwch **gilydd** yn yr ateb.)

....

2. Cyfieithwch

i.   *I went to his house.*

....

ii.   *We came to see them.*

....

iii.   *I'm going to her party tonight.*

....

iv.   *I bought his house and his car.*

....

v.   *They left together.*

....

vi.   *Lots of your answers are good.*

....

3. Yr wythnos nesa, byddwch chi'n egluro i'ch partner (yn fras) sut i goginio'ch hoff bryd bwyd. Ysgrifennwch nodiadau yma:

....

....

....

....

4. Darllenwch yr erthygl yma ac atebwch y cwestiynau am Fiona a Francesca. Dwy Ddysgwraig y Flwyddyn 2019 (addaswyd o parllel.cymru)

Dyma gyfweliadau â dwy fenyw enillodd wobrau yn 2019 - Fiona Collins a Francesca Sciarrillo.

Fiona Collins – Dysgwr y Flwyddyn, Eisteddfod Genedlaethol 2019 Sir Conwy

Wyt ti'n gallu egluro pum peth amdanat ti mewn pum brawddeg?
Mi ges i fy ngeni a fy magu yn Hampshire, De Lloegr. Roedd mam yn Gymraes ddi-Gymraeg a dad yn Sais. Dw i'n byw yng Ngharrog, Sir Ddinbych ers 2003, gyda fy nghymar, Ed. Mae'r tŷ yn nyffryn Dyfrdwy ac mae'n braf gallu clywed sŵn y nant ym mhob man yn y tŷ. Dweud chwedlau ydy fy ngwaith i, dw i'n adrodd straeon traddodiadol i oedolion neu blant.

Pam rwyt ti wedi dysgu Cymraeg yn rhugl?
Wnes i ddysgu er mwyn gallu adrodd chwedlau o Gymru, fel straeon y Mabinogi, yn iaith y wlad.

Sut rwyt ti wedi dysgu Cymraeg yn rhugl?
Gyda llawer o gymorth gan y Cymry Cymraeg, fy nghyd-ddysgwyr a fy nhiwtoriaid. Diolch iddyn nhw i gyd.

Beth yw dy gyngor di i unrhyw un sy eisiau dysgu Cymraeg yn rhugl?
Siaradwch a gwrandewch ar yr iaith, a mwynhewch!
Cymerwch bob cyfle i siarad Cymraeg.
Dechreuwch bob sgwrs yn Gymraeg.
Peidiwch â bod ofn gwneud camgymeriadau. Dyma sut dan ni'n dysgu.

Beth yw'r peth gorau am siarad Cymraeg?
Gallu cymdeithasu gyda phobl gan ddefnyddio eu hiaith naturiol.

Beth oedd ennill y teitl 'Dysgwr y Flwyddyn 2019' yn ei olygu i ti?
Popeth!

Beth nesa i ti gyda'r Gymraeg?
Darllen mwy yn Gymraeg, ac efallai ceisio ysgrifennu llyfr yn Gymraeg fy hun.

Unrhyw beth arall rwyt ti eisiau ei ddweud?
Diolch o galon i fy ffrindiau di-ri sydd wedi fy nghefnogi a fy helpu i ddysgu iaith y nefoedd.

Francesca Sciarrillo – Enillydd Medal y Dysgwyr, Eisteddfod yr Urdd 2019 Caerdydd a'r Fro

Wyt ti'n gallu egluro pum peth amdanat ti mewn pum brawddeg?
Helô! Francesca ydw i; dw i'n 23 oed. Ym mis Hydref, symudais i yn ôl i'r Wyddgrug – y dref lle ces i fy magu – ar ôl astudio gradd a gradd meistr mewn Llenyddiaeth Saesneg ym Mhrifysgol Bangor. Ar hyn o bryd, dw i'n gweithio efo Marchnata a Chysylltiadau Cyhoeddus i 'Aura Llyfrgelloedd a Hamdden'. Mi ges i fy ngeni yn Wrecsam; ond dw i'n dod o deulu Eidaleg. Symudodd fy neiniau a theidiau i Gymru yn y chwe degau i greu bywydau gwell i fy rhieni, ac wedyn, wrth gwrs, i fi.

Pam rwyt ti wedi dysgu Cymraeg yn rhugl?
Achos dw i'n byw yng Nghymru: mae'n syml iawn i fi.

Sut rwyt ti wedi dysgu Cymraeg yn rhugl?

Dechreuais i ddysgu Cymraeg trwy'r ysgol ond go iawn pan ddechreuais i lefel A yn y Gymraeg (ail iaith). Wedyn, defnyddiais i'r Gymraeg pan o'n i'n byw ym Mangor yn y brifysgol – dim ond trwy siarad â phobl leol a myfyrwyr eraill. I fi, y ffordd orau i ddysgu unrhyw iaith yw siarad – siarad â dysgwyr a siaradwyr eraill. Yn ystod fy mlwyddyn olaf, mi wnes i gyfarfod fy nghariad, Harri, sy'n siarad Cymraeg. Mae Harri a'i deulu yn fy helpu i.

Beth yw'r peth gorau am siarad Cymraeg?

Mae'n anodd dewis dim ond un peth! Dw i wrth fy modd efo llenyddiaeth Gymraeg a cherddoriaeth Gymraeg felly mi faswn i'n hoffi dweud rhywbeth fel darganfod diwylliant Cymraeg. Ond a bod yn onest, y peth gorau am siarad Cymraeg i fi yw'r bobl dych chi'n eu cyfarfod ar y ffordd.

Beth roedd ennill ennill Medal y Dysgwyr 2019 yn ei olygu i ti?

Cymryd rhan yn Eisteddfod yr Urdd 2019 yw profiad gorau fy mywyd i.

Beth nesa i ti gyda'r Gymraeg?

Fy ngobaith i yw parhau, byth stopio! Dw i isio parhau gyda fy nosbarth Cymraeg bob wythnos a gobeithio cymryd rhan mewn llawer o ddigwyddiadau Cymraeg. Hoffwn i ddyfodol lle dw i'n defnyddio'r Gymraeg bob dydd a gobeithio, un diwrnod, pasio'r iaith ymlaen.

Unrhyw beth arall rwyt ti eisiau ei ddweud?

Dw i'n teimlo'n lwcus iawn am y profiadau dw i wedi eu cael erbyn hyn gyda'r Gymraeg. Hoffwn i annog eraill achos dw i isio gweld pobl eraill yn cael yr un cyfleoedd. Dw i isio dangos i bobl sut mae dysgu Cymraeg yn newid eich bywyd mewn sawl ffordd! Hoffwn i ddweud diolch i gylchgrawn *Parallel.cymru* am greu cyfleoedd i ddysgwyr ddod at ei gilydd a rhannu syniadau.

Mae Parallel.cymru yn gylchgrawn dwyieithog am ddim sy ar y we.

Cylchgrawn dwyieithog arlein
Bilingual online magazine

Atebwch y cwestiynau:

i.   Ble cawson nhw eu magu?

Fiona ....

Francesca ....

ii.   Beth yw eu gwaith nhw?

Fiona ....

Francesca ....

iii.   Sut byddan nhw'n defnyddio'r Gymraeg yn y dyfodol?

Fiona ....

Francesca ....

5. Llenwch y bylchau yn y darn yma gan ddefnyddio'r geiriau mewn cromfachau (*brackets*) fel sbardun lle bydd yn briodol.

Byw mewn Goleudy

Mae Robert Thomas yn byw ar ynys Lochwen, ers naw _____ (blwyddyn). Edrych ar ôl y goleudy ar yr ynys ydy ei waith. Mae e'n byw yn y goleudy a rhaid _____ fe wneud yn siŵr fod popeth yn gweithio. Mae e'n gallu bod yn waith unig iawn, ac ar un adeg roedd Robert wedi cael llond _____, ac yn barod i ddod yn ôl i fyw ar y tir mawr. Ond yna, _____(cael) e gyfrifiadur, a newidiodd ei fywyd. Roedd e'n gallu defnyddio'r cyfrifiadur i siarad _____'r byd mawr tu allan.

'Ar y dechrau, _____ i ddim yn deall y peth o gwbl', meddai Robert. 'Ond roedd digon o amser sbâr gyda fi, ac ar ôl llawer o_____ ar y ffôn, ro'n i'n gallu mynd ar y we. Newidiodd hyn fy _____i. Ar ôl ymuno â *Ffrindiau Ysgol. com*, _____ (gweld) i fod hen ffrind ysgol wedi cofrestru hefyd. Roedd hi'n sioc fawr pan ddaeth neges yn ôl am y tro _____(1)! Dw i'n meddwl _____ y peth yn ardderchog!' meddai fe.

Erbyn hyn, mae Robert _____ei fodd yn cysylltu â llawer o ffrindiau ysgol, a hefyd pobl eraill_____'n gweithio mewn goleudai dros y byd.

Er ei fod e'n byw ar ei ben ei _____, dyw e byth yn unig. 'Mae'r cyfrifiadur yn well_____gwylio'r teledu', meddai. 'Y cyfrifiadur yw'r peth _____ pwysig yn y byd i fi.'

Ond ydy'r diddordeb yn troi'n obsesiwn? _____(√), yn bendant. Mae'r obsesiwn yn gallu bod yn _____(peryglus) hefyd. Un noson, doedd Robert ddim wedi sylwi bod bylb yn y goleudy wedi torri, achos ei fod e'n edrych _____ y cyfrifiadur!

Heddiw, tasai Robert yn cael cynnig swydd arall ar y tir mawr, _____fe ddim yn ei chymryd hi o gwbl.

6. Darllenwch ac atebwch:
Siop Lyfrau *Llygad y Ddraig*

Ers i Anwen Morris agor siop lyfrau *Llygad y Ddraig* yn Abermelin ddeng mlynedd yn ôl, mae'r busnes wedi datblygu a thyfu ac mae'n un o siopau mwyaf adnabyddus y dre erbyn heddiw.

Mae Anwen yn falch iawn o'i siop brysur heddiw, ond mae'n dweud mai'r gwaith caled yn nyddiau cynnar y busnes – pan oedd e ar un llawr yn unig – oedd yr allwedd i'w llwyddiant. 'Ro'n i'n diodde o flinder mawr ar y dechre. Roedd rhaid i fi weithio oriau hir iawn,' meddai Anwen. 'Ro'n i'n gorfod gwneud popeth fy hun – addurno'r siop, gosod y stoc allan, gweithio trwy'r dydd bob dydd, a gwneud y gwaith papur i gyd wedyn gyda'r nos.'

Ond daeth mwy a mwy o bobl i wybod am y gwasanaeth da roedd Anwen yn ei gynnig i'w chwsmeriaid ac fe dyfodd y busnes dros amser. Ar ôl pum mlynedd, penderfynodd Anwen fentro eto. Agorodd gaffi ar y llawr uwchben, a dechreuodd werthu lluniau cyfoes gan artistiaid lleol yn y caffi, nid dim ond llyfrau a chardiau lawr llawr. Mae'r fenter hon wedi llwyddo, ac erbyn hyn, mae Anwen yn cyflogi wyth o bobl i weithio yn y siop.

'Gofalu am ein cwsmeriaid yw'r peth pwysica i ni o hyd,' meddai Anwen, 'ac mae pob math o bobl yn siopa yn *Llygad y Ddraig* erbyn hyn. Dim ond athrawon a myfyrwyr oedd yn dod yma ar y dechrau,' meddai, 'ond mae llawer o rieni yn dod â'u plant i'r siop nawr. Ers i ni ddechrau agor tan saith o'r gloch y nos, yn lle cau am bump, mae llawer o weithwyr o swyddfeydd a siopau eraill y dre'n dod yma cyn mynd adre.'

Mae bywyd Anwen wedi newid hefyd wrth i *Llygad y Ddraig* lwyddo. Dim ond ar ddau ddiwrnod yr wythnos mae hi ei hun yn gweithio yn y siop y dyddiau hyn ac wrth iddi yrru i ffwrdd yn ei char Mercedes crand, dych chi'n gallu gweld yn glir bod y busnes yn gwneud arian da!

Nodwch sut mae siop *Llygad y Ddraig* wedi newid ers y blynyddoedd cyntaf, gan gyfeirio at yr isod. Cofiwch sôn am sut **roedd** pethau a sut **mae** pethau erbyn hyn.

e.e. **Oriau agor:**

Ar y dechrau, roedd y siop yn cau am bump o'r gloch, ond mae hi ar agor tan saith nawr.

i. Maint y siop ....

....

ii. Beth sy'n cael ei werthu yno ....

....

iii. Pwy ydy'r cwsmeriaid ....

....

iv. Staff ....

....

v. Oriau gwaith Anwen yn y siop ....

....

7. Llenwch y ffurflen yma:

CLWB CERDDED CYMRU

Mae Clwb Cerdded Cymru yn cynnal arolwg o arferion cerdded pobl. Llenwch y ffurflen hon i roi gwybodaeth a syniadau i helpu'r Clwb.

i. Enw llawn: ....

ii. Cyfeiriad: ....

....

....

iii. Gwybodaeth amdanoch chi

Disgrifiwch pa mor aml dych chi'n cerdded, pa mor heini dych chi, pam dych chi'n cerdded, ac yn y blaen. (tua 50 gair)

....

....

....

....

....

iv. Disgrifiwch y daith gerdded orau wnaethoch chi erioed. (tua 50 gair)

....

....

....

....

....

v. Mae Clwb Cerdded Cymru yn ceisio cael mwy o bobl i fwynhau cerdded. Dych chi'n gallu rhoi syniadau am sut i berswadio pobl i fynd am dro? (tua 50 gair)

....

....

....

....

....

Diolch am eich help!

Gair gan y tiwtor:

....

....

....

....

Gwaith cartref – Uned 17

1. Atebwch (mewn brawddeg):

i.   Pryd mae eich pen-blwydd chi?

....

ii.   Pryd mae pen-blwydd eich ffrind gorau chi?

....

iii.   Pryd mae pen-blwydd (rhywun o'r teulu)?

....

iv.   Nodwch un dyddiad pwysig yn eich teulu.

....

v.   Pam mae'n bwysig?

....

2. Cyfieithwch:

i.   *The eleventh*   ....

ii.   *The twelfth*   ....

iii.   *The fifteenth*   ....

iv.   *The sixteenth*   ....

v.   *The seventeenth*   ....

vi.   *The eighteenth*   ....

vii.   *The nineteenth*   ....

viii.   *The twenty first*   ....

ix.   *The thirty first*   ....

3. Gwyliwch y fideo o'r gân werin draddodiadol 'Y Cadi Ha' ar y Safle a darllenwch amdani:

Mae cân y Cadi Ha yn draddodiadol i ardal Sir y Flint yng ngogledd–ddwyrain Cymru. Mae llawer o weiddi, curo dwylo, neidio a chanu'n uchel yn rhan o'r dathlu. Mae'r sŵn, canu "Hwp!" a'r neidio i fod i ddeffro'r ddaear ar ôl i natur fod yn cysgu drwy'r gaeaf. Symbol yr haf oedd y Gangen Fai – cangen o goeden y ddraenen ddu yn ei blodau. Roedd Bili, y ffŵl, yn dawnsio hefyd ac weithiau roedd rhywun oedd yn gwisgo fel anifail yn dawnsio gyda fe. Roedd o leia un cerddor, gyda ffidil neu gonsertina, a grŵp o wyth o ddynion yn dawnsio'r ddawns fel arfer. Ond roedd mwy o bobl na hynny yn ymuno yn yr hwyl ac yn cadw sŵn.

Mae cofnod o'r gân yn cael ei chanu mor bell yn ôl ag 1815. Ar Galan Mai roedd criw mawr o bobl yn ei chanu ac yn dawnsio'r ddawns yng nghanol pentrefi a threfi'r ardal. Roedd y Cadi (dyn mawr yn gwisgo fel menyw) yn casglu arian mewn ladal (*ladle*). Ar ddechrau'r Rhyfel Byd Cyntaf, daeth yr arfer i ben, ond yn saith degau'r ganrif ddiwethaf, penderfynodd y canwr Ieuan ap Siôn ailgychwyn yr arfer, ar ôl gwrando'n ofalus ar atgofion ei dad-cu. Casglodd grŵp o ffrindiau at ei gilydd a dechrau crwydro o gwmpas yr ardal bob Calan Mai yn canu'r gân ac yn dawnsio. Hyd heddiw, mae Gŵyl y Cadi Ha yn cael ei chynnal bob blwyddyn yn Nhreffynnon, gyda phlant yr ardal yn dawnsio a cherddoriaeth werin ar y strydoedd drwy'r bore. Wedyn, mae'r criw fel arfer yn mynd ymlaen i Gaerwys a'r Wyddgrug i ddathlu.

Cafodd y fideo o Ieuan ap Sion yn canu cân y Cadi Ha ei ffilmio ym Maesglas ger Treffynnon. Yn y pennill ola, mae'r gân yn sôn am neidio dros y "gafna" – gair Sir y Fflint am gamfa (*stile*). Mae acen Sir y Fflint yn arbennig iawn.

Atebwch y cwestiynau.

i. O ba ardal mae cân y Cadi Ha yn dod?

....

ii. Pam mae sŵn yn bwysig i'r gân?

....

iii. Beth yw'r Gangen Fai?

....

iv. Pa fath o gerddoriaeth oedd gyda'r ddawns?

....

v. Pam mae 1815 yn bwysig i'r hanes?

....

vi. Sut roedd/mae Cadi'n gwisgo?

....

vii. Pam mae'r ladal yn ddefnyddiol?

....

viii. Pam mae'r darn yn sôn am y Rhyfel Byd Cyntaf?

....

ix. Pam mae tad-cu Ieuan ap Sion yn bwysig i'r hanes?

....

x. Beth sy'n digwydd yn Sir y Fflint bob mis Mai?

....

4.   Bylchau

Llenwch y bylchau yn y darn yma gan ddefnyddio'r geiriau mewn cromfachau (*brackets*) fel sbardun lle bydd yn briodol.

Dw i'n hoff iawn o fy _____ (bwyd) i. Dw i'n mwynhau popeth, o ginio dydd Sul traddodiadol i fwyd egsotig y Dwyrain Pell. Yr unig beth dw i ddim yn ei fwyta ydy jeli.

Pan oeddwn i'n _____ (plant), roeddwn i'n hoff iawn o jeli, ond _____ i ddim yn bwyta llysiau gwyrdd o gwbl. Roedd Mam yn poeni _____ hyn, ac yn gwneud pob math o _____ (peth) i drio fy mherswadio i fwyta pys, sbrowts ac ati. Unwaith, _____ (gwneud) hi jeli gwyrdd i mi a rhoi tipyn o frocoli ynddo! Fwytais i ddim brocoli ar ôl _____ hi wneud hynny, a stopiais i fwyta jeli hefyd!

Erbyn hyn, dw i'n hoff iawn o lysiau gwyrdd o bob math a dw i'n meddwl fy mod i'n bwyta'n iach ar y cyfan. Dim ond _____ (x 1) y mis dw i'n cael sglodion. Roeddwn i'n arfer bwyta gormod o siocled, ond dw i'n bwyta llawer llai _____ roeddwn i. Dw i'n bwyta bara brown yn lle bara gwyn. Yr unig broblem fawr ydy cacennau. Mae siop gacennau hyfryd drws nesa i'r swyddfa a dw i'n prynu cacen bob dydd. Taswn i'n stopio bwyta cacennau, _____ 'r siop yn cau. Rhaid _____ ni gefnogi busnesau bach lleol!

Dw i'n meddwl _____ caws ydy fy hoff fwyd i. Mae caws yn ddrwg i chi, meddai'r doctoriaid, ond does dim ots beth mae'r doctoriaid yn ei ddweud; dw i ddim yn mynd i stopio bwyta caws. Mae'r doctoriaid yn newid _____ meddwl bob munud beth bynnag. Roedden nhw'n arfer dweud _____ gwin coch yn ddrwg i chi, ond erbyn hyn, mae gwin coch yn dda i'r galon, medden nhw. Caf fi frechdan gaws a diod o win coch _____ swper heno felly!

Dw i'n edrych ymlaen _____ fy ngwyliau bob blwyddyn, achos dw i'n mwynhau'r cyfle i flasu bwydydd gwahanol. Pan _____ (mynd) i i Awstralia wyth _____ (blwyddyn) yn ôl, y peth _____ diddorol wnes i yno oedd bwyta cawl cynffon cangarŵ. A phan _____ (mynd) i i Beriw y flwyddyn nesa, y peth cynta bydd rhaid i mi wneud fydd ffeindio tŷ bwyta lle bydda i'n gallu trio mochyn cwta!

5.   Darllenwch y darn ac atebwch y cwestiynau.

Gefeillio Cymru – Ffrainc

Mae tref Aberwylan yng Ngogledd Cymru wedi'i gefeillio â thref Villegrand yn Ffrainc ers pum deg mlynedd. I ddathlu, mae gwahanol grwpiau wedi bod yn teithio yn ôl ac ymlaen eleni gan fwynhau'r cyfle i wneud ffrindiau yn Ffrainc ac yng Nghymru. Mae pobl Aberwylan yn rhoi croeso i grŵp o blant ac athrawon o ysgol uwchradd Villegrand ar hyn o bryd, ac yn cynnal parti croeso mawr yn neuadd y dre nos Sadwrn. Mae'r cysylltiad wedi para'n gryf, er bod y ddwy dref yn wahanol iawn i'w gilydd.

Mae Aberwylan yn dre hanesyddol a rhai adeiladau'n mynd yn ôl i'r bymthegfed ganrif, ond cafodd Villegrand ei chodi yn chwedegau'r ganrif ddiwetha. Roedd angen codi tref newydd i roi cartrefi i'r gweithwyr yn y ffatrïoedd ceir newydd yn Ffrainc, ac mae'r rhan fwyaf o rieni'r plant yn dal i weithio yn y diwydiant ceir yno. Mae hi'n dre eitha mawr yng nghanolbarth Ffrainc, gydag un ysgol uwchradd fawr, ac mae traddodiad cryf o chwarae rygbi yn yr ysgol a'r dre ei hun. Mae timau rygbi wedi bod yn dod draw bob yn ail flwyddyn ers blynyddoedd. Maen nhw'n dod ym mis Ionawr fel arfer, gan ei bod hi'n rhy oer a rhewllyd i chwarae yn Villegrand, ac mae'n well ganddyn nhw ddod i chwarae yng Nghymru bryd hynny, yn y glaw fel arfer. Mae Villegrand hefyd yn enwog am ei gŵyl roc a gynhelir* yno bob blwyddyn, ac mae nifer o grwpiau roc enwog yn dod o'r ardal, sy hefyd wedi ymweld ag Aberwylan. Daeth y grŵp 'Les Champignons' draw ddwy flynedd yn ôl a chael croeso mawr.

Does dim sîn roc yn Aberwylan, er bod y traddodiad canu gwerin yn gryf yno, a grwpiau gwerin wedi bod draw yn Villegrand yn y gorffennol. Yn wahanol i'r dre yn Ffrainc, pêl-droed yw prif ddiddordeb hamdden y Cymry lleol; ond er gwaetha'r gwahaniaethau, mae'r cysylltiad wedi para pum deg mlynedd. Y llynedd, penderfynodd cynghorau'r ddwy dre fod angen gwneud rhywbeth i ddathlu'r cysylltiad hwn. Yn Villegrand, cyhoeddwyd llyfr yn cynnwys lluniau o'r ddau le dros y blynyddoedd. Penderfynodd cyngor Aberwylan enwi'r bont sy'n mynd dros afon Wylan yn 'Pont Villegrand'. Dwedodd Catrin Wynn, Maer Aberwylan, y basai hyn yn symbol addas iawn. 'Mae hi'n anodd credu bod y cysylltiad wedi para pum deg mlynedd,' meddai hi, 'gan fod y ddwy dre mor wahanol i'w gilydd. Tre lan môr ydyn ni, sy'n dibynnu ar dwristiaeth erbyn hyn i gadw pobl mewn gwaith – mor wahanol i beth welwch chi yn Villegrand. Eto i gyd, mae'r croeso a'r bobl yn debyg iawn yn y ddau le.' Bydd noson fawr nos Sadwrn yn neuadd y dre wrth i bobl bwysig y ddwy dre ddod at ei gilydd, ac mae'n siŵr y bydd llawer o win yn cael ei yfed. Bydd yn gyfle hefyd i Faer Aberwylan ymarfer ei Ffrangeg!

* cynhelir – *is held*
Nodwch sut mae Aberwylan a Villegrand yn wahanol gan gyfeirio at yr isod. Cofiwch sôn am y **ddau** le yn eich atebion.
e.e. **Oed y ddwy dre**.
Cafodd rhai adeiladau yn Aberwylan eu codi yn y bymthegfed ganrif,
ond cafodd tref Villegrand ei chodi yn chwedegau'r ganrif ddiwetha.

i. Gwaith y bobl.

....

ii. Y chwaraeon mwya poblogaidd.

....

iii. Y tywydd yn ystod y gaeaf.

....

iv. Y gerddoriaeth fwya poblogaidd.

....

v. Sut gwnaethon nhw ddathlu'r cysylltiad, yr haf diwetha.

....

6.   Ysgrifennwch lythyr (tua 100 gair):
Radio Llanaber
30 Mai

Annwyl Gyfaill,
Mae Radio Llanaber yn gwneud cyfres newydd o'r enw 'Chwarae Teg'. Dych chi wedi cael problem gyda gweithwyr yn y tŷ? Dych chi wedi prynu rhywbeth o siop neu ar y we a'r peth hwnnw wedi torri? Hoffen ni glywed oddi wrthoch chi! Ysgrifennwch i esbonio'r problemau a gawsoch chi, a bydd tîm 'Chwarae Teg' yn ceisio eich helpu.
Yn gywir,
Myfanwy Jones

neu:
2. Dych chi eisiau amser i ffwrdd o'r gwaith i fynd ar gwrs. Ysgrifennwch lythyr at eich pennaeth yn esbonio sut bydd y cwrs yn eich helpu yn y gwaith.

neu:
3. Dych chi newydd gael gwyliau bendigedig. Ysgrifennwch lythyr at reolwr y gwesty i ddiolch.

Gair gan y tiwtor:

Gwaith cartref – Uned 18

1. Dilynwch y patrwm:

Mae hon yn ddrud, ond mae honna'n ddrutach.

i.   hwn (tal)   ....
ii.   y rhain (rhad)   ....
iii.   hon (uchel)   ....
iv.   hwn (da)   ....
v.   y rhain (drud)   ....
vi.   hon (diddorol)   ....

2. Llenwch y grid:

	this/these	*that/those*
y gath	Mae hon yn gath ddu.	
y llysiau		Mae'r rheina'n llysiau ffres.
y car		
y dillad		
y blodyn		

3. Cyfieithwch:

i.   *This is great!* (bwyd)   ....
ii.   *Who is that?* (dyn)   ....
iii.   *This one is expensive.* (cot)   ....
iv.   *I like these!*   ....
v.   *But those are cheaper.*   ....

4. Darllenwch y ddwy neges ebost ac atebwch y cwestiynau:

Oddi wrth: Cwmni Llyfrau Celt
At: Eirian Llywelyn
Pwnc: Parsel llyfrau

....

Annwyl Eirian Llywelyn,
Diolch i chi am brynu llyfrau oddi wrthon ni yn ddiweddar. Fel dych chi'n gwybod, 'dyn ni'n gwmni newydd a 'dyn ni'n falch o groesawu cwsmer newydd fel chi. Y newyddion da yw bod y llyfrau ar eu ffordd atoch chi. Dylai'r parsel gyrraedd cyn y penwythnos. Mae'n bwysig bod rhywun yn y tŷ i'w dderbyn neu bydd rhaid mynd â fe yn ôl i'r stordy. Os dych chi eisiau gwybod mwy am daith y parsel a phryd yn union bydd e'n cyrraedd, edrychwch ar wefan www.parseli.com. Rhif eich parsel ydy Celt753.

I wneud yn siŵr y byddwch chi'n siopa gyda ni eto, mae cynnig arbennig i gwsmeriaid newydd fel chi. Bydd gostyngiad o 15% y tro nesa byddwch chi'n prynu, felly byddwch chi'n talu llai. Rhaid i chi anfon eich archeb erbyn 31 Gorffennaf. Os bydd problem gyda'r parsel, cysylltwch â ni drwy ebost neu ffoniwch 01113 671176 yn ystod oriau swyddfa.

Yn gywir,
Rhys Tomos (Cwmni Llyfrau Celt)

Oddi wrth: Eirian Llywelyn
At: Rhys Tomos, Cwmni Llyfrau Celt
Pwnc: Parsel llyfrau
....

Annwyl Rhys Tomos,
Diolch yn fawr i chi am eich neges. Dw i'n edrych ymlaen yn fawr at dderbyn y parsel llyfrau. Yn anffodus, mae problem. Fydda i ddim gartre ddydd Iau na dydd Gwener felly os bydd y parsel yn cyrraedd, fydd neb yn y tŷ i'w dderbyn e.

Ydy hi'n bosib i chi adael y parsel gyda'r bobl drws nesa? Bryn Teg yw enw eu tŷ nhw. Maen nhw'n rhedeg busnes o'r tŷ, felly dylen nhw fod gartre ar y dyddiau yna. Dw i ddim yn siŵr a ydw i eisiau prynu rhywbeth arall. Wnewch chi anfon catalog ata i, os gwelwch chi'n dda?

Pob hwyl,
Eirian Llywelyn

Nodwch yr ateb mwya priodol *(appropriate)* o'r brawddegau isod drwy roi llythyren yn y blwch.

1. Prif neges Cwmni Llyfrau Celt yw...
a. bod y llyfrau'n mynd i gyrraedd heddiw.
b. bod y llyfrau'n mynd i gyrraedd cyn dydd Sadwrn.
c. bod rhaid i Rhys fynd i nôl y llyfrau o'r stordy.
ch. bod y llyfrau ddim ar gael.

2. I gael gwybod ble mae'r parsel llyfrau, dylai Eirian...

a. ffonio'r cwmni.

b. ffonio Swyddfa'r Post.

c. fynd ar y we.

ch. beidio â gwneud dim byd.

d. anfon ebost i Gwmni Llyfrau Celt.

3. Bydd gostyngiad o 15%...

a. y tro cynta bydd rhywun yn siopa gyda'r cwmni.

b. tan ddiwedd Mehefin.

c. os bydd rhywun yn prynu ar ôl 31 Gorffennaf.

ch. os bydd rhywun wedi siopa gyda'r cwmni unwaith yn barod.

d. os bydd rhywun yn prynu ar y we.

4. Prif neges Eirian Llywelyn yw...

a. ei bod hi ddim eisiau'r parsel.

b. bod y parsel wedi cyrraedd.

c. ei bod hi'n diolch i gwmni Celt.

ch. bod angen rhoi'r parsel i'r cymdogion.

d. ei bod hi'n byw yn Bryn Teg.

5. Mae'r bobl drws nesa...

a. wedi ymddeol.

b. yn gweithio gartre.

c. ar wyliau.

ch. eisiau catalog.

d. yn symud i ffwrdd.

5. Mae Llyfrgelloedd Cymru eisiau gwybod beth ydy barn pobl am eu llyfrgell leol. Wnewch chi lenwi'r ffurflen hon, os gwelwch chi'n dda?

i.   Enw llawn: ....

ii.   Cyfeiriad ebost: ....

iii.   Pa mor bell dych chi'n byw o'r llyfrgell agosa? ....

iv.   Pam mae'r llyfrgell yn bwysig i'r ardal? (tua 50 gair) ....

      ....

      ....

      ....

      ....

v.   Faint o ddefnydd dych chi wedi (ei) wneud o'ch llyfrgell leol yn y gorffennol? (tua 50 gair)..

      ....

      ....

      ....

vi.   Sut basech chi'n cael mwy o bobl i ddefnyddio eich llyfrgell leol? (tua 50 gair) ....

....

....

....

....

vii.   Fasech chi'n fodlon i ni anfon gwybodaeth drwy ebost atoch chi am lyfrgelloedd Cymru? ....

Anfonwch eich ffurflen at ceridwen.prydderch@llyfrgelloedd.cymru. Diolch yn fawr am eich help!

Gair gan y tiwtor:

....

....

....

....

....

....

....

....

....

....

....

....

....

....

Gwaith cartref – Uned 19

1. Llenwch y bylchau

A. Dych chi'n edrych _____ Dal Ati ar S4C?

B. Dal Ati? Nac ydw. Pa _____ o raglen ydy hi?

A. Rhaglen i ddysgwyr Cymraeg ar lefel Canolradd ac Uwch.

B. Pryd _____ hi ar y teledu?

A. Bob bore dydd Sul.

B. Am faint _____ gloch mae hi'n dechrau?

A. Am hanner _____ wedi deg. Mae hi'n eitha anodd, ond yn _____ (hawdd) na Pobol y Cwm!

B. Diolch byth! Dw i'n meddwl _____ Pobol y Cwm yn anodd iawn. Ond dw i ddim yn gallu gwylio'r teledu ar fore dydd Sul – mae fy mab _____ (hen) mewn tîm pêl-droed ac maen nhw'n chwarae bob bore dydd Sul.

A. Dydy hynny _____ yn esgus – dych chi'n gallu gwylio'r rhaglen ar y we. I ba dîm mae'r mab yn chwarae?

B. I dîm pentre Llanaber. Mae e wrth ei _____. Mae e'n cicio pêl drwy'r amser.

A. Dych chi'n lwcus. Mae fy _____ (plant) i'n ddiog. Maen nhw ar y soffa drwy'r dydd yn chwarae gemau cyfrifiadur, a _____ nhw ddim yn mynd allan i chwarae.

B. Beth yw/ydy _____ hoed nhw?

A. Mae Dafydd yn wyth oed a bydd Jac yn ddeuddeg yr wythnos nesa. Beth am eich mab chi?

B. Mae e'n bymtheg oed. Mae e'n mynd i Ysgol Gyfun Llanaber. Ydy Jac yn mynd i ysgol Llanaber?

A. _____ (✓). Felly maen nhw yn yr _____ ysgol.

B. Dych chi'n mynd i'r cyngerdd yn yr ysgol yr wythnos nesa?

A. Ydw, dw i'n bwriadu mynd.

B. _____ (gweld) i chi yn y cyngerdd, felly. Bydda i'n gwerthu _____ (tocyn) wrth y drws.

A. Iawn. Faint ydyn nhw?

B. Dw i'n meddwl _____ pum punt ydyn nhw, ond dw i ddim yn siŵr.

A. Does dim ots. Bydd pedwar _____ (o) ni'n dod, felly cadwch bedwar tocyn _____ ni, os gwelwch chi'n dda.

B. Wrth gwrs.

2. Darllen a deall.

Darllenwch y darn isod. Yna, atebwch y cwestiynau yn Gymraeg yn eich geiriau eich hun lle bydd hynny'n bosibl.

Ciwba neu Norwy?

Ifor Jones sy'n ceisio helpu ei fam a'i dad...

Mae fy rhieni i newydd ymddeol, ac maen nhw eisiau mynd ar wyliau fis Awst nesa. Mae fy nhad i eisiau mynd i Norwy, ond mae fy mam i eisiau mynd i Ciwba. Does dim digon o arian ganddyn nhw i fynd i'r ddau le! Dw i wedi bod yn y ddwy wlad, felly maen nhw wedi gofyn i fi am gyngor.

Sut mae cymharu dau le mor wahanol, dw i ddim yn gwybod. Mae tocyn i hedfan i Norwy'n costio tua £200, ond mae hedfan i Ciwba tua dwywaith y pris fel arfer. Ond nid cost yw'r unig beth i feddwl amdano. Sut mae pobl yn dewis ble i fynd ar wyliau? Gweld lluniau mewn papur newydd... gweld rhaglen ar y teledu... neu ffrindiau wedi bod yno ac yn canmol, efallai?

Mae Ciwba a Norwy yn wahanol wrth gwrs. Es i i Ciwba tua chwe blynedd yn ôl, ac roedd y gwres yn fendigedig. Roedd rhywun wedi dwyn arian o'r ystafell lle ro'n i'n aros – mae hynny'n gyffredin yno mae'n debyg, felly rhaid cadw arian mewn lle diogel. Roedd mynd o gwmpas Ciwba yn ddiddorol hefyd, a'r ffordd orau oedd mewn bysus – dyna'r ffordd rataf a'r ffordd fwyaf cymdeithasol o fynd o gwmpas. Does dim llawer o bobl yn siarad Saesneg tu allan i'r brifddinas; Sbaeneg yw'r iaith wrth gwrs, ac mae'n ddefnyddiol siarad tipyn bach ohoni i gael blas go iawn ar y wlad. Mae fy rhieni i'n eitha rhugl, drwy lwc. Mae'n bosib cael pob math o fwyd yno, ond roedd pobl yr ynys yn hoffi rhoi sbeis ym mhob peth... o leia dyna fy mhrofiad i!

Beth am Norwy? Basai'r bwyd wrth fodd fy nhad i, dw i'n gwybod – pysgod ffres ymhob man. Mae hi'n wlad fawr, neu'n wlad hir iawn, o leia. Dyna pam maen nhw'n dweud y dylech chi deithio ar drên, er mwyn gweld cefn gwlad yn iawn Does dim pwynt mynd mewn bws na char. Es i yno yn yr haf, ac roedd hi'n oer ond yn heulog. Allwch chi ddim dibynnu ar y tywydd yno wrth gwrs, yn wahanol i wres cyson Ciwba. Fasai'r iaith ddim yn broblem iddyn nhw yn Norwy; mae hyd yn oed y gweithwyr ffordd a'r gweithwyr yn y siopau yn siarad Saesneg yn well na fi. Mae hi'n wlad ddiogel iawn, wrth gwrs ac yn gyfoethog, ond os ydyn nhw'n teithio ym mis Awst, mae'r mosgitos yn gallu bod yn boen.

Felly beth dw i'n mynd i ddweud wrth fy nhad a fy mam? Dw i ddim yn gwybod! Yr unig ateb y galla i ei roi yw dewis y naill wlad eleni, a'r llall y flwyddyn nesa!

Sut mae gwyliau yn Ciwba a gwyliau yn Norwy yn cymharu (ym marn
Ifor Jones), o safbwynt y pethau yma?
e.e. Cost cyrraedd y wlad

Basai hedfan i Norwy'n costio tua £200 ond basai hedfan i Ciwba'n costio tua
£400.

**

i. Bwyd

_____

_____

ii. Iaith

_____

_____

iii. Tywydd

_____

_____

iv. Teithio o gwmpas

_____

_____

v. Problemau posib i rieni Ifor

_____

_____

3. Ysgrifennu llythyr

Ysgrifennwch ateb i'r llythyr yma:

Meddygfa Cwm Glas

Annwyl Gyfaill,
Dw i'n ysgrifennu atoch chi i ddweud y bydd rhaid i ni newid oriau agor y feddygfa yng Nghwm Glas y mis nesa. Yn y gorffennol, mae'r feddygfa wedi bod ar agor o ddydd Llun tan ddydd Gwener (o 8.00 tan 8.00) ac ar fore Sadwrn. Yn anffodus, dim ond o 9 tan 5 yn ystod yr wythnos byddwn ni ar agor o hyn ymlaen, a fyddwn ni ddim ar agor ar fore Sadwrn o gwbl.

Mae'n ddrwg gyda ni am hyn, ond mae un meddyg wedi ymddeol, a fyddwn ni ddim yn gallu cael neb yn ei le, yn anffodus.

Yn gywir,

Glyn Parri (Rheolwr y Feddygfa)

....

....

....

....

....

....

....

....

....

....

....

....

....

....

4. Llenwch y bylchau

A	Mae rhoi cerdyn ar ddydd Santes Dwynwen yn _____ hyfryd.
B	Dw i'n cofio _____ am gyfweliad am swydd pan o'n i'n cysgu.
C	Mae angen cael _____ i barcio yma.
Ch	Mae'r plant yn mynd i'r cylch _____ bob bore.
D	Dw i'n teimlo _____ bwysau ofnadwy yn y gwaith.
Dd	Anghofiais i am _____ cau'r swydd.
E	Cafwyd y dyn yn _____ yn y llys.
F	Cofiwch ei bod hi'n _____ naid bob pedair blynedd.
Ff	Mae Trefyclawdd ym Mhowys ar y _____ rhwng Cymru a Lloegr.
G	Pan o'n i'n blentyn, ro'n i eisiau mynd ar roced i'r _____.
Ng	Mae Aberystwyth yng _____ Cymru.
H	Dw i'n dechrau anghofio popeth yn fy _____.
I	Mae'r siwt yma'n ffitio _____ dim.
L	Mae côr meibion yn _____ eu CD newydd yn y cyngerdd heno.
Ll	Mae'r _____ yn dod i mewn yn gyflym – gwell i ni symud at y creigiau!
M	Dw i'n _____ y llawr yn ofalus achos dw i eisiau prynu carped newydd.
N	Dangosodd y tîm rygbi lawer o _____ wrth guro'r Crysau Duon.
O	Mae'r siopau'n dawel ers i'r ffordd _____ agor.
P	Rhaid i ni wneud _____ anodd heddiw yn y Senedd.
Ph	Mae Siân yn berson trefnus a _____ fel arfer, dw i'n synnu ei bod hi'n hwyr.
R	Anghofiodd yr heddlu _____ gyrwyr bod y ffyrdd yn beryglus.
Rh	Dw i wedi _____ 'r tatws gyda'r twrci, byddan nhw'n flasus iawn.
S	Yn _____, diffoddodd y golau.
T	Dych chi'n defnyddio _____ gyhoeddus o gwbl?
Th	Dangosodd Mair ei _____ yrru i'r plismon.
U	Mae'r _____ athrawon yn gofyn am lai o waith papur i'w haelodau.
W	Mae dosbarth Cymraeg _____ yn y dafarn – bob nos Lun.
Y	Rhaid i ni dalu am y cinio Nadolig _____ llaw.

5. Erbyn eich dosbarth nesa – meddyliwch am y peth mwya defnyddiol dych chi wedi ei ddysgu yn Gymraeg yn y flwyddyn ddiwethaf, a sut dych chi'n mynd i ymarfer mwy o Gymraeg tu allan i'r dosbarth yn y flwyddyn nesaf. Pob hwyl!

Gair gan y tiwtor:

....

....

....

....

....

....

....

....

....

....

....

....

....

....

....

....

....

Gwaith cartref – Arholiad Canolradd

1. Edrychwch ar yr geiriau newyddion yn yr uned. Ysgrifennwch ddwy stori newyddion gan ddefnyddio rhai ohonyn nhw.

i. ....

....

....

....

ii. ....

....

....

....

2. Gwnewch y ddwy dasg ysgrifennu yn yr uned, Arholiad Canolradd.

Gair gan y tiwtor:

....

....

....

....

....

....

....

....

Geirfa

Geirfa

ben. – *fem.,* gwr. – *masc.,* bôn – *stem,* ans. – *adjective*

A

a bod yn onest – *to be honest*
aber (ben.) – *estuary;* aberoedd – *estuaries*
absennol – *absent*
ac yn y blaen – *etc.*
achosi – *to cause* (bôn: achos-)
adain (ben.) – *wing;* adenydd – *wings*
adeg (ben.) – *period of time;* adegau – *periods of time*
adnabyddus – *well-known*
adnewyddu – *to renew, to refurbish* (bôn: adnewydd-)
adran (ben.) – *department;* adrannau – *departments*
adran cleifion allanol – *outpatients' department*
adrodd – *to recite, to relate* (bôn: adrodd-)
addasu – *to adapt* (bôn: addas-)
addo – *to promise* (bôn: addaw-)
addurn (gwr.) – *decoration;* addurniadau – *decorations*
addysg (ben.) – *education*
addysg gorfforol – *physical education*
Aelod o'r Senedd (gwr.) – *Member of the Senedd;* Aelodau o'r Senedd – *Members of the Senedd*
Aelod Seneddol (gwr.) – *Member of Parliament;* Aelodau Seneddol – *Members of Parliament*
afiach – *disgusting; sickly*
afiechyd (gwr.) – *disease;* afiechydon – *diseases*
agored – *open*
agoriad (gwr.) – *opening;* agoriadau – *openings*
agwedd (ben.) – *attitude;* agweddau – *attitudes*
ailadrodd – *to repeat* (bôn: ailadrodd-)
ailagor – *to reopen* (bôn: ailagor-)
ailgylchu – *to recycle* (bôn: ailgylch-)
ail-law – *second-hand*
alergedd (gwr.) – *allergy*
allanfa (ben.) – *exit;* allanfeydd – *exits*
amaethyddiaeth (ben.) – *agriculture*
amaethyddol – *agricultural*
ambell – *a few*
amgylchedd (gwr.) – *environment*
amhosib – *impossible*
amlwg – *obvious, evident*
amrywiaeth (ben.) – *variety, variation;* amrywiaethau – *varieties, variations*
amser maith yn ôl – *a long time ago*
amseru – *to time* (bôn: amser-)
amynedd (gwr.) – *patience*
anadlu – *to breathe* (bôn: anadl-)
anaf (gwr.) – *injury;* anafiadau – *injuries*
anafu – *to injure* (bôn: anaf-)
anarferol – *unusual*

anfantais (ben.) – *disadvantage;* anfanteision – *disadvantages*
anferth – *huge*
anffodus – *unfortunate*
angenrheidiol – *necessary*
anhapus – *unhappy*
anlwcus – *unlucky*
anniben – *untidy* (de Cymru)
annifyr – *nasty, unpleasant*
annog – *to urge, to encourage* (bôn: anog-)
apelio (at) – *to appeal* (to) (bôn: apeli-)
ar ddihun – *awake* (de Cymru)
ar frys – *in a hurry*
ar glo – *locked*
ar gyhuddiad o – *accused of*
ar gyrion – *on the outskirts of*
ar hyd – *along*
ar hyd a lled – *the length and breadth (of)*
ar hyn o bryd – *at the moment*
ar lafar – *orally*
ar osod – *for rent*
ar ran – *on behalf of*
ar y blaen – *in the lead*
ar y cyfan – *on the whole*
ar y pryd – *at the time*
arbed – *to save* (bôn: arbed-)
archeb (ben.) – *order;* archebion – *orders*
arddangos – *to exhibit* (bôn: arddangos-)
arddangosfa (ben.) – *exhibition;* arddangosfeydd – *exhibitions*
arestio – *to arrest* (bôn: aresti-)
arfer (gwr.) – *habit;* arferion – *habits*
arferol – *usual*
argraffu – *to print* (bôn: argraff-)
arlunydd (gwr.) – *artist;* arlunwyr – *artists*
arogl (gwr.) – *smell;* arogleuon – *smells*
arogli – *to smell* (bôn: arogl-)
arolwg (gwr.) – *review, survey;* arolygon – *reviews, surveys*
arolygydd (gwr.) – *inspector;* arolygwyr – *inspectors*
artist (gwr.) – *artist,* artistiaid – *artists*
arwain – *to lead* (bôn: arwein-)
arweinydd (gwr.) – *conductor, leader;* arweinyddion – *conductors, leaders*
arwr (gwr.) – *hero;* arwyr – *heroes*
arwydd (gwr.) – *sign;* arwyddion – *signs*
asgwrn (gwr.) – *bone;* esgyrn – *bones*
atgof (gwr.) – *memory, recollection;* atgofion – *memories, recollections*
atgoffa – *to remind* (bôn: atgoff-)
athletau (gwr.) – *athletics*
awdurdod (gwr.) – *authority;* awdurdodau – *authorities*
awgrymu – *to suggest* (bôn: awgrym-)
awyddus – *keen*
awyr iach (gwr.) – *fresh air*

B

bad achub (gwr.) – *lifeboat;* badau achub – *lifeboats*
bai (gwr.) – *blame, fault;* beiau – *faults*
Bannau Brycheiniog – *the Brecon Beacons*
bant – *away* (de Cymru)
barnwr (gwr.) – *judge;* barnwyr – *judges*
basged (ben.) – *basket;* basgedi – *baskets*
bat (gwr.) – *bat;* batiau – *bats*
baw (gwr.) – *dirt*
bawd (gwr.) – *thumb;* bodiau – thumbs
beiciwr (gwr.) – *cyclist;* beicwyr – *cyclists*
beirniad (gwr.) – *judge, adjudicator;* beirniaid – *judges, adjudicators*
beudy (gwr.) – *cowshed;* beudai – *cowsheds*
blas (gwr.) – *taste;* blasau – *tastes*
blasu – *to taste* (bôn: blas-)
blinder (gwr.) – *tiredness*
blinedig – *tired*
blwch (gwr.) – *box;* blychau – *boxes*
blwyddyn naid – *leap year*
blynyddol – *annual*
bom (gwr.) – *bomb;* bomiau – *bombs*
botwm bol (gwr.) – *belly button*
breuddwyd (ben.) – *dream;* breuddwydion – *dreams*
breuddwydio – *to dream* (bôn: breuddwydi-)
bricsen (ben.) – *brick;* brics – *bricks*
bro (ben.) – *area, region;* broydd – *areas, regions*
bron (ben.) – *breast, chest;* bronnau – *breasts, chests*
brwnt – *dirty* (de Cymru)
bryd hynny – *at that time*
bryn (gwr.) – *hill,* bryniau – *hills*
Bryste – *Bristol*
budr – *dirty* (gogledd Cymru)
busnes (gwr.) – *business;* busnesau – *businesses*
busneslyd – *meddlesome, nosy*
bwffe bys a bawd – *finger buffet*
bwlio – *to bully* (bôn: bwli-)
bwriadu – *to intend* (bôn: bwriad-)
bwrw – *to hit* (de Cymru) (bôn: bwr-)
bychan – *small*
bylb (gwr.) – *bulb;* bylbiau – *bulbs*
bys(gwr.) – *finger;* bysedd – *fingers*
bywiog – *lively*

C

cadair esmwyth (ben.) – *easy chair;* cadeiriau esmwyth – *easy chairs*
cadair freichiau (ben.) – *armchair;* cadeiriau breichiau – *armchairs*
cadarnhau – *to confirm* (bôn: cadarnha-)
cadeirio – *to chair* (bôn: cadeiri-)

cadeirydd (gwr.) – *chairperson;* cadeiryddion – *chairpersons*
cadw golwg ar – *to keep an eye on, to keep track of* (bôn: cadw-)
cadw sŵn – *to make a noise* (bôn: cadw-)
cael blas ar – *to enjoy*
cael gwared ar – *to get rid of*
cael hyd i – *to find, to discover*
Caeredin – *Edinburgh*
caets (ben.) – *cage;* caetsys – *cages*
Calan Mai – *May Day*
calendr (gwr.) – *calendar;* calendrau – *calendars*
cam (gwr.) – *step;* camau – *steps*
camera cyflymder (gwr.) – *speed camera;* camerâu cyflymder – *speed cameras*
camgymeriad (gwr.) – *mistake;* camgymeriadau – *mistakes*
canfed – *hundredth*
cangarŵ (gwr.) – *kangaroo;* cangarwod – *kangaroos*
cangen (ben.) – *branch;* canghennau – *branches*
canlyniad (gwr.) – *result;* canlyniadau – *results*
cannwyll (ben.) – *candle;* canhwyllau – *candles*
canolbarth (gwr.) – *middle part, region* (mewn gwlad)
canser (gwr.) – *cancer;* canserau – *cancers*
canser y fron – *breast cancer*
cap (gwr.) – *cap;* capiau – *caps*
carchar (gwr.) – *prison;* carchardai – *prisons*
carcharu – *to imprison* (bôn: carchar-)
cariadus – *loving*
carreg (ben.) – *stone;* cerrig – *stones*
carreg fedd (ben.) – *gravestone;* cerrig beddau – *gravestones*
casgliad (gwr.) – *collection;* casgliadau – *collections*
catalog (gwr.) – *catalogue;* catalogau – *catalogues*
cawell (ben.) – *cage;* cewyll – *cages*
cawr (gwr.) – *giant;* cewri – *giants*
caws gafr – *goats' cheese*
cefndir (gwr.) – *background;* cefndiroedd – *backgrounds*
cefnogaeth (ben.) – *support*
cefnogwr (gwr.) – *supporter;* cefnogwyr – *supporters*
celwydd (gwr.) – *lie;* celwyddau – *lies*
cemegyn (gwr.) – *chemical;* cemegau – *chemicals*
cenhinen (ben.) – *leek;* cennin – *leeks*
cerbyd (gwr.) – *vehicle;* cerbydau – *vehicles*
cerdd (ben.) – *poem;* cerddi – *poems*
cerddorfa (ben.) – *orchestra;* cerddorfeydd – *orchestras*
cicio – *to kick* (bôn: cici-)
claf (gwr.) – *patient;* cleifion – *patients*
clebran – *to chatter*
clo (gwr.) – *lock;* cloeon – *locks*
cloch (ben.) – *bell;* clychau – *bells*
clogwyn (gwr.) – *cliff;* clogwyni – *cliffs*
clonc (gwr.) – *chat* (de Cymru)
cludo – *to transport* (bôn: clud-)

clustog (ben.) – *cushion;* clustogau – *cushions*

clwt (gwr.) (gogledd Cymru), *clwtyn* (de Cymru) – *cloth, rag;* clytiau –*cloths, rags*

clyfar – *clever*

clymu – *to tie, to knot* (bôn: clym-)

cneuen (ben.) – *nut;* cnau – *nuts*

cneuen goco (ben.) – *coconut;* cnau coco – *coconuts*

cochi – *to blush*

codi llaw (ar) – *to wave (to)* (bôn: cod-)

codi ofn (ar) – *to frighten* (bôn: cod-)

codi pwysau – *weightlifting*

cof (gwr.) – *memory*

cofeb (ben.) – *memorial;* cofebau – *memorials*

cofnod (gwr.) – *note, (written) record, (minutes);* cofnodion – *notes, (written) records, (minutes)*

colur (gwr.) – *make-up*

colled (ben.) – *loss;* colledion – *losses*

colli gafael (ar) – *to lose hold of* (bôn: coll-)

copa (gwr.) – *summit;* copaon – *summits*

copi gwr.) – *copy,* copïau – *copies*

corff (gwr.) – *body;* cyrff – *bodies*

coroni – *to crown* (bôn: coron-)

cors (ben.) – *bog;* corsydd – *bogs*

cosi – *to itch* (bôn: cos-)

costus – *pricey*

cotwm (gwr.) – *cotton*

cownter (gwr.) – *counter;* cownteri – *counters*

craith (ben.) – *scar;* creithiau – *scars*

crand – *grand*

creadigol – *creative*

crefft (ben.) – *craft;* crefftau – *crafts*

creu – *to create* (bôn: cre-)

cribo – *to comb* (bôn: crib-)

cricedwr (gwr.) – *cricketer;* cricedwyr – *cricketers*

criw (gwr.) – *crew;* criwiau – *crews*

croes (ben.) – *cross;* croesau – *crosses*

croesawu – *to welcome* (bôn: croesaw-)

croesffordd (ben.) – *crossroad;* croesffyrdd – *crossroads*

croesi – *to cross* (bôn: croes-)

crud (gwr.) – *cradle, cot;* crudau – *cradles, cots*

crwn – *round*

crwydro – *to wander, to roam* (bôn: crwydr-)

cryfder (gwr.) – *strength;* cryfderau – *strengths*

cul – *narrow*

curo – *to beat* (bôn: cur-)

curo dwylo – *to clap, to applaud* (bôn: cur-)

curo'r drws – *to knock the door*

cwblhau – *gorffe*n (bôn: cwblha-)

cwlwm (gwr.) – *knot;* clymau – *knots*

cwr (gwr.) – *edge, fringe;* cyrion – *edges, fringes*

cwrtais – *courteous, polite*
cwsg (gwr.) – *sleep*
cwt gwair (gwr.) – *hay hut,* cytiau gwair – *hay huts*
cwt ieir (gwr.) – *hen coop;* cytiau ieir – *hen coops*
cwyn (ben.) – *complaint;* cwynion – *complaints*
cydio (yn) – *to hold on (to)* (bôn: cydi-)
cyfaill (gwr.) – *friend;* cyfeillion – *friends*
cyfanswm (gwr.) – *total;* cyfansymiau – *totals*
cyfarch – *to greet* (bôn: cyfarch-)
cyfartal – *equal*
cyfarwyddyd (gwr.) – *direction, instruction;* cyfarwyddiadau – *directions, instructions*
cyfathrebu – *to communicate* (bôn: cyfathreb-)
cyfleuster (gwr.) – *facility;* cyfleusterau – *facilities*
cyflog (gwr.) – *wage, salary;* cyflogau – *wages, salaries*
cyflogi – *to employ* (bôn: cyflog-)
cyflwyno – *to introduce, to present* (bôn: cyflwyn-)
cyfnewid – *to exchange* (bôn: cyfnewidi-)
cyfnod (gwr.) – *period* (amser); cyfnodau – *periods* (amser)
cyfoes – *contemporary*
cyfoeth (gwr.) – *wealth*
cyfraith (ben.) – *law;* cyfreithiau – *laws*
cyfrannu (at) – *to contribute (to)* (bôn: cyfrann-)
cyfres (ben.) – *series;* cyfresi – *series*
cyfrif (gwr.) – *account;* cyfrifon – *accounts*
cyfrifol – *responsible*
cyfrifydd (gwr.) – *accountant;* cyfrifwyr – *accountants*
cyfrinach (ben.) – *secret;* cyfrinachau – *secrets*
cyfwelydd (gwr.) – *interviewer;* cyfwelwyr – *interviewers*
cyffordd (ben.) – *junction;* cyffyrdd – *junctions*
cyfforddus – *comfortable*
cyffredin – *common, general*
cyffro – *excitement*
cyffroi – *to excite* (bôn: cyffro-)
cyffur (gwr.) – *drug;* cyffuriau – *drugs*
cynghori – *to advise* (bôn: cynghor-)
cynghorydd (gwr.) – *councillor;* cynghorwyr – *councillors*
cyhoeddus – *public*
cyhuddiad (gwr.) – *charge, accusation;* cyhuddiadau – *charges, accusations*
cylch (gwr.) – *circle;* cylchoedd – *circles*
cylch chwarae – *playgroup*
cymar (gwr.) – *partner, companion*
cymdeithas (ben.) – *society;* cymdeithasau – *societies*
cymdeithasol – *social, sociable*
cymhleth – *complicated*
cymorth (gwr.) – *help*
cymorth cyntaf – *first aid*
cymuned (ben.) – *community;* cymunedau – *communities*
cymwynas (ben.) – *favour;* cymwynasau – *favours*
cymysgu (â/efo) – *to mix (with)* (bôn: cymysg-)

cynhesu – *to heat up* (bôn: cynhes-)
cynllun (gwr.) – *plan, design;* cynlluniau – *plans, designs*
cynllunio – *to plan, to design* (bôn: cynlluni-)
cynnal – *to hold (event)* (bôn: cynhali-)
cynnal a chadw – *maintenance*
cyntedd (ben.) – *hallway;* cynteddau – *hallways*
cynulleidfa (ben.) – *audience;* cynulleidfaoedd – *audiences*
cysgod (gwr.) – *shadow, shade;* cysgodion – *shadows, shades*
cyswllt (gwr.) – *contact*
cywir – *correct*

Ch
chwant bwyd – *food craving*
chwarel (ben.) – *quarry;* chwareli – *quarries*
chwedl (ben.) – *legend,* chwedlau – *legends*
chwerthin am ben – *to laugh at* (bôn: chwerthin-/chwardd-)
chwynnu – *to weed* (bôn: chwynn-)

D
dadlau (â/efo) – *to argue (with)* (bôn: dadleu-)
daear (ben.) – *earth*
dal ati – *to keep at it, to persevere* (bôn: dali-)
dan bwysau – *under pressure*
dan ei sang – *full to the rafters*
dant gosod (gwr.) – *false tooth;* dannedd gosod – *false teeth*
darlith (ben.) – *lecture;* darlithoedd – *lectures*
darlun (gwr.) – *drawing;* darluniau – *drawings*
dawn (ben.) – *talent;* doniau – *talents*
dealltwriaeth (ben.) – *understanding*
deallus – *intelligent*
defnydd (gwr.) – *use*
defnyddiol – *useful*
deiet (gwr.) – *diet*
deigryn (gwr.) – *tear;* dagrau – *tears*
delio (â/efo) – *to deal (with)* (bôn: deli-)
deniadol – *attractive*
derbyn – *to accept, to receive* (bôn: derbyni-)
desg (ben.) – *desk;* desgiau – *desks*
diamynedd – *impatient*
dianc – *to escape* (bôn: dihang-)
dieithr – *strange*
dieuog – *innocent, not guilty*
diflannu – *to disappear* (bôn: diflann-)
diflastod (gwr.) – *boredom*
difrifol – *serious*
difrod (gwr.) – *damage*
difyr – *entertaining*
diffyg (gwr.) – *shortcoming, lack of;* diffygion – *shortcomings, lack of*
digalon – *depressed, depressing*

digwyddiad (gwr.) – *event, incident;* digwyddiadau – *events, incidents*
di-Gymraeg – *non-Welsh speaking*
dinistrio – *to destroy* (bôn: dinistri-)
dioddef – *to suffer* (bôn: dioddef-)
diogel – *safe*
diogelwch (gwr.) – *safety*
diogi – *to laze* (bôn: diog-)
di-ri(f) – *countless*
distawrwydd – *silence*
diweithdra – *unemployment*
diwydiant (gwr.) – *industry;* diwydiannau – *industries*
diwylliant (gwr.) – *culture;* diwylliannau – *cultures*
dod draw – *to come over*
dod i ben – *to come to an end*
dod o hyd i – *to find*
dodrefnyn (gwr.) – *piece of furniture;* dodrefn – *furniture*
dolen (ben.) – *loop, link, handle;* dolenni – *loops, links, handles*
draenen ddu (ben.) – *blackthorn*
drewi – *to stink* (bôn: drew-)
dril (gwr.) – *drill;* driliau – *drills*
dringwr (gwr.) – *climber;* dringwyr – *climbers*
drosodd – *over, overleaf*
druan â ti – *poor you* (de Cymru)
druan ohonat ti – *poor you* (gogledd Cymru)
drws ffrynt – *front door;* drysau ffrynt – *front doors*
drych (gwr.) – *mirror;* drychau – *mirrors*
dur (gwr.) – *steel*
dwbl – *double*
dweud eich dweud – *to have your say* (de Cymru)
deud eich deud – *to have your say* (gogledd Cymru)
dwfn – *deep*
dwyieithog – *bilingual*
dwys – *intense, intensive*
dychrynllyd – *frightening*
Dydd Ffolant – *Valentine's day*
dyddiad cau – *closing date*
dyddiol – *daily*
dyffryn (gwr.) – *valley,* dyffrynnoedd – *valleys*
dyled (be) n.) – *debt;* dyledion – *debts*

E
economaidd – *economic, economical*
economi (gwr.) – *economy*
edrych dros – *to check, to look over* (bôn: edrych-)
efaill (gwr.) – *twin;* efeilliaid – *twins*
Efrog Newydd – *New York*
efydd – *bronze*
effeithio (ar) – *to affect* (bôn: effeithi-)
eglur – *evident, clear*

egluro – *to explain* (bôn: eglur-)
eglwys gadeiriol – *cathedral*; eglwysi cadeiriol – *cathedrals*
egni (gwr.) – *energy*
eirlaw (gwr.) – *sleet*
eirlys (gwr.) – *snowdrop*; eirlysiau – *snowdrops*
electronig – *electronic*
enfys (ben.) – *rainbow*; enfysau – *rainbows*
enwi – *to name* (bôn: enw-)
er – *although*
er gwaetha – *despite*
erthygl (ben.) – *article*; erthyglau – *articles*
esboniad (gwr.) – *explanation*; esboniadau – *explanations*
esgus (gwr.) – *excuse*; esgusodion – *excuses*
esiampl (ben.) – *example*; esiamplau – *examples*
esmwyth – *restful, smooth*
estyniad (gwr.) – *extension*; estyniadau – *extensions*
etholiad (gwr.) – *election*; etholiadau – *elections*
eto i gyd – *even so*
euog – *guilty*
ewyn (gwr.) – *foam*

F
feirws (gwr.) – *virus*; feirysau – *viruses*
fesul un – *one by one*
ficer (gwr.) – *vicar*; ficeriaid – *vicars*
figan (gwr.) – *vegan*; figaniaid – *vegans*

Ff
ffaith (ben.) – *fact*; ffeithiau – *facts*
ffarwelio (â/efo) – *to say goodbye (to)* (bôn: ffarweli-)
fferyllydd (gwr.) – *chemist*; fferyllwyr – *chemists*
ffeuen (ben.) – *bean*; ffa – *beans*
ffidil (ben.) – *violin*; ffidlau – *violins*
ffilmio – *to film* (bôn: ffilmi-)
ffin (ben.) – *border*; ffiniau – *borders*
ffitrwydd (ben.) – *fitness*
fflam (ben.) – *flame*; fflamau – *flames*
ffoadur (gwr.) – *refugee*; ffoaduriaid – *refugees*
ffodus – *fortunate*
ffon (ben.) – *stick*; ffyn – *sticks*
ffrâm (ben.) – *frame*; fframiau – *frames*
ffrwydro – *to explode* (bôn: ffrwydr-)
ffurflen gais – *application form*; ffurflenni cais – *application forms*
ffyrnig – *fierce*

G

galluog – *capable, brainy*
gan gynnwys – including
gefeillio – *to twin* (bôn: gefeilli-)
gêm gyfartal (ben.) – *a draw*
Gemau Olympaidd – *Olympic Games*
genedigaeth (ben.) – *birth;* genedigaethau – *births*
genedigol – *native*
glan (ben.) – *shore, bank;* glannau – *shores, banks*
glaw mân – *drizzle*
gliniadur (gwr.) – *laptop,* gliniaduron – *laptops*
go iawn – *real*
gofal (gwr.) – *care*
gofalwr (gwr.) – *carer, caretaker;* gofalwyr – *carers, caretakers*
gofod (gwr.) – *space*
goleudy (gwr.) – *lighthouse;* goleudai – *lighthouses*
golygu – to mean, to edit (bôn: golyg-)
gollwng – *to drop* (bôn: gollyng-)
gorffwys (gwr.) – *rest*
gorlifo – *to overflow* (bôn: gorlif-)
gorwedd – *to lie down* (bôn: gorwedd-)
gorwel (gwr.) – *horizon;* gorwelion – *horizons*
gosod – *to set, to put* (bôn: gosod-)
gostyngiad (gwr.) – *reduction;* gostyngiadau – *reductions*
gradd feistr (ben.) – *master's degree*
graddio – *to graduate* (bôn: graddi-)
gramadeg (gwr.) – *grammar*
grawnwinen (ben.) – *grape;* grawnwin – *grapes*
grefi (gwr.) – *gravy*
gwadu – *to deny* (bôn: gwad-)
gwahaniaeth (gwr.) – *difference;* gwahaniaethau – *differences*
gwall (gwr.) – *error;* gwallau – *errors*
gwasanaethu – *to serve* (bôn: gwasanaeth-)
gwasg (ben.) – *printing press;* gweisg – *printing presses*
gwasgu – *to squeeze, to squash* (bôn: gwasg-)
gwastad – *flat*
gwastraff (gwr.) – *waste*
gwastraffu – *to waste* (bôn: gwastraff-)
gwau – *to knit* (bôn: gwe-) (de Cymru)
gwefus (ben.) – *lip;* gwefusau – *lips*
gweini – *to serve* (bôn: gwein-)
gweithgar – *hardworking*
gweithgaredd (gwr.) – *activity;* gweithgareddau – *activities*
gweithle (gwr.) – *workplace;* gweithleoedd – *workplaces*
gwell hwyr na hwyrach – *better late than never*
gwên (ben.) – *smile;* gwenau – *smiles*
gwerin – *folk*
gwerthfawr – *valuable*
gwestai (gwr.) – *guest;* gwesteion – *guests*

gweu – *to knit* (bôn: gweu-) (gogledd Cymru)
gwibdaith (ben.) – *trip, excursion;* gwibdeithiau – *trips, excursions*
gwlân (gwr.) – *wool*
gwleidyddiaeth (ben.) – *politics*
gwlychu – *to get wet* (bôn: gwlych-)
gwm (gwr.) – *gum*
gwm cnoi – *chewing gum*
gwneud cawl o – *to make a mess of* (de Cymru)
gwneud llanast o – *to make a mess of* (gogledd Cymru)
gwneud y tro – *to make do, to answer the purpose*
gwrach (ben.) – *witch;* gwrachod – *witches*
gwraidd (gwr.) – *root;* gwreiddiau – *roots*
gwrandäwr (gwr.) – *listener;* gwrandawyr – *listeners*
gwthio – *to push* (bôn: gwth-)
Gwyddel (gwr.) – *Irish man;* Gwyddelod – *Irish people*
Gwyddeles (ben.) – *Irish woman*
gwylan (ben.) – *seagull;* gwylanod – *seagulls*
gwyllt – *wild*
gyda llaw – *by the way*
gyda'r hwyr – *in the night*
gymnasteg (ben.) – *gymnastics*

H

hael – *generous*
hallt – *salty*
hamddenol – *leisurely*
hanesydd (gwr.) – *historian;* haneswyr – *historians*
hanesyddol – *historical*
hapusrwydd (gwr.) – *happiness*
hawlio – *to claim*
heblaw am – *apart from*
hel atgofion – *to reminisce*
hen dad-cu (gwr.) - *great-grandfather*
hen daid (gwr.) - *great-grandfather*
hen fam-gu (ben.) - *great-grandmother*
hen nain (ben.) - *great-grandmother*
henaint (gwr.) – *old age*
heneiddio – *to age* (bôn: heneiddi-)
henoed – *elderly people*
heulwen (ben.) – *sunshine*
hirgrwn – *oval*
hoffus – *likeable*
holiadur (gwr.) – *questionnaire;* holiaduron – *questionnaires*
hollbwysig – *all-important*
hwyliog – *full of fun*
hwylus – *convenient*
hyd yn hyn – *up until now*
hyder (gwr.) – *confidence*
hynny – *that*

I

i fod i – *supposed to*
i'r dim – *exactly*
iachus – *healthy* (bwyd)
iard (ben.) – *yard;* iardiau – *yards*
iechyd a diogelwch – *health and safety*
Iesu – *Jesus*
ieuenctid (gwr.) – *youth*
injan dân (ben.) – *fire engine;* injans tân – *fire engines*
isod – *beneath, below*

J

jyngl (gwr.) – *jungle;* jyngls – *jungles*

L

lansio – *to launch* (bôn: lansi-)
lapio – *to wrap* (bôn: lapi-)
lawr grisiau – *downstairs* (gogledd Cymru)
lawr llawr – *downstairs* (de Cymru)
lefel (ben.) – *level;* lefelau – *levels*
lolipop (gwr.) – *lollypop;* lolipops – *lollypops*
lôn feicio (ben.) – *bike lane;* lonydd beicio – *bike lanes*
lwcus – *lucky*

Ll

lladd – *to kill* (bôn: lladd-)
lladrad (gwr.) – *burglary;* lladradau – *burglaries*
llafar – *oral*
llanast (gwr.) – *mess* (gogledd Cymru)
llanc (gwr.) – *lad, youth;* llanciau – *lads, youth*
llanw a thrai – *tides; ebb and flow*
llawdriniaeth (ben.) – *operation;* llawdriniaethau – *operations*
llawr gwaelod (gwr.) – *ground floor*
lle tân – *fireplace;* llefydd tân – *fireplaces*
lledr (gwr.) – *leather*
lledu – *to spread, to widen* (bôn: lled-)
llefarydd (gwr.) – *spokesperson;* llefarwyr – *spokespeople*
lleidr (gwr.) – *thief;* lladron – *thieves*
lleihau – *to reduce* (bôn: lleiha-)
llenyddiaeth (ben.) – *literature*
lleoliad (gwr.) – *location;* lleoliadau – *locations*
llethr (gwr.) – *slope;* llethrau – *slopes*
llety (gwr.) – *accommodation*
llewygu – *to faint* (bôn: llewyg-)
llif (gwr.) – *flood;* llifogydd – *floods*
llifo – *to flow* (bôn: llif-)
llithrig – *slippery*
llithro – *to slip* (bôn: llithr-)

lloches (ben.) – *shelter;* llochesau – *shelters*
llond bol – *bellyful (fed up)* (gogledd Cymru)
llond bola – *bellyful (fed up)* (de Cymru)
lluosog (gwr.) – *plural;* lluosogion – *plurals*
llwch (gwr.) – *dust*
llwy garu (ben.) – *lovespoon;* llwyau caru – *lovespoons*
llwyaid (ben.) – *spoonful;* llwyeidiau – *spoonfuls*
llwyddiannus – *successful*
llwyddiant (gwr.) – *success;* llwyddiannau – *successes*
llwyddo (i) – *to succeed (in)* (bôn: llwydd-)
llwyfan (gwr.) – *stage;* llwyfannau – *stages*
llwyth (gwr.) – *load;* llwythi – *loads*
llydan – *wide*
llyfr gosod (gwr.) – *set book;* llyfrau gosod – *set books*
llym – *severe*
llyn (gwr.) – *lake;* llynnoedd – *lakes*
llyncu – *to swallow* (bôn: llync-)
llys (gwr.) – *court;* llysoedd – *courts*
llywodraeth (ben.) – *government;* llywodraethau – *governments*

M
machlud (gwr.) – *sunset*
maer (gwr.) – *mayor;* meiri – *mayors*
man (gwr.) – *place;* mannau – *places*
mân siarad – *chit-chat*
mantais (ben.) – *advantage;* manteision – *advantages*
manwl – *detailed*
manylion personol – *personal details*
marc (gwr.) – *mark;* marciau – *marks*
marchnata (gwr.) – *marketing*
marcio – *to mark* (bôn: marci-)
marwolaeth (ben.) – *death;* marwolaethau – *deaths*
medal (ben.) – *medal;* medalau – *medals*
meddal – *soft*
meddyginiaeth (ben.) – *medication;* meddyginiaethau – *medications*
mellten (ben.) – *lightning;* mellt – *flashes of lightening*
menter (ben.) – *venture, initiative;* mentrau – *ventures, initiatives*
mentro – *to venture, to dare* (bôn: mentr-)
mentrus – *adventurous*
mesur – *to measure* (bôn: mesur-)
metel (gwr.) – *metal;* metelau – *metals*
mewn gwirionedd – *in truth*
modern – *modern*
moethus – *luxurious*
mordaith (ben.) – *cruise;* mordeithiau – *cruises*
morwyn (ben.) – *maid;* morwynion – *maids*
mudiad (gwr.) – *movement, organisation;* mudiadau – *movements, organisations*
murlun (gwr.) – *mural;* murluniau – *murals*
mwd (gwr.) – *mud*

mwdlyd – *muddy*
mwg (gwr.) – *smoke*
mwynhad (gwr.) – *enjoyment*
mynnu – *to insist* (bôn: mynn-)
mynwent (ben.) – *graveyard, cemetery;* mynwentydd – *graveyards, cemeteries*

N

nant (ben.) – *stream, creek;* nentydd – *streams, creeks*
nefoedd (ben.) – *heaven*
neidio – *to jump* (bôn: neidi-)
nerfus – *nervous*
nerth (gwr.) – *strength*
newid mân – *small change*
newydd sbon – *brand new*
nifer (ben.) – *number, quantity;* niferoedd – *numbers, quantities*
nodyn (gwr.) – *note;* nodiadau – *notes*
nyth (ben.) – *nest;* nythod – *nests*

O

o amgylch – *around*
o bell – *from afar*
o ddifri – *seriously*
o ddrwg i waeth – *from bad to worse*
o dro i dro – *from time to time*
o fewn – *within*
o flaen – *in front of*
o hyn ymlaen – *from now on*
o leia(f) – *at least*
o'r enw – *named, called*
obsesiwn (gwr.) – *obsession;* obsesiynau – *obsessions*
ocsiwn (ben.) – *auction;* ocsiynau – *auctions*
od – *odd*
oddi ar – *from (on), off, down from*
oddi cartre(f) – *away from home*
oedi – *to pause, to delay* (bôn: oed-)
oedran (gwr.) – *age,* oedrannau – *ages*
oerfel (gwr.) – *cold* (tywydd)
oesoedd canol – *middle ages*
ofni – *to fear* (bôn: ofn-)
ofnus – *fearful, frightened*
oherwydd – *because*
oni bai am – *if it weren't for*
oriau mân – *small hours*
oriel (ben.) – *gallery;* orielau – *galleries*
osgoi – *to avoid* (bôn: osgo-, osgoi-)

P

paith (gwr.) – *prairie;* peithiau – *prairies*

palmant (gwr.) – *pavement;* palmentydd – *pavements*

para – *to last* (bôn: par-)

parc gwledig (gwr.) – *country park;* parciau gwledig – *country parks*

parch (gwr.) – *respect*

parhau – *to continue* (bôn: parha-)

partner (gwr.) – *partner;* partneriaid – *partners*

patrwm (gwr.) – *pattern;* patrymau – *patterns*

pecyn (gwr.) – *package;* pecynnau – *packages*

peldroediwr – *footballer;* peldroedwyr – *footballers*

pellter (gwr.) – *distance;* pellteroedd – *distances*

pen draw – *far end, long run*

pencampwriaeth (ben.) – *championship;* pencampwriaethau – *championships*

pendant – *definite*

penderfyniad (gwr.) – *decision;* penderfyniadau – *decisions*

pennawd (gwr.) – *headline;* penawdau – *headlines*

penodi – *to appoint* (bôn: penod-)

perchennog (gwr.) – *owner;* perchnogion – *owners*

personoliaeth (ben.) – *personality;* personoliaethau – *personalities*

perswadio – *to persuade* (bôn: perswadi-)

perygl (gwr.) – *danger;* peryglon – *dangers*

petryal – *rectangular*

pibell (ben.) – *pipe;* pibelli – *pipes*

pigiad (gwr.) – *injection;* pigiadau – *injections*

plaid (ben.) – *political party;* pleidiau – *political parties*

plannu – *to plant* (bôn: plann-)

plentyndod (gwr.) – *childhood*

pleser (gwr.) – *pleasure;* pleserau – *pleasures*

pleserus – *enjoyable*

plygu – *to fold, to bend* (bôn: plyg-)

pob dim – *everything*

poblogaidd – *popular*

polisi (gwr.) – *policy;* polisïau – *policies*

pori – *to graze, to browse* (bôn: por-)

poster (gwr.) – *poster;* posteri – *posters*

prancio – *to prance, to gambol* (bôn: pranci-)

preifat – *private*

presgripsiwn (gwr.) – *prescription;* presgripsiynau – *prescriptions*

pridd (gwr.) – *earth, soil*

Prif Weinidog – *Prime Minister*

priffordd (ben.) – *main road;* priffyrdd – *main roads*

prin – *rare, scarce*

proffesiwn (gwr.) – *profession;* proffesiynau – *professions*

proffesiynol – *professional*

profiadol – *experienced*

project (gwr.) – *project;* projectau – *projects*

proses (ben.) – *process;* prosesau – *processes*

protestio – *to protest* (bôn: protesti-)

protestiwr (gwr.) – *protester;* protestwyr – *protesters*
Prydeinig – *British*
Prydeiniwr (gwr.) – *a man from Britain* ; Prydeinwyr – *British people*
Prydeinwraig (ben.) – *a woman from Britain*
prydferthwch (gwr.) – *beauty*
prydlon – *punctual, prompt*
pur – *pure*
pŵer (gwr.) – *power;* pwerau – *powers*
pwnc (gwr.) – *subject;* pynciau – *subjects*
pwrpas (gwr.) – *purpose;* pwrpasau – *purposes*
pwyllgor (gwr.) – *committee;* pwyllgorau – *committees*
pwyntiau bwled – *bullet points*
pwyntio – *to point* (bôn: pwynti-)
pwysleisio – *to emphasise*
pwyso – *to press, to weigh* (bôn: pwys-)

R
raced (ben.) – *racket;* racedi – *rackets*
rafftio – *to raft* (bôn: raffti-)
rasio – *to race* (bôn: rasi-)
recordio – *to record* (bôn: recordi-)
regata (ben.) – *regata;* regatas – *regattas*
roced (ben.) – *rocket;* rocedi – *rockets*

Rh
rhaff (gwr.) – *rope;* rhaffau – *ropes*
rhagor – *more*
rhagorol – *excellent*
rhamantus – *romantic*
rhaw (ben.) – *spade;* rhawiau – *spades*
rhedwr (gwr.) – *runner;* rhedwyr – *runners*
rhentu – *to rent* (bôn: rhent-)
rheol (ben.) – *rule;* rheolau – *rules*
rhes (ben.) – *row;* rhesi – *rows*
rhewllyd – *icy*
rhiant maeth – *foster parent;* rhieni maeth – *foster parents*
rhifo – *to count, to calculate* (bôn: rhif-)
rhoi'r gorau i – *to give up*
rhos (gwr.) – *heath, moor;* rhosydd – *heaths, moors*
rhostio – *to roast* (bôn: rhost-)
Rhufeiniaid (gwr.) – *(the) Romans*
rhuthro – *to rush* (bôn: rhuthr-)
rhwyd (ben.) – *net;* rhwydi – *nets*
rhwystr (gwr.) – *obstacle;* rhwystrau – *obstacles*
rhwystro – *to prevent* (bôn: rhwystr-)
rhybudd (gwr.) – *warning;* rhybuddion – *warnings*
rhybuddio – *to warn* (bôn: rhybudd-)
rhyddhau – *to free* (bôn: rhyddha-)
rhyfel (gwr.) – *war;* rhyfeloedd – *wars*

rhyw (gwr.) – *sex;* rhywiau – *sexes*
rhywbeth o'i le – *something wrong*

S
saethu – *to shoot* (bôn: saeth-)
safbwynt (gwr.) – *stance, viewpoint;* safbwyntiau – *stances, viewpoints*
safle (gwr.) – *site, position;* safleoedd – *sites, positions*
safon (ben.) – *standard;* safonau – *standards*
saws (gwr.) – *sauce;* sawsiau – *sauces*
sbeis (gwr.) – *spice;* sbeisys – *spices*
sbio – *to look* (gogledd Cymru) (bôn: sbi-)
sbort a sbri – *fun and games*
sefydliad (gwr.) – *institution, establishment, institute;* sefydliadau – *institution(s), establishment(s), institute(s)*
sefydlog – *stable, fixed, unchanging*
sefydlu – *to establish* (bôn: sefydl-)
sefyllfa (ben.) – *situation;* sefyllfaoedd – *situations*
seiclwr (gwr.) – *cyclist;* seiclwyr – *cyclists*
sengl – *single*
serch (gwr.) – *romantic love*
serth – *steep*
sgerbwd (gwr.) – *skeleton;* sgerbydau – *skeletons*
sgwâr (gwr.) – *square;* sgwariau – *squares*
sgwâr (ans.) – *square*
siâp (gwr.) – *shape;* siapiau – *shapes*
siaradus – *talkative*
siawns (ben.) – *chance;* siawnsiau – *chances*
sibrwd – *to whisper* (bôn: sibryd-)
sidan (gwr.) – *silk*
siglo – *to rock, to shake* (bôn: sigl-)
sioc (ben.) – *shock;* siociau – *shocks*
siop trin gwallt – *hairdressers' shop*
siswrn (gwr.) – *scissors;* sisyrnau
sleifio – *to slink, to sneak, to sidle* (bôn: sleifi-)
smotiog – *spotty*
snorclo – *to snorkel* (bôn: snorcl-)
soffa (ben.) – *sofa;* soffas – *sofas*
sownd – *stuck*
staffio – *to staff* (bôn: staffi-)
steil (gwr.) – *style*
stordy (gwr.) – *storehouse;* stordai – *storehouses*
storio – *to store* (bôn: stori-)
streic (ben.) – *strike;* streiciau – *strikes*
streiciwr (gwr.) – *striker* (gwaith); streicwyr – *strikers*
streipïog – *striped*
stwffin (ben.) – *stuffing*
sur – *sour*
swnio – *to sound* (bôn: swni-)
swyddogol – *official*

swynol – *charming*
sychder (gwr.) – *drought, dryness*
sychedig – *thirsty*
sydyn – *sudden*
syllu – *to stare* (bôn: syll-)
syllu'n syn – *to gaze in amazement*
sylw (gwr.) – *attention, remark*; sylwadau – *remarks*
sylweddoli – *to realise* (bôn: sylweddol-)
symbol (gwr.) – *symbol*; symbolau – *symbols*
synnu – *to surprise, to be surprised* (bôn: synn-)
synnwyr cyffredin – *common sense*
syrcas (ben.) – *circus*; syrcasau – *circuses*
syrthio – *to fall* (gogledd Cymru) (bôn: syrthi-)
system (ben.) – *system*; systemau – *systems*

T

tafodiaith (ben.) – *dialect*; tafodieithoedd – *dialects*
tagfa (ben.) – *traffic jam*; tagfeydd – *traffic jams*
tagu – *to splutter, to choke* (bôn: tag-)
tâl (gwr.) – *payment*; taliadau – *payments*
talaith (ben.) – *state*; taleithiau – *states*
talcen (ben.) – *forehead*; talcenni – *foreheads*
taleb (ben.) – *voucher*; talebau – *vouchers*
talentog – *talented*
tâp (gwr.) – *tape*; tapiau – *tapes*
taran (ben.) – *thunder*; taranau
targed (gwr.) – *target*; targedau – *targets*
tarten (ben.) – *tart*; tartenni – *tarts*
tasg (ben.) – *task*; tasgau – *tasks*
tawelu – *to become quiet, to calm down* (bôn: tawel-)
teg – *fair*
teimlad (gwr.) – *feeling*; teimladau – *feelings*
teip (gwr.) – *type*; teipiau – *types*
telynor (gwr.) – *male harpist*: telynorion – *harpists*
telynores (ben.) – *female harpist*; telynoresau – *female harpists*
tennyn (gwr.) – *lead*
testun (gwr.) – *subject, text*; testunau – *subjects, texts*
tir (gwr.) – *land, ground*; tiroedd – *lands, grounds*
to (gwr.) – *roof*; toeon – *roofs*
toddi – *to melt* (bôn: todd-)
top (gwr.) – *top*; topiau – *tops*
torf (ben.) – *crowd*; torfeydd – *crowds!*
toriad (gwr.) – *cut*, toriadau – *cuts*
tortsh (gwr.) – *torch*; tortsys – *torches*
trac (gwr.) – *track*; traciau – *tracks*
traddodiad (gwr.) – *tradition*; traddodiadau – *traditions*
traethawd (gwr.) – *essay*; traethodau – *essays*
trafnidiaeth (ben.) – *transport*
traws gwlad – *cross country*

trefn (ben.) – *order*
trefniad (gwr.) – *arrangement;* trefniadau – *arrangements*
trin – *to treat* (bôn: trini-)
triniaeth (ben.) – *treatment;* triniaethau – *treatments*
tristwch (gwr.) – *sadness*
troellog – *twisty, windy*
trwchus – *thick*
trwm ei glyw/chlyw – *hard of hearing*
trwydded (ben.) – *licence;* trwyddedau – *licences*
trysor (gwr.) – *treasure;* trysorau – *treasures*
Tsieina (ben.) – *China*
twlc (gwr.) – *sty;* tylciau – *sties*
twrist (gwr.) – *tourist;* twristiaid – *tourists*
twristaidd – *tourist* (ans.)
twymo – *to heat (up)* (bôn: twym-)
tŷ pâr/semi (gwr.) – *semi-detached house;* tai pâr/semi (gwr.) – *semi-detached houses*
tylwythen deg (ben.) – *fairy;* tylwyth teg – *fairies*
tymheredd (ben.) – *temperature*
tyn(n) – *tight*
tyrfa (ben.) – *crowd;* torfeydd – *crowds*
tyst (gwr.) – *witness;* tystion – *witnesses*
tywyllu – *to grow dark* (bôn: tywyll-)

U

undeb (gwr.) – *union;* undebau – *unions*
undydd – *one-day*
unigolyn (gwr.) – *individual;* unigolion – *individuals*
uno – *to unite* (bôn: un-)
uwchben – *above*

W

ward (ben.) – *ward;* wardiau – *wards*
wedi blino'n lân – *exhausted*
wrth fy modd – *in my element*
wythnosol – *weekly*

Y

y cant – *per cent*
y pen – *per head*
y rhain – *these*
y rhan fwya(f) – *the majority*
y Wladfa – *the colony* (fel arfer – Patagonia)
ymateb (gwr.) *response;* ymatebion – *responses*
ymchwil (gwr.) – *research*
ymddangos – *to appear* (bôn: ymddangos-)
ymddeoliad (gwr.) – *retirement;* ymddeoliadau – *retirements*
ymddiried (yn) – *to trust (in)* (bôn: ymddiried-)
ymddiswyddo – *to resign* (bôn: ymddiswydd-)

ymdrech (ben.) – *effort;* ymdrechion – *efforts*
ymestyn – *to stretch* (bôn: ymestynn-)
ymgeisio (am) – *to apply (for)* (bôn: ymgeisi-)
ymhen – *within* (amser)
ymhlith – *amongst*
ymladd – *to fight* (bôn: ymladd-)
ymlaen llaw – *beforehand*
ymuno (â/efo) – *to join* (bôn: ymun-)
yn bennaf – *mainly*
yn enwedig – *especially*
yn erbyn – *against*
yn fuan – *soon*
yn fyw ac yn iach – *alive and kicking*
yn hollol – *completely, exactly*
yn ogystal â – *as well as, in addition to*
yn ôl pob sôn – *apparently*
yn syth bin – *immediately*
ynni (gwr.) – *energy*
Yr Ariannin (ben.) – *Argentina*
Yr Unol Daleithiau (ben.) – *the United States*
ysbryd (gwr.) – *ghost, spirit;* ysbrydion – *ghosts, spirits*
ysgol (ben.) – *ladder;* ysgolion – *ladders* (de Cymru)
ystôl (ben.) – *ladder;* ystolion – *ladders* (gogledd Cymru)
ysgrifen (ben.) – *handwriting*
ysgrifennydd (gwr.) – *secretary;* ysgrifenyddion – *secretaries*
ysgwyd – *to shake* (bôn: ysgwyd-)